Nos meill

Histoires fre...antes
pour réchauffer le coeur

Michael Capuzzo et Teresa Banik Capuzzo

Traduit de l'américain par Suzanne Grenier

Traduction française : Suzanne Grenier
Conception graphique : Carl Lemyre
Illustration : Jean-Marc Gladu
Typographie et mise en page : François Doucet
Équipe de révision : Nancy Coulombe, Cécile Rolland

©Copyright © 1998 Michael Capuzzo and Teresa Banik Capuzzo
Titre original anglais : Our Best Friends-Wagging Tales to Warm the Heart
Publié en accord avec Bantam Books, une division de Bantam Doubleday Dell Publishing Group, Inc.
Copyright © 1999 Éditions AdA Inc. Pour la traduction française.
Dépôt légal : 1999
Bibliothèque Nationale du Québec
Bibliothèque Nationale du Canada
ISBN 2-921892-48-0
Première impression : février 1999

Publié par
Éditions AdA Inc.
172, des Censitaires
Varennes, Québec
Canada
J3X 2C5

Téléphone : (450) 929-0296
Télécopieur : (450) 929-0220

www.ADA-INC.com

INFO@ADA-INC.COM

Diffusion

Canada : Éditions AdA Inc.

Téléphone :   450-929-0296

Télécopieur : 450-929-0220

www.ADA-INC.com

INFO@ADA-INC.COM

France: D.G Diffusion

6, rue Jeanbernat

31000 Toulouse

Tél : 05-61-62-63-41

Belgique : Rabelais- 22.42.77.40

Suisse : Transat- 23.42.77.40

Imprimé au Canada

INTRODUCTION

Les chiens ont un effet sur le cœur des êtres humains. À quoi cela tient-il exactement? Ce je-ne-sais-quoi, on ne peut en donner une définition claire, mais on sait qu'il existe. Il est possible qu'il faille aller au-delà des données sur le rythme cardiaque et la tension artérielle pour atteindre cette zone mystique où le cœur et l'esprit se rejoignent comme un vaste réseau d'affluents au creux de notre âme. Les chiens, semble-t-il, apportent bel et bien un genre de douceur à notre cœur.

Tous les poèmes d'amour, toutes les lettres d'amour sont des exagérations. Les gens ne meurent pas réellement pour cet autre dont ils recherchent la compagnie ; il est peu probable qu'une personne amoureuse ne pense à rien d'autre pendant des mois. (Il serait dangereux de traverser la rue ou de cuisiner, et encore davantage de conduire une automobile, si cela était vrai.) Mais l'hyperbole est la substance des émotions. Elle est un effort légitime pour exprimer des sentiments face auxquels notre vocabulaire est insuffisant. Il en va de même de nos animaux de compagnie, de nos rapports avec eux et des souvenirs remplis d'affection qu'ils ont laissés en nous. Voilà ce que les Capuzzo explorent en réunissant les anecdotes et les souvenirs émouvants de toute une variété de personnes.

Les chiens nous rendent la vie plus douce... et nous disposent nous-mêmes à la vie. (N'essayez même pas d'expliquer cela à quiconque ne s'est jamais laissé aller à cette expérience. Vous n'aurez droit qu'à un regard dérouté.) Mais si vous faites partie de la tribu, préparez-vous à parcourir ces merveilleuses histoires que Mike et Teresa Capuzzo, de fervents, orthodoxes et indéfectibles amoureux des chiens, ont dénichées au cours de leurs voyages.

Installez-vous confortablement, enlevez vos chaussures et accueillez ces récits de la même manière que vous traitez votre chien – l'esprit ouvert, la tension artérielle à la baisse et le cœur rempli de gratitude, car vous prenez part à l'un des plus grands miracles que connaît l'espèce humaine.

– Roger A. Caras
Thistle Hill Farm

3

Chapitre 1

Une histoire d'amour

Nietzsche a dit ces mots superbes : « Donnez-vous comme but d'aimer toujours plus que l'autre, de ne jamais être le deuxième. » Avec les êtres humains, je suis parfois capable de suivre ce commandement, mais dans mes relations avec un chien fidèle, je suis toujours le deuxième. Avez-vous déjà pensé à quel point tout cela est extraordinaire? L'homme, doté de raison et d'un sens de la responsabilité morale hautement développé, dont les croyances les plus belles et les plus nobles résident dans le culte de l'amour fraternel, arrive sur ce plan derrière les carnivores... Le simple fait que mon chien m'aime plus que je ne l'aime est indéniable et me remplit toujours d'un certain sentiment de honte.

– Konrad Lorenz

Le chien est la seule créature terrestre qui vous aime plus que vous ne vous aimez vous-même.

– Josh Billings

Qui me amat, amat et canem meum. (« Qui m'aime, aime mon chien. »)

– Saint Bernard, Sermo Primus (1150)

Il n'était pas le meilleur, mais il était ce que j'ai eu de mieux.

– Épitaphe dédiée à Track, enterré dans le Coon Dog Memorial Graveyard, Colbert County, Alabama

Le foyer du chien est là où on l'accueille

En 1940, Mickey Mantle venait d'avoir huit ans. Le swing et le be-bop flottaient dans l'air, et Native Son occupait la première place sur les rayons des librairies.

L'Amérique était plutôt paisible et nonchalante en 1940. Cela était particulièrement vrai à Daytona Beach, une station balnéaire située sur la côte nord-est de la Floride et réputée pour ses 40 kilomètres de plages de sable blanc.

Ed Budgen avait établi sa compagnie de taxis, la Daytona Cab Company, sur Beach Street, la rue principale. L'établissement voisinait un bar, la pharmacie Ligget, un salon de barbier, une salle de billard et un banque.Une marina, où des yachts étaient amarrés, se trouvait en biais avec la station de taxis, du côté sud-est de Beach Street. Le coin nord-est était occupé par le Riverfront Park, un endroit verdoyant, agréablement ombragé, d'où l'on pouvait contempler l'Intracoastal Waterway.

En 1940, quelque chose dans le secteur commercial de cette petite ville attira un chien errant. Sans que personne ne sache d'où il venait ni ce qui l'avait amené, un étranger à quatre pattes se mit un jour à vagabonder dans la ville, à renifler de-ci de-là, et à aimer ce qu'il flairait. Ce jour-là, la population permanente de Daytona Beach – 22 580 habitants – s'éleva d'un chiffre.

« J'étais haut comme trois pommes en 1940, mais je me souviens de Brownie comme d'un chien gentil et affectueux », affirme George, le fils d'Ed Budgen. « Mon père lui a donné ce nom, Brownie. C'était un chien brun clair, à poil court, haut d'environ 45 centimètres. Il ressemblait un peu à un boxer. »

Ed amena le chien chez un vétérinaire local pour le faire examiner. Selon le vétérinaire, Brownie avait environ un an.

Ed essaya de s'informer autour de lui, mais personne n'avait entendu parler d'un chien au tempérament doux qui se serait enfui. Ed, les chauffeurs de taxis et les autres marchands de Beach Street décidèrent donc d'adopter Brownie.

Ed construisit une niche dans une grosse boîte en carton. C'est là que vécut Brownie. Chaque fois que la niche devenait trop

Chapitre 1

usée, Ed en fabriquait une autre. Brownie renouvela son bail pendant 14 ans, à moins de 30 mètres de l'angle que formaient les rues Orange et Beach.

Chaque jour, Brownie faisait sa tournée des marchands. Il allait jusqu'à l'intérieur du bureau de poste, puis traversait vers le parc et la marina.

Ses visites régulières produisaient un effet réconfortant. Les marchands en vinrent à s'habituer à Brownie et à se réjouir de sa présence. Aussi longtemps qu'il passerait dire bonjour en agitant la queue, il semblait que tout irait bien pour le petit monde de Daytona Beach.

Brownie devint une figure familière et bienvenue dans la ville. Les résidents l'accueillaient avec un sourire, une étreinte ou une caresse. Ils lui disaient qu'il était un bon chien. Ils lui offraient des gâteries. Et, de temps à autre, quelqu'un lui apportait un steak.

E. B. Davidson, qui avait six ans en 1940, se rappelle : « Brownie aimait que tous les enfants viennent le voir après l'école. C'était un chien vraiment gentil. Il avait une grosse tête et un long museau. Sa face me faisait penser à celle du Rhodesian Ridgeback, mais il avait plutôt le corps d'un chien courant. »

Vince Clarida était encore enfant quand Brownie apparut pour la première fois dans la ville. Il garde parmi ses souvenirs l'image de l'agent de police faisant sa ronde sur Beach Street, suivi pas à pas par Brownie.

« Ed et les autres chauffeurs de taxis avaient l'habitude de donner tous les jours à Brownie un litre de crème glacée », affirme Clarida. « Ce chien adorait la crème glacée! » Ed Budgen avait fabriqué un récipient, un genre de bourse qu'il attachait autour du cou de Brownie et qui servait à recueillir des dons. Les résidents et les visiteurs saisonniers y mettaient de l'argent. Ed déposait ces fonds dans un compte bancaire particulier qu'il avait ouvert afin de défrayer la nourriture et les soins vétérinaires de Brownie.

Brownie était aussi célèbre pour ses nombreuses traversées au milieu de la circulation. À la grande surprise des résidents, il ne fut blessé qu'une seule fois. Il s'agissait d'une blessure à la patte, et la guérison se fit sans problème.

Brownie était trop indépendant pour se laisser adopter par quiconque. Mais il s'attacha suffisamment à la communauté de Daytona Beach pour y passer le reste de sa vie.

Brownie mourut en 1954. Tous supposèrent qu'il était mort de vieillesse. Une personne de la région rapporta la triste nouvelle à E. B. Davidson alors qu'il était au collège, loin de Daytona Beach. Ni lui, ni George Budgen, qui faisait son service militaire, ne purent assister aux funérailles.

« L'argent du compte en banque de Brownie servit à l'achat du cercueil en contreplaqué et de la pierre tombale », souligne Vince Clarida. « Environ 75 personnes étaient présentes aux funérailles, mais plusieurs autres affirmèrent par la suite qu'elles seraient venues si elles avaient su. »

Dans son éloge funèbre, le maire Jack Tamm déclara que Brownie était un bon chien. C'est ce que l'on décida à l'unanimité d'inscrire sur la pierre tombale.

Il y a, dans un coin du Riverfront Park, un espace gazonné frais et tranquille, ayant vue ouverte sur l'Intercoastal Waterway d'un côté et, de l'autre, sur les commerces de Beach Street.

C'est là que Brownie est enterré. Sa tombe est entourée de petites fleurs rouges. Au-dessus, sur la pierre de granite, est gravé le portrait d'un chien d'origine inconnue qui avait semble-t-il compris qu'il était aimé de plusieurs personnes.

Le granite est froid, mais les mots gravés sont remplis de chaleur : « Brownie. 1939-1954. Un bon chien. »

– Roberta Sandler

Chapitre 1

Maxie

Je me souviens de la première fois où je t'ai vue, sur une ferme de la Caroline du Nord, avec ta petite face noir et blanche, au milieu de huit autres chiens. Tu m'as aperçu, tu es venue vers moi, tu m'as choisi. Ce fut le début d'une amitié qui dura 10 ans et dont je n'ai pas connu de pareille dans toute mon existence.

Notre relation débuta à Goldsboro, en Caroline du Nord, et se termina ici, à Seattle. Au cours du voyage qui nous mena de la Caroline du Nord au Minnesota, puis en Californie et en Arizona, et ensuite à Washington, nous nous suffîmes à nous-mêmes, exception faite des quelques emplois occasionnels que j'acceptai pour nous garder au chaud et remplir nos estomacs. Je me souviens d'une période difficile de ma vic où je dus te laisser pendant deux ans chez mes parents. Je ne cessai jamais de penser à toi et je me consolai en sachant que tu étais aimée et que l'on prenait soin de toi. Je n'oublierai jamais non plus comment tu m'as reconnu quand je suis revenu te chercher. À partir de ce moment, je me suis juré que nous ne serions plus jamais séparés.

Tu as donné un sens à chacun des jours que tu as passés avec moi, me consolant lorsque j'étais triste, m'inspirant lorsque je n'y voyais plus clair et continuant de m'aimer lorsque j'avais l'impression qu'il n'y avait plus d'amour dans ma vie. Il ne m'est plus venu à l'idée de me séparer un jour de toi, mais je n'ai jamais tenu pour acquis le temps que nous avons partagé ensemble. Tu m'as trouvé et j'en remercie Dieu, car cette expérience m'a rendu plus riche.

Je sus finalement qu'il était temps de te laisser aller quand tu fus atteinte de tumeurs au cerveau. Cela me causa la plus grande souffrance. J'étais tenaillé par la douleur et la culpabilité, et je regrette de n'avoir pu te le cacher. Mais je sais aussi que tu comprenais. Cette nuit-là, quand tu me regardas dans les yeux, tu savais ce qui était en train d'arriver. Je t'ai laissée aller, Maxie, parce que je t'aimais. Je m'accrocherai toutefois à ton souvenir jusqu'à la fin de mes jours. Tu continues de me

Une histoire d'amour

réconforter, et même si je souhaiterais encore ardemment te tenir dans mes bras, je peux fermer les yeux et sentir que tu es près de moi.

– Anonyme, tiré du Virtual Pet Cementery

Le chien éternel

Il était une fois, dans le sud de la Floride, une petite fille nommée Jill Francisco. À sa naissance, un chien, George, se trouvait à ses côtés. George était un chien à longs poils hirsutes qui avait toujours dormi dans le lit de la maman de Jill. Quand Jill naquit, George sembla deviner qu'il servirait dorénavant à autre chose.

Tous les jours, George se couchait à côté du berceau du bébé. Chaque fois que Jill pleurait, George se mettait à hurler. Quand la patronne de la maman de Jill vint voir le bébé et tenta de le prendre dans ses bras, George faillit lui mordre la main. C'était correct, car George savait que la maman de Jill n'aimait pas sa patronne.

George fut l'un des premiers mots prononcés par Jill. Quand la petite fille eut environ cinq ans, George devint son meilleur ami. Mais le temps passa, et Jill entra à l'école. De plus en plus occupée, elle prêtait moins d'attention à George. « C'est comme si nous nous étions éloignés », se rappelle Jill. « Je l'aimais encore, mais je lui montrais moins. »

Avec l'âge, Jill se mit à passer beaucoup de temps avec ses amis et en vint presque à ne plus voir George du tout. George était un peu moins alerte à cette époque, mais il courait toujours pour accueillir Jill en agitant joyeusement la queue dès qu'elle rentrait à la maison. « Je lui donnais encore de la crème glacée quand maman ne regardait pas », ajoute Jill.

Quand George eut 15 ans – Jill alors en avait 12 – , il commença vraiment à montrer des signes de vieillissement. Il ne faisait plus que dormir et japper pour demander la porte. Jill, agacée par sa présence, n'avait plus envie de l'approcher. « Il

avait des cataractes au deux yeux, et ses pattes s'affaiblirent »,
se rappelle Jill. « Ce n'était pas réellement grave, mais ma mère
semblait parfois préoccupée. »

Quand il eut 16 ans, la famille commença à l'appeler « le
chien éternel ». À mesure que George prenait de l'âge, il devenait plus difficile pour Jill et sa mère de prendre soin de lui. Il
dormait de plus en plus, mais agitait toujours la queue aussitôt
qu'il voyait Jill.

Un matin, alors que Jill avait 14 ans et que George en avait
presque 17, elle entendit sa mère, Denise, qui disait : « Je crois
que le temps est venu. Il ne fait plus que rester couché en tremblant sur le sol. » Jill éclata alors en sanglots et se jeta dans les
bras de sa mère en s'écriant qu'elle voulait l'accompagner pour
mener George chez le vétérinaire. Jill croyait qu'elle s'était déta-
chée de George en grandissant, mais elle sut à ce moment que
c'était faux.

Il était une fois un chien qui s'appelait George. Quand George
se coucha pour la dernière fois, une fille, Jill, se trouvait à ses
côtés. Quand George gémit et pleura, elle pleura aussi.

« Ça a été le voyage le plus difficile de ma vie », dit plus tard
Jill à sa mère. « Quand je suis entrée dans la salle avec George
et lui ai dit au revoir. Je pensais que mon ami n'allait jamais me
quitter. Je sais maintenant dans mon cœur qu'il sera toujours là.
George était mon chien éternel. »

– Jill Francisco, 14 ans

Tendre Lizzie

Il y a près de 15 ans, à New York, un berger-labrador nommé
Lizzie est entré en boitillant dans notre vie. Elle était pathé-
tique, n'ayant que la peau sur les os – pour la plupart fracturés
après qu'elle ait été frappée par une automobile. Son espérance
de vie était faible. Au début, elle semblait n'être que la dernière sur une longue liste d'animaux errants que Steve et moi
avions secourus et soignés, avant de les acheminer vers un

foyer accueillant. Quelque chose brillait toutefois dans l'esprit de Lizzie : elle avait peut-être un corps de cabot, mais son âme était de race. Elle devint la lumière dans notre vie.

Steve et moi sommes un couple sans enfants, et nous comprenions bien évidemment que Lizzie n'était pas notre enfant. Nous partageons le point de vue de John Steinbeck lorsqu'il écrit qu'il vaut mieux être un excellent chien qu'un être humain de deuxième ordre. Cependant, Lizzie est bel et bien devenue notre « bébé ». En fait, nous plaisantions en disant que Lizzie était la « fille à son papa » ; car même si c'était moi surtout qui en prenait soin et qui l'emmenait faire de longues promenades, le point culminant de la journée de Lizzie était le moment où papa rentrait du travail.

Notre relation avec Lizzie s'enrichit à mesure qu'elle prit de la maturité. Tout comme des enfants adultes et leurs parents en viennent à approfondir des liens d'amitié et de respect, nous devinrent davantage des compagnes qu'une mère et son enfant. Elle m'a appris autant, sinon plus, que ce que j'ai pu lui transmettre. Lizzie avait un esprit aventureux et un cœur de philanthrope, et nous ramenions souvent de nos excursions quotidiennes dans les parcs des animaux abandonnés ou victimes de mauvais traitements : chiens, chats, lapins, et même un coq. Lizzie a partagé notre appartement avec plusieurs lapins entraînés à la propreté, que nous emmenâmes à la campagne lorsque nous nous mîmes à passer nos étés dans le nord de l'État de New York. Lizzie adorait la campagne ; nous parcourions ainsi les champs et les bois en suivant les cerfs et les lapins à la trace, nous nous baignions dans les criques avec les castors et couchions à la belle étoile pour observer les cerfs et les coyotes. L'intérêt de Lizzie pour la vie sauvage était purement esthétique, car jamais elle ne fit de mal à aucun animal.

Lizzie restait malgré tout au fond d'elle-même un chien des villes. Elle aimait le tourbillon d'activité, se mêler aux gens et faire la belle ; elle devint bientôt une figure bien établie dans le voisinage, et on la laissait entrer dans les magasins, les églises, les épiceries fines et même dans certains restaurants. Par sa compréhension intuitive des gens, des lieux et des situations, elle semblait correspondre aux observations du comte de Buffon (le « naturaliste lauréat » français du XVIIIe siècle), qui a décrit la manière avec laquelle les chiens semblent deviner et combler la multitude de besoins des êtres humains dans leurs différents rôles sociaux et familiaux. Lizzie et ses lapins ont participé, dans une école locale, à des projets de zoothérapie auprès d'enfants victimes de sévices. Elle avait une sensibilité et une douceur innées qui la rapprochaient des personnes âgées ou handicapées. Sa nature engageante se révéla contagieuse, et elle fut invitée à plusieurs activités publiques et à de nombreuses fêtes d'enfants. Je n'avais jamais considéré le fait de vivre dans une grande ville comme un problème. Non seulement Lizzie rendit-elle notre quotidien plus agréable, mais grâce à elle New York prenait l'allure d'un chaleureux village. Avec Lizzie, Kitty et Steve Gutstein formaient dorénavant une famille.

En signe de reconnaissance, lorsque Lizzie eut 13 ans, nous voulûmes, Steve et moi, célébrer sa venue au monde et ce qu'elle représentait pour nous. Était-ce parce que notre famille et nos amis avaient célébré déjà tellement de noces, de bar-mitsvas et de confirmations (Steve est juif et je suis épiscopalienne)? Ou était-ce simplement que Lizzie était à ce point populaire et avait rempli un si grand nombre d'obligations sociales qu'on voulait lui rendre en retour? Toujours est-il que nous nous retrouvâmes avec deux célébrations : nous renouvelâmes nos vœux de mariage, à la campagne, dans l'enclos des lapins (Lizzie était la demoiselle d'honneur, et la liste des invités comprenait tous ses lapins aussi bien que ses amis chiens et humains) ; par ailleurs, en ville, nous combinâmes une bat-mitsva et une confirmation. Même si les festivités étaient par moments saugrenues et un peu théâtrales, les vœux échangés ainsi que les poèmes qui furent récités étaient sérieux et sincères.

À 14 ans, Lizzie était encore exubérante. Non seulement ne montrait-elle pas son âge ni aucun signe de ralentissement, mais elle avait surmonté plusieurs problèmes de santé : un cancer de la rate, une affection rénale et une pneumonie. Comme son appétit de vivre nous entraînait en randonnée à plusieurs kilomètres de la maison, elle s'était constitué un tableau impressionnant de blessures sportives. Portant ma ceinture en guise de tourniquet, elle avait survécu à une artère sectionnée ; un bouche-à-bouche avait permis de la réanimer après qu'un os de poulet l'ait fait s'étouffer jusqu'à l'évanouissement ; et elle s'était remise d'un décharge électrique presque fatale causée par la chute d'une ligne à haute tension. Son attitude insouciante rendait non seulement Lizzie charmante, mais nous portait à croire qu'elle menait une vie délectable!

Ce fut donc pour nous un coup terrible lorsque, un matin du printemps dernier, Lizzie se réveilla sans pouvoir se lever sur ses pattes. Nous nous sommes précipités avec elle chez notre vétérinaire, qui diagnostiqua une crise d'arthrite débilitante à l'arrière-train. Le vétérinaire montra beaucoup de prudence dans son pronostic. Il était impératif de la garder sur ses pattes et de la faire bouger, car elle n'allait pas survivre si elle demeurait inactive.

Nous reçûmes la consigne de commencer par stimuler Lizzie afin qu'elle se tienne sur ses pattes pendant quelques minutes plusieurs fois par jour (activité qui devait toujours être précédée d'un massage et d'exercices thérapeutiques pour étendre le mouvement). Ensuite, nous devions essayer de la faire marcher quelques pas chaque fois qu'elle se levait. Ce fut une période extrêmement difficile pour une chienne qui n'avait pas l'habitude paresser en demeurant confinée à la maison. Nous eûmes une bouée de sauvetage inattendue : une chatte enceinte, trouvée errante dans un parc en pleine tempête de neige, et que Lizzie avait secourue juste avant sa crise d'arthrite. Les chatons, dès leur naissance, commencèrent à se blottir contre Lizzie et à jouer autour d'elle, ce qui eut comme effet de la distraire et de la garder mentalement éveillée. Qui aurait pu deviner que des chatons allaient devenir des membres importants de l'équipe médicale de Lizzie?

La guérison fut malgré tout un lent et laborieux processus, dont les progrès se mesurèrent d'abord en centimètres, puis en mètres. Il arrivait à Lizzie de tomber, mais elle ne paraissait jamais déroutée ou découragée. Elle n'était que détermination.

Chapitre 1

Pendant cette période, je transportais un sac à dos contenant son eau, ses médicaments et son tapis orthopédique, de manière à ce qu'elle puisse se reposer confortablement chaque fois qu'elle en avait besoin. Les vétérinaires nous avaient prévenus que nous allions avancer sur une ligne très mince entre ce qui serait trop ou trop peu d'exercice. Finalement, après huit semaines de thérapie intensive, Lizzie fut capable, quoiqu'en boitant un peu, de marcher d'une traite la distance de quelques pâtés de maison.

Soulagés qu'elle ait fait de tels progrès, nous nous préoccupâmes dès lors de la qualité de vie qu'elle aurait l'été suivant. Pour Lizzie, l'été avait toujours signifié la marche, la baignade et le camping. Nous savions qu'elle n'en attendrait pas moins de l'été à venir car, malgré son arthrite, elle était aussi vive et fougueuse qu'auparavant. Compte tenu de ses limites physiques, comment pouvions-nous lui offrir un autre été de ce genre? Heureusement, avec un peu de réflexion, de créativité et d'efforts, nous allions y arriver.

En premier lieu, nous lui épargnâmes la laisse et le collier, optant plutôt pour un harnais dorsal. Le harnais soutenait son arrière-train et lui procurait un sentiment de sécurité ; il diminuait aussi les risques d'une chute qui aurait aggravé ses problèmes physiques. Lizzie s'adapta au harnais comme si elle l'avait toujours porté. Comme les marches étaient pour elle un obstacle, nous construisîmes une rampe à l'intérieur de notre maison de campagne. Les planchers glissants posaient aussi un problème, car en plus de l'arthrite, Lizzie souffrait de myélopathie, une dégénérescence nerveuse à l'arrière-train. Ce problème fut facilement résolu en installant des tapis sur tous les planchers, y compris la cuisine. Les coussinets de Lizzie étaient aussi devenus très sensibles, et elle avait peine à traverser les champs et les routes de campagne rocailleuses. Lizzie avait l'habitude de porter les différents types de bottes pour chiens que l'on retrouve sur le marché. Pendant l'hiver, en ville, ces bottes la protégeaient des produits chimiques corrosifs. Mais elles se révélèrent insuffisantes compte tenu de ses nouveaux besoins. Pour cette raison, et aussi parce que l'une de ses pattes (mutilée à la suite de l'accident d'automobile qu'elle avait subi

Une histoire d'amour

lorsqu'elle était un chiot) était particulièrement sensible, nous avons consulté avec Lizzie de nombreux spécialistes dans la conception et la fabrication de chaussures et d'appareils orthopédiques. Après plusieurs essais et erreurs, Lizzie fut munie de bottes spéciales avec lesquelles elle put jouir de nouveau de ses balades dans la campagne. Pendant cette période, un vétérinaire acupuncteur commença à travailler en équipe avec nos vétérinaires traditionnels. Lizzie continua ainsi d'aller de mieux en mieux.

Ensuite, nous construisîmes un chariot dans lequel nous pouvions la promener un peu partout en la poussant. Le véhicule, muni de freins, était construit sur trois roues de vélo de montagne. Lizzie s'y trouvait à un mètre du sol, dans un genre de hamac, et des ressorts supplémentaires amortissaient les chocs. Nous la poussions à l'aide d'un guidon placé à l'arrière, de manière à ce que rien ne l'empêche de voir les cerfs. Le chariot était robuste et facile à manœuvrer. Nous trimbalâmes ainsi, pendant des heures et des kilomètres, d'un bout à l'autre de sa campagne préférée, une Lizzie trônant aussi fièrement qu'une impératrice romaine. Lorsqu'elle flairait une piste, elle aboyait puis descendait du chariot pour la suivre. Quand elle en avait assez, elle revenait à son « trône » et l'aventure continuait. Nous construisîmes un autre chariot plus petit pour la ville, afin qu'elle puisse aussi s'y promener.

Lizzie ne se sentait plus en sécurité dans l'eau. Le froid et l'humidité pouvaient en outre aggraver son arthrite. Comme nous ne voulions pas courir ce risque, nous improvisâmes encore une fois une solution. Nous possédions un bateau de pêche à fond plat en aluminium (que nous baptisâmes Tin Lizzie – quoi d'autre?) et nous installâmes à la proue une plate-forme sur laquelle Lizzie s'allongeait telle une Cléopâtre remontant le Nil! Le bateau permit à Lizzie de « nager » de nouveau dans la crique et de rendre visite aux castors qu'elle aimait tant. Nous fûmes surpris et heureux de constater que, pour un chien qui avait toujours eu mal au cœur en automobile, elle prit vraiment plaisir à ses balades en bateau ou en chariot. En fait, elle rayonnait, et ceux qui eurent l'occasion de la voir déclarèrent qu'elle faisait la moitié de son âge. Pour ce qui est des nuits à la belle étoile que nous passions à observer la faune nocturne, ce fut très simple. Nous n'eûmes qu'à ajouter un matelas orthopédique et une couverture chauffante pour assurer son confort et garder au chaud ses vieux os.

Au cours de cet été, qui fut son dernier, nous apprîmes que l'un des reins de Lizzie avait cessé de fonctionner et que l'autre était sérieusement atteint. Son vétérinaire se montra étonné des capacités qu'elle conservait malgré tout. Les examens du sang révélaient qu'elle était un chien très malade, mais ces résultats étaient démentis par le fait que Lizzie se conduisait comme un chien en bonne santé. Le vétérinaire utilisa à plusieurs reprises le mot *miracle*.

Tout au long de l'été et jusqu'à l'Action de grâce de 1993, date où elle mourut paisiblement dans son sommeil alors qu'elle était avec nous dans notre lit, Lizzie vécut la vie bien remplie qui avait toujours été la sienne. Elle avait gagné de l'âge, sans jamais devenir vieille. Elle vécut véritablement jusqu'au jour de sa mort.

En effet, dans une société qui trop souvent cultive le mythe de l'éternelle jeunesse et néglige les personnes âgées, nous avons eu le bonheur de voir Lizzie tirer plaisir de toutes les saisons de sa vie ; et l'âge d'or fut pour elle une période vraiment rayon- nante. Lizzie ne se laissait jamais abattre et avait un appétit de vivre qui, nous en sommes convaincus, lui permit de toujours aller de l'avant. Elle nous rappelait en réalité l'Ulysse de lord Tennyson, qui, malgré les ravages d'un âge avancé, était déter- miné à « boire la vie jusqu'à la lie » :

Qu'il est ennuyeux de s'arrêter, de mettre un terme,
De rouiller sans se polir au lieu de briller à l'usage!
Comme si respirer était vivre!...

Quoique beaucoup nous ait été retiré, beaucoup nous reste ;
et quoique
Nous ne soyons plus cette force qui jadis

Une histoire d'amour

Remuait la terre et les cieux, nous sommes ce que nous
sommes :
Des cœurs héroïques et d'une même trempe,
Affaiblis par le temps et le sort, mais forts dans la volonté
De lutter, de chercher, de trouver et de ne pas plier.

Non, Lizzie n'allait pas plier devant l'invalidité et la maladie,
du moins tant qu'il y aurait des champs et des forêts à parcourir, des cerfs et des lapins à suivre à la trace et des criques rem-
plies de castors où se baigner. Ce n'est qu'après toutes ces randonnées, poursuites et baignades, après avoir vécu cet été-là
jusqu'à la lie, après qu'il ne lui reste plus de courses à entreprendre et d'aventures dans lesquelles se lancer ; ce n'est qu'a-
près avoir tourné toutes les pages du livre de la vie, et alors seulement, en ne laissant rien d'inachevé, que Lizzie perdit son dernier rein.

Les mois suivant la mort de Lizzie ont été une période de douleur et de réflexion. Quelques rares personnes ont mis en question le temps, les efforts et l'argent que nous avons dépensés
pour ce vieux chien arthritique. Mais ce ne fut pas le plus grand
nombre, à en juger par l'énorme quantité de cartes, de fleurs et
de condoléances que nous avons reçues, dans certains cas de la
part de personnes dont nous ne pouvions replacer le nom ou le
visage. Ceux qui le mieux nous comprirent furent les patients et
les familles qui avaient passé du temps avec Lizzie dans la salle
d'attente du spécialiste en appareils orthopédiques. Nous avions
eu peur que ces personnes ne fussent contrariés par la présence
de Lizzie et par les soucis que nous nous faisions « seulement » pour un chien. À notre grande surprise, elles approuvèrent unanimement notre démarche.

Toutes les choses matérielles que nous avons procurées à
Lizzie – les bottes, le harnais, les tapis – nous furent rembour-
sées sur un autre plan moins tangible : le bonheur de Lizzie. Par
ailleurs, en même temps que nous construisions des rampes, des
plates-formes et des chariots, sans le savoir, nous bâtissions
aussi des ponts, car Steve et moi devenions plus proches l'un de
l'autre. Rien de tout cela ne fut une perte au nom de Lizzie. Elle

comprenait ce que nous faisions pour elle et elle l'appréciait, car nous étions sa famille. Notre dernier été fut finalement le meilleur que nous ayons vécu, non seulement parce qu'il se déroula dans la joie, mais en raison de nos liens qui s'approfondirent.

Les deux distiques shakespeariens que Steve lut à Lizzie au moment de notre cérémonie de mariage dans l'enclos des lapins sont encore à propos aujourd'hui. Lorsque nous ressentons de la peine, ils nous aident en effet à évoquer Lizzie :

Mais si je pense à toi et à ton amitié
mes biens me sont rendus et ma tristesse s'évanouit.

Quand la douleur persiste, nous pouvons reprendre ces paroles :

Car le souvenir de ton amour est une telle richesse
que je ne changerais pas de place avec un roi.

– Kitty Brown Gutstein

Un toutou dans les bagages

Veuve dans la quarantaine, je partageais ma vie avec Photon, un teckel miniature âgé de 13 ans, quand j'ai rencontré Mike. C'était un célibataire de belle apparence, environ du même âge que moi, et mes amis disaient de lui qu'il venait « sans bagages ».

Mes amis, toutefois, étaient dans l'erreur. Ils avaient oublié Tycho. Un seul regard sur Tycho descendant avec élégance du siège avant de l'automobile de Mike me suffit pour comprendre que 20 kilos de bagages canins se tenaient dans mon entrée. Il ne correspondait pas exactement à l'idée que je me faisais d'un animal de compagnie. Tycho était trop gros. Il semblait

Une histoire d'amour

trop farouche et avait besoin d'un toilettage. Je devinai immédiatement que sa barbiche, qui servait de toute évidence de ramasse-poussière, avait été magistralement conçue pour tremper dans l'eau de son bol et la répandre partout sur mes planchers cirés.

Tycho commença par m'ignorer, préférant plutôt faire le tour des odeurs peu familières en bordure de l'entrée. Lorsque je m'approchai de Mike, il vint en sautant jusqu'à moi pour m'inspecter. Comme un chaperon à une soirée dansante, il prit position à côté de son maître et manifesta sa réprobation en gémissant devant nos gestes d'affection. Photon, qui attendait juste derrière la porte, aboya à quelques reprises. Je regardai Mike, puis me tournai vers ces yeux sur le qui-vive qui montaient la garde entre nous. Mon avenir était clair. Mike et moi n'allions pas réussir à construire une nouvelle relation tant que nous ne formerions pas, tous les quatre, un nouveau clan.

Les familles reconstituées « avec chiens » telles que la nôtre sont de nos jours chose courante. Des personnes ayant jusque là vécu sans la compagnie d'un chien peuvent se retrouver soudainement en train de partager leur demeure avec l'animal d'un conjoint. Ces chiens sont différents de ceux que l'on choisit ensemble et que l'on adopte d'un mutuel accord.

J'avais de la difficulté à accepter Tycho. Je le tolérais, allant même jusqu'à le respecter, mais je ne l'aimais pas vraiment. Il en fut ainsi jusqu'au jour où, Mike devant s'absenter pendant une semaine, Tycho resta seul avec moi. Je n'étais pas très enthousiaste mais, avec seulement Photon pour me protéger, l'idée d'avoir auprès de moi un chien à l'allure plus imposante ne me déplaisait pas. Je me disais aussi que Tycho et moi aurions peut-être ainsi l'occasion d'entrer en contact sans que Mike ne fasse partie du paysage. J'avais raison.

Un après-midi, tandis que je travaillais dans le jardin sous la supervision de Tycho, Photon, que je croyais endormi au soleil, se volatilisa. Presque aveugle, complètement sourd et l'esprit plutôt confus, il était incapable de retrouver son chemin jusqu'à la maison. Je laissai Tycho sur un « reste assis » et courus à la recherche de mon chien perdu. Photon n'était nulle part. En larmes, dans tous mes états, je revins retrouver Tycho. Prenant son museau dans mes mains tremblantes, je lui répétai un ordre qu'il entendait pour la première fois. « Trouve Photon. Trouve Photon. »

Je savais que Tycho n'avait jamais rien rapporté de sa vie, et je me sentais folle de crier ainsi. Mais j'étais paniquée, et il était mon seul recours. Il répondit en inclinant la tête et en me fixant du regard. « Trouve Photon », ai-je répété. Il demeura immobile un instant, puis se dirigea vers les bois. « Oh mon dieu, ai-je pensé, ce sera à son tour de disparaître, et ensuite je perdrai Mike aussi. »

Quelques minutes plus tard, j'eus la surprise d'entendre plusieurs grognements et de voir un défilé de chiens sortir des bois. À la tête, venait le minuscule Photon, qui ne voyait pas plus loin que son museau, suivi de Tycho, qui lui donnait de temps en temps de petites poussées par en arrière. Je me précipitai pour embrasser Photon, puis ouvris les bras pour accueillir mon chien d'adoption. Tycho répondit en se frottant contre moi, en gémissant et en se pavanant fièrement. Lorsqu'enfin il se calma, il jeta vers moi un regard qui semblait dire « Voilà. Qu'est-ce qu'on fait maintenant? » Je lui répondis en le serrant de nouveau dans mes bras.

Aujourd'hui, quand je regarde Tycho, je ne vois plus ses sourcils farouches et sa barbiche en broussaille. Je vois plutôt un chien que j'ai appris à aimer, un membre cher de ma famille.

Parfois, tard le soir, quand Tycho se met en boule, prêt à s'endormir, j'attends qu'il se tourne vers moi une dernière fois. Lorsque cela se produit et que ses yeux rencontrent les miens, son regard exprime ce que nous pensons tous les deux : « Ne sommes-nous pas chanceux que Mike se soit présenté avec un toutou dans ses bagages. »

– Eleanor Garrell Berger

Une histoire d'amour

Sandy

23 juin 1983 – 12 octobre 1996

Quand le soleil se lève sur Boundary Butte, dans le sud-est de l'Utah, les premiers rayons viennent frapper Rooster Rock, une spectaculaire formation rocheuse, pour illuminer le phare or et rose des nouvelles lueurs du jour.

Vingt mètres plus bas, sur une saillie de roche polie, les visiteurs partagent le spectacle de l'aurore avec un troupeau de cerfs ayant suivi l'ancien sentier qui mène à l'oasis secrète. Tandis que le soleil balaie lentement les ombres au fond du Cataract Canyon, ils ont aussi la compagnie d'un aigle, qui survole une aire dissimulée au sommet d'une aiguille, et celle des coyotes dont les hurlements les ont conduits vers le sommeil la nuit précédente.

Cet endroit fut le dernier campement de Sandy.

Sandy, un cocker, vécut treize ans, trois mois et dix-neuf jours – près d'une centaine d'années humaines. Après huit semaines à peine, il était déjà notre compagnon, notre ouvreur de piste, notre protégé, notre protecteur et notre meilleur ami.

Sandy est mort à 11 h 11, le matin du 12 octobre 1996, au Red Rock Animal Hospital de Gallup, au Nouveau-Mexique.

Ce stoïque petit animal, qui survécut à de graves attaques de la maladie de Lyme, à des problèmes de la glande thyroïde et de la prostate afin d'escalader une autre montagne et de trotter encore une fois dans les sentiers, succomba finalement sous le poids de la vieillesse et des suites d'une insuffisance rénale.

Nous étions sur la route lorsque nous fîmes la connaissance de Sandy, et aussi lorsqu'il nous quitta. La boucle était bouclée.

Sandy était un de ces chiots d'élevage que l'on retrouve dans les boutiques d'animaux. Il conquit notre cœur dans un centre commercial d'Hyannis, alors que nous passions nos vacances dans le Massachusetts. Son premier domicile fut l'espace de chargement d'un Bronco II ; dès lors, malheur au pompiste ou à quelque étranger qui s'approcherait trop près de tout véhicule occupé par Sandy et ses compagnons humains.

Chapitre 1

Ce furent ses yeux qui surent nous séduire ce premier jour – de grands yeux marrons dont le vocabulaire était de beaucoup plus riche que de simples mots. Un vétérinaire bourru et non conformiste apporta une explication physique à ce phénomène : il mesura les yeux de Sandy à l'aide d'un compas et déclara qu'ils étaient nettement plus protubérants que la normale pour un chien de sa race. Je savais qu'il y avait pourtant une explication plus profonde : les fenêtres de l'âme de Sandy révélaient sans l'ombre d'un doute l'existence d'un philosophe. L'idée n'était ni originale ni tirée par les cheveux : il y a 2 500 ans, dans le Livre II de sa *République*, Platon décrivait le chien comme un « vrai philosophe ». Sandy, en randonnée, ressemblait tout à fait au philosophe de Platon, qui « mesure la terre et le ciel et toutes les choses qui se trouvent sous et sur la terre et au-dessus du ciel, interrogeant la nature complète de chacune, et toutes dans leur entièreté. »

Une fois que nous l'eûmes ramené chez nous en Pennsylvanie, cette timide petite créature qui s'était promenée dans la poche de la veste de Lois et qui s'était enfuie en sentant le clapotis des vagues sur les plages de Cape Cod devint pour nous un habile chien de piste. Il trottait infatigablement devant nous, en jetant de temps à autre un regard en arrière pour s'assurer que nous le suivions, et se précipitait à tout moment hors du sentier pour observer de plus près quelque nouvel aspect de la nature. Ces excursions, que nous avions surnommées « le jeu de la boucle », car il décrivait un cercle pour revenir ensuite sur le sentier derrière nous, étaient une espièglerie que nous devions couronner de grandes manifestations de surprise accompagnées de cajoleries enthousiastes. « Bon Sandy!, lui lancions-nous gaiement. Sandy, bon garçon! »

Il existe une gâterie pour chiens appelée « Bon garçon » que nous utilisions pour apprendre à notre chiot à répondre à des ordres simples tels que *Viens* et *Assis*. Le mantra que Sandy aimait tellement entendre venait de cette récompense qu'il recevait au cours de ses entraînements. Au moins une fois par jour et durant toute sa vie, il exigeait sa séance de caresses – un rituel soigneusement réglé selon lequel nous commencions par le gratter derrière les oreilles et sous le museau, pour ensuite lui caresser le dos et les flancs. Le tout se terminait de manière grandiose par une friction du ventre, tandis qu'il était couché sur le dos et agitait les pattes dans un moment d'extase. Le mantra « Bon Sandy! Sandy, bon garçon! » devait être répété tout au long de ce rituel de caresses.

Sandy était à peine plus grand que la poche de la veste de Lois quand il effectua sa première randonnée de 15 kilomètres en suivant la partie du sentier des Appalaches que mène de Hamburg Reservoir à Pinnacle Rocks, le relais le plus connu de ce sentier en Pennsylvanie. Toute cette section est ponctuée par ce que les randonneurs appellent « les infâmes rochers de Pennsylvanie ». Sur un demi kilomètre, derrière le point de vue de Pulpit, le sentier est parsemé de pierres et de rochers si aigui-sés que plusieurs randonneurs doivent y avancer à quatre pattes. La première fois que le minuscule cocker se trouva devant les plus gros rochers, ceux-ci durent lui paraître aussi hauts que l'Everest. Ses immenses yeux marrons montrèrent toutefois une pure et intense lueur de détermination. « Gardons le rythme, disaient-ils. Je tiens bon. » Et c'est évidemment ce qu'il fit.

Quelque temps plus tard, avant qu'il ne soit châtré, ses instincts naturels s'éveillèrent. Nous fûmes complètement déconcertés devant sa capacité de s'enfuir de notre cour, entou-rée pourtant d'une clôture en mailles métalliques et d'où il était impossible de creuser une issue, afin de se rendre à ses rendez-vous galants. Un bon jour, après l'avoir laissé dehors, nous l'ob-servâmes depuis une fenêtre à l'étage. Avec le même regard déterminé que nous lui avions vu sur le sentier de Pinnacle Rocks, il était en train de grimper à la clôture de plus de deux mètres en insérant ses pattes dans les mailles en forme de losan-ge, ce qui lui permit de sauter de l'autre côté pour aller folâtrer.

L'association des cockers ayant escaladé les fameuses hau-teurs du Colorado doit compter peu de membres. Sandy y fit son entrée au cours de son septième septembre. Avec le même regard qu'il avait en parcourant la piste de Pinnacle Rocks et en sautant la clôture, il m'entraîna en haut d'une pente rocheuse enneigée, jusqu'à l'exceptionnel sommet plat que constitue le

Uncompahgre Peak (d'une altitude de près de 4 500 mètres), le plus haut point de la chaîne de San Juan.

Il aimait les hauteurs. Une jour, au sommet du Loveland Pass, au Colorado, il entra dans un état de pure jubilation et se mit à dévaler la montagne, à la poursuite d'une proie imaginaire ou simplement pour ressentir l'ivresse, puis remonta énergiquement la pente abrupte et se laissa tomber avec contentement dans un banc de neige. Je ne sais pas combien de kilomètres il a parcourus sur le sentier des Appalaches – plusieurs centaines, assurément, si l'on ne compte que le trajet entre Hamburg et Pinnacle Rocks –, mais ces randonnées l'ont conduit jusqu'aux plus hauts sommets dans plusieurs états de l'est des États-Unis, dont le Mount Rogers, en Virginie (où il contracta la maladie de Lyme), la Bear Mountain, dans le Connecticut, et le Mount Graylock, dans le Massachusetts. Il a aussi atteint des douzaines de stimulants sommets appartenant à différentes chaînes montagneuses : Green, Presidential, White et Blue Ridge. Sur le Pharaoh Peak, dans les Adirondacks, Sandy eut sa première – et unique – rencontre avec un porc-épic. Nous dûmes retirer un à un les piquants, et il supporta sans gémir cette douloureuse opération, posant le premier jalon de la réputation de stoïcisme qu'il allait acquérir au cours des ans auprès des vétérinaires qui eurent à le soigner.

Sandy était l'un des patients préférés du Devon Veterinary Hospital, où le traitement vigoureux qu'appliqua la Dr Carol Caracand – sans même attendre les résultats des examens du sang – lui sauva la vie. La paralysie de l'arrière-train s'était déjà déclarée, et Dr Caracand avait intuitivement diagnostiqué la maladie de Lyme. Sandy fut, parmi ses patients, l'un des premiers chiens à survivre à la maladie, et elle le mentionna dans les histoire de cas qui incitèrent le ministère de l'Agriculture de la Pennsylvanie à approuver l'utilisation du fameux vaccin de Fort Dodge contre la maladie de Lyme. (Le vaccin en question se révéla plus tard inefficace.)

L'associé de Dr Caracand, Scott Fausel, traita Sandy lorsqu'il fut atteint d'un problème de la prostate presque fatal. L'infection ressemblait à ce point à un cancer que le laboratoire de cytologie en fut dupé – mais pas la Dr Ann Jeglum, l'oncologue canine de renommée internationale que le Dr Fausel décida de consulter.

Les soins vétérinaires de premier ordre dont il a bénéficié contribuèrent certainement à la longévité de Sandy. Il vécut en effet au-delà de l'espérance de vie d'un cocker, qui se situe normalement à 10 ou 11 ans. Au cours de sa dernière excursion en camping, ses compagnons humains profitèrent, sur le plan psychologique, de la compétence de deux dévoués vétérinaires, tout autant que Sandy profita de leurs soins sur le plan médical. Le Dr Art Grusensky, de Moab, en Utah, comprit que Lois avait psychologiquement besoin de tenter de ramener Sandy à la maison avant sa mort, et il fit des efforts héroïques pour l'aider en ce sens. Lorsque cela se révéla impossible, le Dr Ken Podkinjak, de la clinique Red Rock, à Gallup, traita à la fois Sandy et ses compagnons affligés avec une sensibilité et une compréhension que nous n'oublierons jamais.

Sandy avait 12 ans lorsque l'on diagnostiqua, à Devon, une insuffisance rénale ; même si le traitement et une diète spéciale stabilisèrent son état, nous dûmes accepter le fait qu'il ne serait plus jamais le randonneur d'antan. Quelques mois plus tard, au cours d'un voyage d'hiver en Floride, un groupe d'amis décida d'entreprendre un sentier de cinq kilomètres qui menait, à travers une forêt de pins, aux dunes de sable bordant la mer. Sandy était en forme ce jour-là. J'annonçai donc aux autres que lui et moi allions les suivre sur une distance de quelques centaines de mètres et que nous reviendrions ensuite à la voiture pour attendre leur retour. À ma grande surprise, Sandy prit les devants avec son allure de cocker de toujours, en agitant la queue, et garda le rythme jusqu'au bout des 10 kilomètres que constituait l'aller-retour.

« Sandy, le chien bionique », disait le Dr Fausel.

Parmi tous mes précieux souvenirs de ce noble petit animal, celui que je garderai le plus longtemps est l'image de Sandy descendant allègrement un sentier en forêt et interrogeant toutes les richesses de la nature.

Chapitre 1

Les sentiers sont aujourd'hui plus longs, et plus escarpés ; je les parcours plus lentement et la musique intérieure est plus sombre qu'à l'époque où ce petit bout sur quatre pattes agitait la queue pour m'entraîner plus haut, plus vite, plus loin ; où ce minuscule pionnier s'élançait dans le jeu de la boucle uniquement pour me surprendre par derrière, fonçant comme une flèche avec ses oreilles de cocker qui battaient comme les ailes d'un oiseau coureur ; où, après avoir atteint un sommet ou un point de vue, il venait fourrer son museau pour demander sa récompense et sa séance de caresses rituelles, accompagnées du mantra « Bon Sandy! Sandy, bon garçon! »

À la fin du mois d'octobre, nous avons tenté une randonnée dans le sentier de Dog Canyon, où l'insidieux « faux cancer » s'était déclaré chez Sandy. Nous avions dû alors le faire ramener par deux aviateurs rattachés à la base de l'armée de l'air d'Holloman, qui le transportèrent dans une civière de fortune fabriquée avec une veste et des bâtons de randonnée. Mais l'air rempli de souvenirs était cette fois trop lourd, et nous fîmes demi-tour. Pendant la descente abrupte, au crépuscule, nous avons failli marcher dans le rayon d'action d'un serpent à sonnettes qui se trouvait en bordure du sentier. Il nous manquait les jappements de Sandy pour nous avertir du danger.

« Mes frères, mes sœurs, méfiez-vous », écrivait Kipling. « Si vous donnez votre cœur à un chien, vous risquez de le retrouver en morceaux. » Qui donc, devant ces grands yeux clairs aperçus dans la boutique d'animaux de Hyannis, aurait prêté attention à un tel avertissement? Au cours des jours et des semaines qui se sont écoulés depuis octobre 1996, du Nouveau-Mexique à Saint-David, nous avons semé des morceaux de notre cœur un peu partout dans le paysage. Toutefois, avec chaque battement de douleur, jaillissent aussi d'heureux souvenirs. Tout compte fait, sur le plan émotionnel, il nous a donné beaucoup plus que ce que nous lui avons donné.

Quelle fortune pourrait jamais acheter le frétillement de ses oreilles au sommet du Uncompahgre et ce regard attachant qui vous dit « Tu vois, je savais que tu étais capable », même lorsque vous courez après votre souffle à cause du manque

Une histoire d'amour

d'oxygène. Je n'aurais jamais atteint ce sommet si Sandy n'avait pas été là, me pressant stoïquement de franchir la dernière partie de la pente abrupte et enneigée. « C'est un service que je te rends en retour, disaient ses yeux, en remerciement de cette fois-là où, en Virginie, près de la chute d'eau, tu m'as sauvé des crocs du mastiff. » Il était presque encore un chiot lorsque cet événement s'était produit : une bête énorme et malicieuse l'avait attaqué sauvagement et sans qu'il n'y ait eu provocation. J'avais réagi instinctivement, en donnant un coup de pied dans les côtes de l'agresseur et en arrachant littéralement mon petit cocker de ses mâchoires. Le maître du gros chien – une brute nauséabonde habillée en motard – m'avait lancé un regard mauvais mais n'avait pas dit un mot. Les grands yeux marrons de Sandy, lorsque nous nous étions éloignés, me disaient « Tu mesures au moins six mètres, et rien ne peut m'arriver tant que je suis avec toi. » Je vis toutefois une ombre passer brièvement dans son regard après coup. « Bien sûr, devait-il se dire, tu pourrais réagir juste un petit peu plus vite la prochaine fois... »

Comment pourrais-je refaire les sentiers de Valley Forge sans me rappeler les innombrables séances de jogging matinales que je n'aurais jamais effectuées à cet endroit sans les infatigables incitations de Sandy? J'étais en voie de changer mon mode de vie lorsqu'il arriva parmi nous, et une partie du processus impliquait une plus grande attention à ma forme physique. Il courait à côté de moi sur les coteaux et les sentiers de Valley Forge et de Tyler Arboretum, me protégeant des animaux sauvages ; si je ralentissais avant le temps, il me fixait de ses grands yeux marrons d'un air accusateur. « Allez, semblaient-ils dire, nous ne sommes pas encore arrivés! » À Tyler, sur le flanc d'un coteau donnant sur Dismal Creek, on peut voir un banc portant une plaque où il est inscrit « La fenêtre de Sandy ». Cette plaque fut installée à cet endroit en mémoire d'un autre Sandy, mais vers la fin de sa vie, alors qu'une petite promenade tranquille dans les sentiers de Tyler était le seul défi que pouvait relever notre Sandy, nous nous y arrêtions souvent pour nous reposer. Je suis certain que l'autre Sandy, qui qu'il soit, sera d'accord pour partager sa « fenêtre » avec le nôtre pour l'éternité.

Comment pourrais-je de nouveau installer ma tente dans un coin sauvage sans me rappeler comment Sandy s'emparait toujours du meilleur sac de couchage avant de s'y engouffrer pour la nuit? Il avait son propre sac, bien sûr, mais les nôtres étaient plus duveteux. Une fois, en bordure du désert de Gila, au Nouveau-Mexique, nous nous attardions près du feu de camp pour admirer la pleine lune. Nous entendîmes soudain derrière nous un petit « wouf » impatient - davantage un raclement de la gorge qu'un jappement. Nous retournant, nous aperçûmes Sandy qui donnait des coups de patte sur l'auvent de la tente. Il nous signalait que, pleine lune ou non, l'heure du coucher était arrivée.

Comment pourrais-je jamais me réveiller à l'aube dans la fraîcheur des montagnes sans me rappeler la fois où, dans le Rocky Mountain National Park, mon petit compagnon d'excursion me tira du sommeil en me signifiant de manière frénétique que quelque chose – quelque chose de gros – se trouverait à l'extérieur de la tente, et qu'il le ferait déguerpir si seulement je le laissais sortir? Il se précipita donc devant moi hors de la tente, suivit l'odeur… et freina son élan à quelques mètres du mâle dominant d'un troupeau d'orignaux. Il se tourna vers moi, me demandant de ses grands yeux marrons : « Qu'est-ce que c'est que ça? Pourquoi tu ne m'aides pas? »

Comment pourrais-je jamais tondre le gazon à Saint-David sans me rappeler Sandy piquant un roupillon à l'ombre sous les épinettes bleues? Lire sur ma chaise préférée sans un regard attendri vers Sandy allongé à sa place préférée sous le brasero? Travailler à l'étage dans mon bureau sans jeter un coup d'œil sur Sandy se chauffant au soleil dans la fenêtre tournée vers le sud de la chambre d'amis? J'aperçois ici son bol ; là-bas, sa brosse ; et aussi la réserve d'aliments diététiques spécialement prescrits pour ses reins et qui l'ont gardé en vie une année de plus ; et l'os qu'il cachait toujours loin sous le lit...

...nous avons laissé un chien jouer avec notre cœur.

Une histoire d'amour

Je compatis avec les pauvres cyniques qui nous prennent à la légère et disent que nous projetons une image anthropomorphique sur nos animaux quand nous les incinérons et conservons précieusement leurs cendres, quand nous pleurons leur mort. Qu'ils aillent lire Platon et Kipling, Wordsworth, Dickens, Galsworthy, Plutarque et Pline l'Ancien! Tous ces écrivains ont chanté les louanges de leurs amis les chiens.

Invitons les cyniques à écouter la voix de Lord Byron, qui fait ainsi l'éloge du chien :

...dans la vie, l'ami le plus fiable,

Le premier à nous accueillir, le plus vaillant à nous défendre.

Nous pourrions reprendre pour notre Sandy l'épitaphe suivant que Byron dédia à son cher Boatswain :

> Près de cet endroit sont déposés les restes de celui qui possédait la beauté sans la vanité, la force sans l'insolence, le courage sans la férocité, et toutes les vertus de l'homme sans ses vices. Cet éloge, qui serait une insignifiante flatterie s'il était inscrit au-dessus de cendres humaines, n'est qu'un juste tribut à la mémoire de Boatswain, un chien.

Sandy aimait et faisait confiance entièrement, sans réserves. Même lorsque ses propres capacités commencèrent à décliner, il continua toujours d'aller accueillir Lois à la porte après ses longues et épuisantes soirées de travail au journal. Les fauves du Quatrième pouvoir pouvaient lui donner du fil à retordre avec leur mépris des dates de tombée, leurs gros ego et leur prétention, tant et aussi longtemps que son fidèle cocker était là. Sir Walter Scott disait du chien qu'il nous avait été donné « par le Tout-Puissant... afin qu'il soit le compagnon de nos plaisirs et de nos labeurs, investi... d'une nature noble et incapable de tromperie. »

De tous les chiens de la littérature, mon préféré (et celui qui dans mon esprit ressemble le plus à Sandy) est le Stickeen de John Muir. Le grand naturaliste rencontra ce chien en 1880, au cours de son deuxième voyage en Alaska. Ils ne se plurent pas au premier abord, mais l'animal, par pur entêtement, le suivit au fin fond des régions arctiques, où le courage incroyable de

Chapitre 1

Stickeen tout au long d'une périlleuse aventure sur un glacier transformèrent l'homme et l'animal à jamais. La manière dont Muir décrit la jubilation de Stickeen lorsqu'ils réussirent à échapper à une mort certaine dans la glace me rappelle l'exubérance que manifesta Sandy à Loveland Pass. L'allure « normale de chien courant » qu'adoptait Stickeen dans les sentiers pourrait aussi bien être celle de Sandy. Je pourrais également écrire à propos de Sandy les lignes suivantes que Muir a consacrées à Stickeen :

> J'ai connu plusieurs chiens, et j'aurais plusieurs histoires à raconter concernant leur sagesse et leur dévotion ; mais il n'y en a aucun à qui je doive autant... Il était pour moi comme une fenêtre, et je n'ai jamais vu depuis avec une sympathie aussi profonde ce qu'il y a à l'intérieur des autres mortels, mes semblables. Il a quitté ce monde – traversé la dernière crevasse – pour en atteindre un autre. Mais il restera dans la mémoire. À mes yeux, il est immortel.

Lorsque nous préparâmes cet autre voyage vers l'ouest, je savais, et Sandy le savait aussi, qu'il traverserait dans peu de temps la dernière crevasse. Les brillants yeux marrons qui jadis exprimaient de manière si éloquente la vie, la joie, l'amour et la confiance étaient maintenant couverts par des cataractes ; les oreilles qui autrefois entendaient le moindre battement d'ailes ou le bruit lointain d'un ballon étaient parfois sourdes à son propre nom quand nous l'appelions ; mais tous les jours, à l'heure des caresses, il entendait le mantra « Bon Sandy! Sandy, bon garçon! », et l'âme du philosophe se reflétait, avec toutes ses lueurs, derrière les cataractes. Les yeux de Sandy disaient alors que sa vie de cocker avait été riche et bien remplie. « Ça a été du tonnerre », assuraient-ils.

Pendant ces derniers moments que nous passâmes sur la lisse saillie rocheuse au bord du canyon, à voir passer les cerfs aux premières lueur du jour, à observer un aigle former des cercles au-dessus de nous, alors que le soleil matinal balayait les ombres au fond du canyon et venait réchauffer ses vieux os arthritiques, jusqu'au soir où Sandy s'accaparerait le duveteux sac de couchage, au milieu de cet Eden avec ses coins de soleil et ses délectables coins d'ombre, il était en paix.

Ses yeux nous souhaitaient le meilleur pour ces randonnées à venir où il ne serait plus avec nous et nous faisaient savoir qu'il savait que nous comprenions qu'il ne pourrait plus ouvrir les pistes pour nous. Il s'absorbait dans de longs silences méditatifs devant la nature, n'ayant plus à l'explorer, de moins comme il l'entendait, à la manière du philosophe.

Puis vint le jour où ses yeux nous dirent « Nous y voilà – le bout du sentier, la dernière crevasse. »

Le Dr Ken administra à Sandy un léger tranquillisant afin qu'il n'ait pas peur et nous laissa seuls avec lui dans une pièce de la clinique où nous pûmes faire nos adieux. Lorsqu'il lui donna l'injection finale, Sandy glissa doucement et sereinement dans un sommeil définitif.

La dernière chose qu'il sentit furent nos caresses.

Les derniers sons qu'il entendit furent les mots d'affection que nous lui murmurions. «Bon Sandy!, ai-je dit à voix basse, Sandy, bon garçon! »

– Tom Wark

Rocky

J'ai tardé à écrire ce texte car je savais que je pleurerais en mettant ces souvenirs sur papier. Peut-on arriver à oublier le « meilleur chien américain au monde »?

Mon frère aîné m'a donné Rocky en cadeau en 1979, alors que j'avais 19 ans. Le cabot mal aimé était sur le chemin de la fourrière et n'avait que six semaines. Il aurait sans doute pu faire carrière comme imitateur, car il ressemblait de manière frappante à Benji ; mais il était trop occupé à prendre soin de moi pour laisser la banale quête de la célébrité s'immiscer entre nous.

Chapitre 1

Je n'oublierai jamais cette première nuit où, couché dans une boîte à côté de mon lit, il ne cessa de pleurer en réclamant ses compagnons de portée. Je le pris avec moi et le pelotonnai contre mon cœur, là où il allait dormir pendant les 15 années à venir. Nous devînmes bientôt inséparables. Au moment de son premier examen médical, j'appris que Rocky était né avec une malformation du cœur congénitale, laquelle, selon le vétérinaire, irait en empirant à mesure que Rocky grandirait. Le pronostic n'était pas encourageant et nous laissait face à une espérance de vie de deux ans.

Je ne sais pourquoi, mais je ne m'en faisais pas. Je savais que, si je l'aimais suffisamment, il vivrait éternellement ; et j'avais presque raison. À la surprise de tous (sauf Rocky et moi qui n'en avions jamais douté), son état demeura stable. Il ne s'améliora jamais, mais n'empira pas non plus.

Au cours des ans et de tous les aléas de la vie, Rocky et moi nous fîmes équipe. Quand j'étais triste, il m'apportait un de ses jouets et m'embrassait jusqu'à ce que je n'aie d'autre choix que de me mettre à rire et de l'embrasser à mon tour. Il m'a vue traverser un divorce (le résultat d'une « erreur de jeunesse ») et une rupture de fiançailles survenue le jour même de mes noces! J'aurais tapissé les murs de ma chambre avec le fameux autocollant « Plus je connais les hommes, plus j'aime mon chien » si je n'avais pas rencontré Shawn, l'homme extraordinaire avec lequel je viens de célébrer 10 années de mariage frôlant la perfection.

Dès le début de nos fréquentations, en 1985, je mis une chose au clair : Rocky faisait partie de ma vie, et c'était à prendre ou à laisser. Shawn ne s'est jamais montré contrarié face à Rocky et à la place que celui-ci prenait dans ma vie. Il est même devenu un merveilleux père. Après notre mariage, en 1986, Rocky a conservé sa place légitime, la nuit, près de mon cœur, entre Shawn et moi!

En 1986, notre famille s'élargit lorsque nous adoptâmes un chat errant, Cilla. En 1987, nous accueillîmes un autre vagabond, Tigger. Enfin, en 1989, nous décidâmes d'adopter Christopher. Celui-ci venait d'un refuge pour animaux. Ses oreilles étaient tellement grandes qu'il ressemblait davantage à une chauve-souris qu'à un chat. Il ne lui restait qu'une journée à vivre s'il n'était pas recueilli par quelqu'un. Rocky s'est bien adapté à ces nouveaux venus. Se faisant le protecteur du minuscule Christopher devant les autres chats, il le suivait partout comme une ombre!

En 1993, alors que Rocky avait 14 ans, Shawn et moi nous étions lancés avec fébrilité dans l'achat d'une nouvelle maison. Elle était magnifique, et l'acompte attendait patiemment à la banque en dépôt conditionnel lorsque Rocky eut une défaillance cardiaque. Je me précipitai avec lui chez la vétérinaire, qui pratiqua immédiatement une perfusion intraveineuse et installa un tube dans sa gorge. Elle m'affirma qu'avec le traitement approprié et une mise sous observation pendant un certain temps à l'hôpital, Rocky pourrait s'en tirer. Les risques étaient toutefois très élevés et le tout entraînerait des frais considérables. Compte tenu de son âge, la décision la plus logique était de le faire piquer. Je savais qu'à cause de la maison nous étions particulièrement fauchés. Je savais aussi que Rocky ne m'avait jamais laissé tomber et que je n'allais pas le laisser tomber non plus. J'appelai Shawn, et le « meilleur chien au monde » me prouva que j'avais aussi le meilleur mari au monde.

« Dis à la vétérinaire de faire tout ce qui doit être fait pour le sauver. L'argent n'entre pas en ligne de compte », me répondit Shawn. « S'il nous faut utiliser tout le montant de notre dépôt, nous le ferons. Nous laisserons aller la maison, c'est tout », ajouta-t-il.

Je rendis visite à Rocky tous les jours à l'hôpital. Il réussit à s'en tirer. Nous avions encore les moyens d'acheter la maison, et nous y emménageâmes.

Rocky commença toutefois à montrer des signes de vieillissement. Il avait des cataractes, mais sa vue était encore assez bonne pour qu'il se mette à grogner quand l'un des chats bondissait à côté de nous lorsqu'il était couché sur mes genoux. Comme il n'était plus capable de sauter sur le lit, Shawn ou moi le soulevions afin qu'il puisse prendre sa place entre nous. Il ne contrôlait plus sa vessie pendant la nuit, ce qui eut comme

Chapitre 1

résultat d'orner le tapis blanc de notre salle de bain de taches jaunes. Nous n'en fîmes pas de cas. Que pouvait bien valoir un tapis à côté de l'affection que nous portions à notre meilleur ami?

J'eus la chance de ne plus avoir besoin de travailler. Je pouvais passer tout mon temps avec Rocky. Lorsque je fis une fausse couche, il m'aida à traverser cette épreuve. En septembre 1994, alors que Rocky avait 15 ans, une grosseur apparût sur sa poitrine et l'on diagnostiqua un cancer des ganglions lymphatiques. Quand la vétérinaire m'annonça qu'il lui restait « au plus deux semaines à vivre », je me souviens que mes genoux ont plié. Rocky, de son côté, tentait de s'échapper des bras de la vétérinaire pour venir me retrouver. Alors qu'il était dans le pire état, toutes ses pensées étaient pour moi. Nous décidâmes de le ramener à la maison. Il mangeait encore bien et ne semblait pas souffrir.

À partir de ce jour, je ne quittai plus la maison. Je réalise à quel point tout cela pouvait sembler être une folie aux yeux de la plupart des gens, mais Rocky ne m'avait jamais laissée seule devant les difficultés et je n'allais pas l'abandonner à lui-même au moment où il avait besoin de moi. Si je devais sortir faire des courses, j'attendais le retour de mon mari afin qu'il reste avec Rocky. Je pensai l'amener voir mes parents, car il les avait toujours beaucoup aimés. Ce fut une période bien particulière. Les deux semaines se transformèrent en deux mois, et nous offrîmes à Rocky son tout premier costume d'Halloween afin qu'il puisse répondre à la porte et accueillir les enfants. À la Thanksgiving, Rocky faisait toujours le beau pour obtenir des restes de table, que nous n'étions d'ailleurs pas supposés lui donner. Vers le début du mois de décembre, j'ai commencé à m'absenter de la maison pour de courtes sorties dans les magasins. Chaque fois que je m'apprêtais à partir, je prenais Rocky et lui disais plusieurs fois : « Attends maman. Reste ici tant que maman n'est pas revenue. » Je répétais ce mantra pendant plus de cinq minutes, en sachant que Rocky comprenait. Mes amis humains ouvraient toutefois de grands yeux et doutaient de ma santé mentale.

Une histoire d'amour

Je commençai à prier pour que Rocky se rende jusqu'à Noël. Dans l'ambiance des Fêtes, je lui mis un tricot et l'amenai à la boutique d'animaux afin qu'on le prenne en photo avec le Père Noël. Shawn et moi faisons toujours un réveillon de Noël. La veille de Noël Rocky avala donc la côte de bœuf de premier choix qu'il reçut en cadeau et découvrit les autres présents que nous lui avions offerts. La nuit était parfaite. Nous avions fêté ensemble un autre Noël.

Le jour de Noël, Shawn et moi allons toujours chez mes parents, qui demeurent à une heure de chez nous. Rocky avait l'habitude de nous accompagner, mais nous pensâmes que cette fois la présence de tous les neveux et nièces serait trop d'agitation pour lui. Je lui répétai donc sa leçon, lui disant qu'il devait m'attendre, comme toujours, et nous quittâmes la maison.

Nous fûmes absents plus longtemps que prévu. En réalité, je n'avais jamais laissé Rocky seul aussi longtemps depuis le mois de septembre. Je commençai à m'inquiéter aussitôt que s'ouvrit la porte du garage. Habituellement, dès qu'il entendait le bruit, Rocky accourait par la petite porte aménagée pour lui dans la salle de lavage, sautait à l'intérieur de la voiture et « rentrait » avec nous. Cette fois, comme il ne se montra pas, je me précipitai dans la maison. Quand je l'aperçus, il marcha vers moi en agitant la queue et mit ses pattes sur mes cuisses pour que je le prenne. Je le soulevai et, après l'avoir regardé dans les yeux, je dis à Shawn : « L'heure est arrivée. » Nous nous assîmes par terre et je serrai Rocky dans mes bras, tout contre mon cœur, en essayant de le réconforter comme je l'avais fait une première fois quinze ans auparavant.

Je me mis à lui parler. Je lui dis combien je l'aimais et que, si son travail en tant que chien était d'être loyal, affectueux et protecteur envers moi, il avait accompli sa mission mieux que tout autre chien. Sa respiration devint moins profonde, mais il continuait de me regarder dans les yeux. Je réalisais que, une fois de plus, ils se préoccupait de moi. Je refoulai mes larmes et pris une voix joyeuse pour l'encourager : « Rocky, allez, tu peux partir. Ne t'en fais pas pour maman, elle va s'arranger. Quand tu fermeras tes yeux, tu seras de nouveau capable de courir à

Chapitre 1

pleine vitesse et de tout voir. Nous serons encore ensemble. Nous serons toujours ensemble. Allez, pars. Ne t'en fais pas pour moi, je vais m'arranger. » Il ferma les yeux et mourut dans mes bras le soir de Noël 1994.

Les semaines qui suivirent furent les pires de ma vie. Tout d'un coup, pour la première fois en quinze ans, je me retrouvais seule. Les chats ne comprenaient plus ce qui se passait. Christopher, qui avait maintenant cinq ans, continuait de chercher Rocky en pleurant. Peu de gens comprennent la douleur que représente la perte de ce qui pour certains est «seulement» un chien mais qui, pour vous, est un chien, c'est-à-dire la plus extraordinaire créature de Dieu, votre enfant, votre compagnon, votre thérapeute et, au-delà de tout, votre meilleur ami. Rocky, par la profondeur de son amour pour moi, m'a permis d'aimer un peu plus tous les êtres et toutes les choses qui m'entourent. Et je sais que je lui serai toujours redevable pour tout ce qu'il a apporté dans ma vie. Les gens m'ont toujours dit que Rocky avait de la chance, mais moi je dis qu'ils se trompent. De nous deux, ce fut moi qui ai eu de la chance. Je suppose que j'ai eu raison de croire, il y a quinze ans, que Rocky serait toujours là si je l'aimais suffisamment. Peut-être ne repose-t-il plus chaque soir tout contre moi, mais il est et sera à jamais, le jour comme la nuit, bien présent dans mon cœur.

— *Terri L. Collins*

P.S. : Au moment où j'écris ces lignes, Austin Collins est endormi sur mes genoux. Shawn et moi sommes allés le chercher dans un refuge pour animaux il y a deux ans et l'avons adopté. Il avait alors trois ans. Austin est un caniche abricot pure race d'environ 4,5 kilos. Selon sa fiche d'identification, il avait été donné « parce qu'on n'avait pas le temps de l'entraîner à la propreté ». En trois ans? Il a appris en moins d'une semaine et ne s'est jamais échappé depuis. (Je lui ai dit qu'il n'avait pas à s'en faire si cela se produisait, car dans cette maison la vie et l'amour ont plus de valeur qu'un tapis.) Austin est ici pour rester aussi longtemps que Dieu nous fera cadeau de sa présence. Et il s'accroche! Il ne quitte pas vos genoux tant que vous êtes assis, et lorsque vous vous levez, il demande que vous le preniez... Je suppose que je m'accrocherais aussi si j'avais eu un foyer pendant trois ans et que je me retrouvais ensuite derrière les barreaux d'une cage à attendre le retour de mes compagnons. Christopher et Austin se pourchassent dans tous les coins de la maison ; il a fallu toutefois deux semaines à Tigger pour sortir d'en-dessous du lit après son arrivée! Et, oui, Austin dort entre Shawn et moi dans notre lit. Je n'avais pas prévu avoir un autre chien, mais la maison n'avait plus l'ambiance d'un vrai foyer. Au début, je me sentais coupable d'aimer Austin, mais je sais que je ne serais pas capable de l'aimer autant si Rocky ne m'avait pas montré comment. Je sais que mon histoire est longue, mais l'amour est difficile à résumer.

Un cadeau pour l'éternité

Il était une fois une famille invraisemblable composée d'un papa, d'une maman, d'une chienne cocker de race mêlée nommée Allie et d'une truie bedonnante appelée Amy. Allie et Amy s'entendaient à merveille. Elles jouaient ensemble, se parlaient et dormaient l'une près de l'autre. Allie la chienne mangeait la moulée pour les porcs, et Amy la truie mangeait la nourriture pour chiens.

Jusqu'au jour où le malheur survint. Amy s'était aventurée sur la couverture de la piscine et, sous son poids, un bout de la toile s'enfonça dans l'eau. Amy glissa dessous et se noya. Quand Pat et Richard Heymann revinrent du travail ce soir-là, ils durent, horrifiés, retirer Amy de la piscine. Le cœur en peine, ils la déposèrent sur la terrasse, s'assirent à côté d'elle et pleurèrent.

Allie avait alors cinq ans. Pendant toute sa vie, elle s'était attachée à un objet qui ne la quittait presque jamais. Il s'agissait d'une petite grenouille verte en caoutchouc. Allie s'approcha ce soir-là d'Amy, pencha la tête vers elle, et lui donna la petite grenouille verte, comme un cadeau d'adieu. Quand on emporta

Chapitre 1

Amy pour l'enterrer, Allie ne reprit pas sa grenouille. C'était son cadeau pour l'éternité.

– Bill Tarrant

Chapitre 2

L'apprentissage et la croissance

Toute connaissance, la totalité de toutes les questions et de toutes les réponses, est contenue dans un chien.

– Franz Kafka

Rempli du chagrin causé par la perte d'un chien, un petit garçon se tient pour la première fois sur la pointe des pieds, scrutant la tristesse de ce qui l'attend alors qu'il deviendra un homme. Après avoir vécu la plus inconsolable des peines, il n'y a rien dans ce que la vie pourra lui réserver qu'il sera incapable, d'une manière ou d'une autre, de supporter.

– James Thurber

Vendredi : l'histoire d'une mère

Un jour, il y a longtemps de cela, je rendais visite à ma tante qui habitait Albany, dans l'État de New York. Alors que j'étais chez elle, j'entendis un chien qui aboyait avec insistance. Je regardai par la fenêtre et aperçus un jeune chien enthousiaste attaché par une corde d'environ 45 centimètres à une table de pique-nique. Cette boule d'énergie semblait lancer un appel à quiconque pouvait l'entendre : « Il fait un temps superbe. Est-ce que quelqu'un voudrait explorer le monde avec moi? » Je demandai à ma tante d'où sortait ce chien, et elle me raconta son histoire. Elle avait appelé à plusieurs reprises la société protectrice des animaux parce que le chien en question était attaché à cette courte corde toute la journée. Ses maîtres se contentaient de le rentrer directement dans le sous-sol de la maison la nuit venue. De temps à autre, son enthousiasme lui permettait de s'échapper pour explorer la vie. Ses maîtres le poursuivaient alors avec des pierres afin de le ramener à sa table de pique-nique. Je sus à ce moment que je devais avoir un chien.

Je demandai à tante Virginia de venir avec moi parler aux propriétaires. Je n'avais aucune idée de ce que j'allais leur dire. Quand la femme vint à la porte, je m'entendis lui raconter que mes jeunes enfants étaient désespérés parce que nous avions dû faire piquer notre chien. J'ajoutai que son chien ressemblait à s'y méprendre au nôtre, qui nous manquait terriblement. N'y aurait-il pas dans la région d'autres chiens semblables au sien? Le femme me répondit qu'elle et son mari avaient reçu ce chien en cadeau de leurs enfants et qu'ils songeaient à s'en débarrasser. Consternée, je lui dis que j'allais rentrer chez moi dans le Massachusetts et que je serais ravie d'amener le chien avec moi.

En moins d'une demi-heure elle venait me porter le chien. Il semblait savoir qu'une nouvelle vie commençait pour lui. Il ne regarda jamais en arrière pour dire adieu à ses maîtres. Ce beau chien de couleur crème et d'origine incertaine mettait sa vie entre mes mains. Il avait à peu près la taille d'un berger allemand. Nous émîmes des conjectures au sujet de son origine, pour conclure qu'il devait être un mélange de labrador et de husky. Il n'avait jamais été à l'intérieur d'une maison auparavant et il bondit du canapé jusqu'au fauteuil, puis jusqu'à la table, pour enfin atterrir sur mes genoux, me couvrant de becs mouillés qui me disaient : « Merci, merci... Et maintenant, allons-y, découvrons le monde! »

Quand il s'installa à côté de moi sur le siège avant de la voiture et posa sa tête sur mes genoux, je lui dis : « Ta vie ne sera jamais plus la même. » En effet, elle ne fut plus la même. La nôtre non plus, d'ailleurs. Je pris la route avec lui vers le Massachusetts, et il semblait savoir qu'il devait faire preuve de patience pendant les trois heures que durait le voyage. Quand nous nous engageâmes dans l'allée, il se dressa sur ses pattes pour jeter un premier coup d'œil sur son nouveau monde. Il vit alors un grand jardin avec, planté dans le sol, un poteau auquel était attaché une très, très longue corde. Il vit aussi un chemin qui menait à une cour arrière donnant sur un large boisé. Il vit enfin trois de mes grands enfants, un labrador noir et un chat des bois norvégiens, noir lui aussi... et il comprit que, en effet, sa vie ne serait jamais plus la même! L'excitation fut à son comble. Notre chienne labrador, la reine de la maison, montra un peu de méfiance devant ce jeune intrus exubérant. Il tenta de l'enjôler pour qu'elle joue avec lui. À sa grande stupéfaction, le chat courut se réfugier dans un arbre en l'apercevant. « Qu'est-ce que j'ai bien pu faire? », sembla-t-il alors se dire. Il courait partout, sautait et riait avec nous tous. Des amis vinrent lui souhaiter la bienvenue dans son nouveau milieu. De temps à autre il s'arrêtait, posait ses pattes sur l'un de nous et le couvrait de baisers.

Quel nom allions-nous donner à ce nouveau membre de la famille? Il avait été « sauvé » un vendredi. Un nouveau mode de vie commençait aussi pour nous ce vendredi. Nous décidâmes donc de l'appeler... Vendredi.

Quand nous entrâmes finalement dans la maison, nous découvrîmes qu'il avait l'étonnante capacité de bondir comme un ressort! S'il y avait quelque chose sur son chemin, par exemple une table à café, son exubérance lui faisait choisir la voie la plus directe : il sautait tout bonnement par-dessus. Si quelqu'un était assis avec les jambes allongées, il prenait le chemin des airs et se retrouvait de l'autre côté. On aurait dit un kangourou! Il s'amusa à ce jeu pendant des années.

Le premier matin, dès mon réveil, je voulus voir comment il se sentait dans sa nouvelle demeure. Je le trouvai dans la salle de séjour, assis sur une table haute, en train de regarder par la fenêtre. Il n'avait jamais vécu dans une maison et ne savait pas qu'il pouvait être interdit de monter sur les meubles. Il apprit beaucoup de choses au cours des jours suivants. Il sut très vite qu'il pouvait sans problème descendre au sous-sol. Il n'y serait pas laissé seul et enfermé. Il était libre de ses mouvements. Il apprit aussi qu'il n'avait pas à avoir peur d'une main tendue vers sa tête, car cette main lui donnerait des caresses. Vendredi et mon fils Scott développèrent ce lien particulier qui s'établit parfois entre l'homme et le chien. Scott passa des heures à l'entraîner à répondre aux ordres qu'il lui donnait. Il l'entraîna aussi, pour sa propre sécurité, à marcher en laisse. La loyauté et l'amour étaient réciproques. En matière de loyauté et d'amour, je crois profondément que le plus on donne, le plus on reçoit. Je ne puis dire lequel était le plus loyal ou aimait davantage, mais tous les deux ont donné et ont reçu au-delà de toute attente. Il pouvait pleuvoir, neiger, tomber une neige mouillée, par temps glacial ou ensoleillé, le jour comme le soir, Scott partait avec Vendredi pour combler son rêve d'explorer la vie et de découvrir le monde.

Il courait librement dans les bois à la poursuite de chaque mouvement et de chaque odeur. Il y avait des cerfs à pourchasser : « Ne vous sauvez pas, je veux seulement jouer! » Il y avait des écureuils, des ratons laveurs, des lapins et d'étranges bruissements dans les bosquets. Quel athlète il était! Aussi rapide qu'une fusée, prêt à bondir dans les airs pour dépasser tout obstacle qui entravait sa quête vers une nouvelle aventure!

Son goût de l'aventure supplantait parfois son désir de plaire, et il ne répondait pas aux ordres. C'était tout simplement plus fort que lui. Nous recevions alors un appel de la station service : « Il y a Vendredi qui est ici. » Parfois un étranger de la rue voisine nous appelait :« Il y a Vendredi qui est ici. » L'appel pouvait aussi venir d'un policier de la ville voisine : « Il y a Vendredi qui est ici. » Ou encore de la propriétaire du poulailler : « Il y a Vendredi qui est ici. »

Un jour, j'avais cherché Vendredi dans tous les environs avec ma voiture. Rentrée bredouille à la maison, j'arpentais la salle de séjour quand je vis par la fenêtre le camion des éboueurs. Qui se trouvait bien assis sur le siège du passager? Vendredi. Le conducteur ouvrit la porte et Vendredi descendit, non sans s'être retourné comme pour lui dire « Merci de m'avoir raccompagné ».

Il adorait être dehors. Lorsqu'il passait de longues heures dans la neige, j'avais peur qu'il ne prenne froid et j'essayais de le faire rentrer. Il me répondait : « Non, je m'amuse dans la neige fraîche, en rêvant mes rêves du passé et de l'avenir. » J'insistais et tirais sur sa corde, mais il résistait en faisant le mou. Il était le meilleur juge en la matière.

L'apprentissage et la croissance

Comment ce gentil géant avait-il pu survivre à l'oppression de son ancienne vie et s'en sortir? Comment avait-il appris à accepter les gâteries que nous lui donnions pour l'entraîner et à les prendre délicatement sans avoir le réflexe de nous mordre la main? Comment a-t-il pu répondre si promptement à notre amour alors qu'il avait été maltraité pendant toutes les premières années de sa vie? Comment expliquer qu'il nous ait fait confiance si spontanément? Quand nous l'amenâmes chez le vétérinaire, il sauta de lui-même sur la table d'examen, convaincu que nous étions tous là pour l'aider. Qu'est-ce qui lui permettait d'être si optimiste alors qu'il n'avait connu que le manque de soins et des attitudes négatives dans son autre vie? Je me suis posé ces questions pendant des années.

Scott rencontra un jour Christina et finit par l'épouser. Ils partirent tous les trois, Scott, Christina et Vendredi, qui conquit le cœur de toutes les personnes dont il fit ensuite la connaissance. Christine provenait d'une grande et chaleureuse famille italienne. Vendredi adorait qu'on ajoute à sa nourriture du parmesan fraîchement râpé et de la sauce à spaghetti maison. Il devint un chien italien. Il aimait sa famille élargie et l'aventure que représentait la découverte d'un nouvel environnement et de nouveaux amis. Tout le monde l'aimait, les jeunes comme les vieux. Il avait alors huit ou neuf ans, et c'était la première fois qu'il était en présence de jeunes enfants. Il les laissait grimper et ramper sur son dos sans rechigner. Quand il en avait assez, il s'approchait de Scott et s'appuyait contre lui comme pour lui dire « Viens à ma rescousse ». La grand-mère de Christina mourut à l'âge de 85 ans. Les derniers mots qu'elle dit à Christina furent « Prends soin de Vendredi ».

L'aventure que fut cette époque de sa vie s'est terminée il n'y a pas longtemps. Il avait reçu pendant la plus grande partie de sa vie les meilleurs soins que l'amour et l'argent pouvaient lui procurer, mais son corps athlétique succomba devant une maladie incurable. Tout le temps qu'il fut hospitalisé, il conserva la même confiance et demeura convaincu que les gens autour de lui avaient les meilleures intentions à son égard. Lorsqu'on se décida à le piquer afin de le libérer de sa maladie, il regarda Scott et lui donna la patte comme pour lui dire : « Nous nous sommes payé du bon temps, n'est-ce pas? Merci de m'avoir accompagné. »

Vendredi laisse plusieurs choses derrière lui. Il laisse une maison remplie de sa chaleur et de ses jouets, prête à accueillir un nouveau chien provenant d'un refuge pour animaux, et que l'on a appelé Tommi, d'après le nom de la grand-mère de Christina. Il laisse un peu de son exubérance et de son goût de l'aventure en chacun de nous. Il nous a touchés avec son irrépressible désir de vivre et son amour inconditionnel. Nous avons dispersé ses cendres dans une forêt du Massachusetts, là où il aimait tant courir. Il laisse à cet endroit le souvenir de sa présence dans toutes les choses vivantes : « Je suis venu ici. J'ai vécu et savouré chaque minute de ma vie. Profitez-en bien vous aussi! » Il laisse un héritage d'amour et de plaisir. Il laisse la preuve que, même si l'on a manqué de soins et subi de mauvais traitements pendant sa jeunesse, il est possible de vivre et d'aimer. Après tout, en matière d'amour et de loyauté, le plus on donne, le plus on reçoit.

– Betty Forbis
(voir « Vendredi : l'histoire d'un fils », p. 249)

Lucky

J'ai passé mon enfance à Brooklyn, il y a une cinquantaine d'années, entouré de parents, de frères et d'amis merveilleux. Parmi nous, les humains, il y avait Lucky, un boston terrier qui semblait devoir être là pour l'éternité. Parce que j'étais le plus jeune, Lucky devint mon chien à moi. Il était joueur et avait un comportement très territorial. Je me souviens toutefois d'un événement qui, étant donné son tempérament, me paraît très étonnant quand j'y repense.

Je m'étais fracturé la mâchoire dans un accident et je devais porter un énorme bandage très inconfortable. Ma mère, pour me remonter le moral, nous avait amenés, mon frère et moi, au cinéma local. Pâques approchait, et une tombola avait été organisée, où l'on faisait tirer des lapins. Mais comme je ne me sentais vraiment pas bien, je dus rentrer à la maison. Je crois que le gérant du cinéma me prit en pitié, car j'eus la surprise de voir revenir mon frère avec mon prix, un mignon petit lapin au nez rose. Je l'appelai Peter (bien évidemment!).

Notre joie et notre excitation furent de courte durée : non seulement devions nous obtenir la permission de notre père, mais il fallait aussi penser à la réaction de Lucky! Nous dûmes plaider notre cause et négocier fermement. Notre père finit par accepter que Peter reste avec nous. S'il ne s'entendait pas bien avec Lucky, il devrait toutefois nous quitter.

Nous mîmes Peter et Lucky ensemble dans la cour, non sans les observer avec inquiétude. Ils commencèrent par le rituel de se sentir et de se regarder mutuellement avec circonspection. Puis les choses s'améliorèrent de jour en jour. Il n'y eut aucun incident grave. Mon père, convaincu qu'ils pouvaient devenir copains, construisit dans la cour une cabane pour Peter, et Lucky prit l'habitude de la partager. Le lapin et le chien mangeaient souvent ensemble. Quand il se mit à faire vraiment froid, mon père créa une ouverture dans une rallonge de la maison afin que Peter puisse y entrer. Lucky, jusque là, dormait généralement avec moi. Très souvent nous le retrouvâmes dans l'enclos, endormi près de Peter.

Une nuit, alors que Peter était à l'extérieur, une importante chute de neige tomba sans préavis. Le lendemain, à la première heure, nous sortîmes à sa recherche, mais Peter était introuvable. Nous étions sûrs qu'il n'avait pas survécu. Toutefois, Lucky semblait être mieux renseigné, car il ne cessa d'aboyer pendant que nous creusions autour de la cabane de Peter. Soudain, nous perçûmes un mouvement : il était vivant! Lucky le lécha et nous nous mîmes tous à rire de bonheur.

Cette amitié dura un certain temps, jusqu'à ce que Lucky tombe malade. Nous dûmes le faire piquer. Peu de temps après, nous trouvâmes Peter mort, dans sa cabane. Selon nous, il avait succombé à une crise du cœur parce qu'il avait perdu son ami.

Ils étaient de vrais copains, et ils étaient mes amis. Quand j'y repense, je me dis qu'ils ont fait comprendre au jeune garçon que j'étais qu'il peut y avoir une harmonie entre les contraires, en particulier dans un foyer rempli de chaleur et d'amour. Voilà qui n'est pas une mauvaise leçon. Merci, mes amis.

– William Crisp

Regarder jouer les chiens et les enfants

L'histoire de mes deux chiens, c'est celle de l'amour quotidien qu'ils ont apporté dans mon univers qui ne cesse de rapetisser. Bourreau de travail, axée sur ma carrière, je n'avais jamais envisagé l'idée de posséder un chien. Jusqu'à ce que mon univers se transforme et devienne plus étroit à cause d'une maladie chronique.

C'est à ce moment que mon mari et moi avons cédé aux désirs de notre fils et décidé d'avoir un chien. Courtney (une chienne labrador noire) est alors arrivée parmi nous. Huit mois plus tard, j'ai cédé aux désirs de mon mari, et ce fut le tour de Crystal (un mélange de labrador jaune et de berger blanc). Comment aurais-je pu savoir l'effet miracle que leur fourrure et leur museau affectueux auraient sur ma douleur et ma solitude?

À dix mois, un mois après l'arrivée de Crystal, Courtney dut subir une série de chirurgies au coude et à la hanche. Ces interventions s'étendirent sur deux longues années pendant lesquelles Crystal passa tout son temps à côté de la boîte où Courtney vivait sa convalescence.

Comment aurais-je pu savoir que cet événement m'apprendrait à accepter que moi-même ou d'autres (y compris des chiens) pouvaient ne pas être parfaits?

Courtney a eu tout juste quatre ans la semaine dernière. Elle et Crystal sont inséparables, et je ne peux non plus me passer d'elles. Courtney a encore besoin d'un suivi médical. Dans de telles circonstances, la plupart des chiens manifesteraient de la rogne ou de la peur à l'endroit de la communauté médicale. Courtney, au contraire, accueille les médecins comme s'ils étaient de vieux amis qu'elle n'a pas vus depuis longtemps.

Comment aurais-je pu savoir que cette attitude allait m'enseigner que ma maladie n'était ni un résultat de la colère de Dieu ni ma propre faute? Rien n'est parfait dans la nature, et cependant, tout en étant imparfaite, la nature continue bien tranquillement d'exister.

Mes deux chiens partagent avec moi, dans notre maison, la vie simple de tous les jours. Ils attendent avec impatience les enfants du voisin qui viendront sonner à la porte à la fin de la journée. Le bruit de la sonnette est pour eux le signal : c'est l'heure de sortir. Sans mes chiens, comment aurais-je pu savoir tout ce qu'il m'était possible de faire dans mon petit univers?

Savez-vous ce que c'est que de regarder jouer des enfants et des chiens?

Je peux rester à observer mes chiens une journée entière.

– Renee Leon

Le gourou du pasteur

Je suis pasteur. C'est ma vocation. Mon travail touche l'intangible et peut-être indéfinissable domaine de l'esprit. Je prie avec les mourants et conseille les affligés. Je prends part à la joie des parents, je baptise leurs nouveaux-nés et j'accueille les nouvelles vies dans le monde. J'aide parfois des personnes à résoudre des problèmes d'ordre moral et à prendre des décisions sur le plan éthique. Je partage aussi la responsabilité de l'éducation des jeunes, afin de les aider à réaliser leur potentiel inné de respect et de compassion. Semaine après semaine, je fais face à l'assemblée des fidèles et j'essaie de leur parler des plus grands mystères de l'existence humaine. Ces dernières années,

Chapitre 2

toutefois, je suis devenu beaucoup plus conscient du fait que les êtres humains ne sont pas les seuls animaux sur cette planète qui participent aux choses de l'esprit.

Chacun a besoin d'un guide spirituel : un pasteur, un rabbin, un conseiller, un ami sage ou un thérapeute. Mon ami sage à moi, c'est mon chien. Mon chien a un savoir profond à transmettre. Il se fait facilement des amis et ne garde jamais rancune à personne. Il apprécie les plaisirs simples et prend chaque jour comme il vient. Comme un vrai maître zen, il mange quand il a faim et dort quand il est fatigué. Il n'est pas obsédé par le sexe. Et surtout, son amitié à mon égard est faite d'un amour inconditionnel que les êtres humains auraient avantage à imiter.

« Je crois que je pourrais tout abandonner pour vivre avec les animaux, ils sont si placides et si indépendants », a écrit le poète Walt Whitman. « Il m'arrive de rester à les regarder pendant des heures. » Et il ajoute :

Ils ne se font pas de souci et ne se plaignent pas de leur condition.
Ils ne se couchent pas les yeux grand ouverts dans la noirceur à pleurer sur leurs péchés.
Ils ne me rendent pas malade avec leurs discussions au sujet de leur devoir envers Dieu.
Aucun n'est mécontent, aucun n'est devenu fou à cause de son désir de posséder.
Aucun ne se met à genoux devant un autre, ni devant les membres de son espèce qui vécurent il y a des milliers d'années.
Aucun, sur la terre entière, n'est respectable ou malheureux.

Mon chien a ses défauts, évidemment. Il a peur des pétards et se cache dans le garde-robe aussitôt qu'il entend la balayeuse. Contrairement à moi, cependant, il n'a pas peur de ce que pensent les gens et ne se préoccupe pas de son image publique. Il aboie en apercevant le facteur ou le livreur de journaux, mais contrairement à certaines personnes, il ne grogne jamais à l'endroit d'un enfant et n'aboie jamais après sa femme.

L'apprentissage et la croissance

Mon chien est donc un genre de gourou. Quand je deviens trop sérieux ou préoccupé, il me rappelle l'importance du jeu et de la légèreté. Quand je m'enchevêtre dans des abstractions et des idées, il me rappelle l'importance de faire de l'exercice et de prendre soin de mon corps. À son propre niveau, en tant que chien, il me montre qu'il est possible de vivre sans conflits intérieurs et sans névroses, dans le bonheur simple et authentique d'être vivant.

Mark Twain a fait remarquer, il y a longtemps, que les êtres humains ont beaucoup à apprendre des animaux supérieurs. Le fait qu'ils n'ont pas inventé les autocollants, les missiles stratégiques ou les télévangélistes ne signifie aucunement qu'ils ne sont pas évolués sur le plan spirituel.

Personne ne peut prouver que les animaux ont une âme. Mais si nous ouvrons notre cœur aux autres créatures et si nous nous permettons de les approcher dans leurs joies et dans leurs luttes, nous découvrons qu'ils ont le pouvoir de nous toucher et de nous transformer.

De tout temps nous savons que les animaux possèdent un équilibre et une harmonie intérieure qu'ils peuvent nous communiquer. « Demandez aux bêtes et elles vous enseigneront », conseille le Livre de Job. Des créatures ont habité la terre bien plus longtemps que nous. Leur instinct et leur capacité de s'adapter à la vie sont parfois plus forts que les nôtres. « Au début de toute chose, affirme le chef Pawnee Letakots-Lesa, la sagesse et les connaissances étaient chez les animaux, car Tirawa, celui qui est en haut, ne parlait pas directement aux hommes. Il a envoyé certains animaux pour me dire qu'il se manifestait à travers les bêtes, et que l'homme devrait apprendre de celles-ci ainsi que des étoiles, du soleil et de la lune. » Le concept selon lequel d'autres êtres vivants peuvent être nos guides spirituels n'a vraiment rien de nouveau.

Avec amour et affection je dédie donc ces pensées aux animaux de ce monde, et en particulier à mon propre guide spirituel. Certaines personnes ont leur mentor, leur maître ou leur professeur. Moi j'ai mon chien, un sacré clébard.

– Gary Kowalski

Chapitre 2

Chip

En août 1975, ma mère décida que ce serait une bonne idée de m'offrir l'un des chiots de la portée qui venait tout juste de naître chez notre voisin d'à côté. Les chiots, un mélange unique de beagle et de pointer, étaient magnifiques. Celle que je choisis avait un superbe pelage blanc et, sur le dessus de la tête, une tache brune qui avait exactement la forme d'un cœur. Je me suis tout de suite senti des affinités avec elle, car j'ai moi-même une tache de vin en forme de cœur sur une épaule.

J'avais alors quatre ans, et mon père venait de mourir d'un cancer. Le fait d'avoir un nouveau chiot dans la maison fut pour moi un cadeau du ciel, car ma mère était émotionnellement anéantie et ne pouvait me donner le soutien dont j'avais besoin. Je tombai immédiatement en amour avec ma nouvelle chienne, à qui je donnai le nom de Chip.

Je me dis souvent que je me serais renfermée dans mon propre monde et me serais coupée de tous s'il n'y avait pas eu la présence de ma chienne. Enfant, je me rapprochais difficilement des gens. En peu de temps, Chip devint ma seule et meilleure amie. Elle s'assoyait sur mes genoux, nous écoutions la radio, nous faisions des promenades et jouions ensemble. Je lui confiais tous mes problèmes et mes inquiétudes. La nuit, elle dormait avec moi sous mes couvertures pour m'empêcher d'avoir peur. Elle était d'une certaine manière la sœur ou le frère que je n'avais jamais eu. Nous devînmes très proches, partageant chacune la vie de l'autre.

Alors que j'avais à peine neuf ans, ma mère était déjà passée à travers trois mariages. Je dus subir dès un très jeune âge beaucoup de contrecoups sur le plan émotionnel. J'en vins de plus en plus à ne compter que sur moi-même et à me méfier des autres. J'étais extrêmement timide, j'avais une très mauvaise image de moi et je détestais aller à l'école. On me taquinait souvent au sujet de ma grandeur, et je continuais de pousser très rapidement compte tenu de mon âge.

Chip était la seule sur qui je pouvais toujours compter. J'étais le centre de son univers. Elle m'acceptait telle que j'étais, peu importe ce que je faisais et de quoi j'avais l'air. Les animaux m'ont enseigné cette chose merveilleuse. Ils ne connaissent ni les préjugés ni la haine. On les dit « bêtes » à cause de cette innocence qui rappelle celle des enfants, mais moi je crois qu'ils sont une bénédiction.

Avec les années, j'en vins à changer, à grandir. Ma grandeur finit par ne plus être l'objet de moqueries. Au contraire, on m'enviait. Toutes ces années que j'ai passées laissée à moi-même ont fait de moi une bonne artiste, une poète et une musicienne ; mais le plus important, c'est que j'ai appris à être très sensible aux sentiments des autres. J'ai appris la patience, la compréhension et la sollicitude.

Tout cela, je le dois à ma chienne, Chip. C'est elle qui, dans ma vie, m'a appris toutes ces choses. Aucun être humain ne m'a enseigné ces notions et elle est la seule à qui je dois des remerciements. Avec son aide, je peux enfin dire que je suis heureuse avec la personne que je suis. J'ai réussi à bien m'en tirer après un genre d'enfance qui mène trop souvent à la drogue et à l'abus d'alcool. Je ne sais ce qu'il en aurait été si j'avais été complètement seule à cette époque.

Il y a trois ans, j'ai rencontré un homme qui a su m'offrir la gentillesse et l'attention que je n'avais jamais reçues d'aucune personne. Je sus dès le début qu'il allait rester et toujours prendre soin de moi. Je savais aussi que mes problèmes émotionnels seraient un obstacle important à surmonter, mais avec son soutien et son amour j'ai réussi à abattre plusieurs des murs que j'avais dressés autour de moi.

En 1993, par une nuit de février, ma chienne se coucha pour la dernière fois et refusa de boire ou de manger. Je sus au fond de moi que le temps était venu de la laisser aller. J'essayai de ne pas être amère. Dix-huit ans est une durée de vie respectable pour un chien. Mais étant donné le rôle qu'elle avait joué dans ma vie, je ne pouvais m'empêcher de sentir qu'une partie de moi-même mourait avec elle.

Je restai très près de Chip toute la nuit, en pleurant à chaudes larmes, tandis que des milliers de souvenirs passaient et repassaient dans ma tête. Je crois que d'une certaine manière elle savait qu'il y avait maintenant quelqu'un qui veillerait sur moi et prendrait soin de moi. Elle était restée avec moi aussi long-temps que j'avais eu besoin d'elle, mais je n'étais plus une enfant solitaire en manque d'amour. De son côté, elle était très vieille et fatiguée.

La nuit passa lentement. À un moment donné, on fit jouer à la radio une chanson que nous avions souvent écoutée dix-huit ans auparavant. Cette chanson parlait de deux très grands amis et de la douleur qu'ils ressentirent en apprenant que l'un deux allait mourir. Je n'avais jamais, enfant, prêté beaucoup d'attention aux paroles. Mais cette fois, elles me déchirèrent le cœur. Le lende-main matin, le jour de la Saint-Valentin, ma belle amie mourut dans mes bras.

La tache en forme de cœur qu'elle avait jadis sur la tête était rendue grisonnante et ne ressemblait plus beaucoup à un cœur. Je repensai à l'époque où elle était un petit chiot potelé, tout nouveau et plein de vie. Je ne pouvais croire qu'il s'agissait du même chien qui gisait là sans vie dans mes bras. Il me sembla soudain que ces moments de mon enfance appartenaient à une autre vie.

Aucun jour ne passe sans que je pense à Chip en ressentant son absence. Chaque jour je remercie Dieu de m'avoir offert un cadeau si extraordinaire. Il savait que j'avais besoin d'elle et Il l'envoya pour grandir avec moi.

On m'a toujours dit que les animaux ne vont pas au ciel. S'il arrive à Dieu d'admettre des exceptions, je sais que Chip en fera partie.

– Kimberlee L. Lippencott

Heidi

Ma sœur et moi l'avions reçue en cadeau de notre grand-mère. Nous nous étions rendus à une petite maison avec une grande cour et l'avions choisie parmi une portée de schnoodles (un mélange de schnauzer et de caniche). Entre tous ses frères et sœurs, elle nous parut la plus vive et la plus mignonne. Elle avait un beau pelage foncé et n'avait que cinq semaines. Je n'avais jamais vu de chiot aussi petit et aussi adorable... et je l'aimai dès l'instant où je l'aperçus.

Heidi demeura dans la cuisine, à l'intérieur d'une boîte de carton tournée de côté, jusqu'à ce qu'elle soit assez mature pour savoir quand et comment nous faire savoir qu'elle devait sortir. Nous avions étendu des journaux partout sur le plancher. Mais cela dura peu de temps, car elle était déjà très éveillée. Une fois que nous lui eûmes fait faire le tour de la maison, elle ne tarda pas à sauter à la porte comme si elle essayait de tourner elle-même la poignée quand elle voulait sortir dans sa petite cour clôturée à côté de la maison. Ce fut la première chose qu'elle apprit. Cela, et le fait que la cour du côté était à elle, à elle seule. Nous ne fermions jamais la clôture de ce petit espace, car elle était assez intelligente pour se rendre directement dans sa cour, faire ses besoins et revenir tout droit à la porte d'entrée, où elle attendait, parfois avec beaucoup de patience, qu'on pense à la faire entrer.

Elle apprit ensuite les trucs habituels : se rouler, s'asseoir, faire la belle et rester immobile. Nous pouvions placer un biscuit sur son museau, et elle ne clignait même pas des yeux avant que nous ne lui ayons dit *O.K.* Elle se roulait sur le dos et faisait la morte chaque fois que quelqu'un la pointait du doigt en criant « Bang! ». Les voisins aimaient bien l'observer tandis qu'elle descendait l'allée tous les matins pour prendre le journal et le rapporter exactement devant la porte d'entrée, où ma mère lui donnait son biscuit matinal. Quand le livreur jetait accidentellement le journal sous un buisson ou dans des herbes hautes, il n'y avait aucun problème. Heidi nous rapportait tout

Chapitre 2

simplement le journal du voisin. Elle était vraiment futée. Je puis dire que n'ai jamais eu d'animal aussi intelligent.

Peu de temps après son troisième anniversaire, elle commença à être malade. Je ne me souviens pas exactement des premiers signes de sa maladie, mais ils étaient assez inquiétants pour qu'on l'amène chez le vétérinaire. Celui-ci nous apprit que notre chienne était diabétique. Si elle survivait, il faudrait lui administrer deux piqûres d'insuline tous les jours pendant le reste de sa vie. Mes parents avaient envisagé la possibilité de la faire endormir, et moi-même j'avais pensé que cela pouvait être la meilleure chose à faire. Mais nous finîmes par décider qu'elle ne méritait pas cela. Après tout le bonheur qu'elle nous avait apporté, nous ne pouvions pas lui enlever la vie seulement parce qu'elle allait avoir besoin de nous davantage. Nous décidâmes qu'elle allait vivre et que nous ferions tout en notre possible pour la garder vivante.

Donc, après des mois d'expérimentation avec la quantité de nourriture et différentes doses d'insuline, nous parvînmes à un heureux équilibre qui permettait à Heidi de mener une vie de chien normale. En fait, elle avait toujours hâte de recevoir sa piqûre d'insuline, car elle savait qu'elle aurait ensuite un biscuit. Elle opposa rarement de la résistance, et elle prenait les injections souvent mieux que la plupart des êtres humains que je connais.

Heidi vécut six autres années après que son diabète ait été diagnostiqué, pour un total de neuf belles années. Vers la fin, cependant, les choses devinrent plus difficiles. Elle développa des cataractes et on dut lui enlever un œil. Lorsque cela survint, nous nous demandâmes s'il était mieux pour elle de la faire endormir. Encore une fois, nous décidâmes que nous pouvions tous ensemble traverser cette épreuve. Elle développa aussi des tumeurs sous-cutanées, et à ce moment nous commençâmes à nous demander combien de temps elle allait pouvoir tenir. Elle paraissait vieille. L'orbite de son œil à découvert, les tumeurs visibles sur tout son corps, l'opacité laiteuse de l'œil qui lui restait. Elle faisait peine à voir, mais nous l'aimions tellement fort.

L'apprentissage et la croissance

Elle est morte un jour alors que tout le monde était absent. Ma mère et ma sœur trouvèrent en rentrant une maison vide, Heidi n'était nulle part. Elles la cherchèrent partout et finirent par la trouver dans un coin retiré du sous-sol, près de la fournaise. Ma mère m'appela à mon travail et je me précipitai à la maison. Je pleurai pendant tout le trajet. Quand j'arrivai, Heidi était dans son lit, sous une couverture, avec tous ses jouets autour d'elle. Nous éclatâmes tous en sanglots. Après son enterrement, nous essayâmes de passer à autre chose. Mais elle sera toujours à notre cœur.

Ma mère nous rappelle encore le montant exorbitant des factures médicales que nous dûmes payer à cause de cette chienne, mais elle aimait Heidi autant que nous. Heidi nous a enseigné un tas de choses concernant la vie. Elle nous a enseigné la responsabilité. Elle nous a enseigné que certaines choses valent la peine. Elle nous a enseigné que la vie est le cadeau le plus précieux qui existe sur terre et que, même lorsque vous êtes complètement dépendant, vous avez encore la capacité de changer à jamais la vie d'une personne.

Tu nous manques, Heidi. Tu es pour toujours dans notre cœur.

– Steven Buck

Chapitre 3

La loyauté et l'amitié

Son nom n'est plus Chien sauvage, mais Meilleur ami, car il sera notre ami jusqu'à la fin des temps.

– Rudyard Kipling

Mon boxer Gangster est l'ami le plus fidèle que je puisse demander.

– Sylvester Stallone

Hachiko, la chienne fidèle

Entre les deux guerres, dans le quartier Shibuya de Tokyo, vivait une chienne akita brun doré appelée Hachiko. La célèbre histoire de sa loyauté et de sa dévotion à son maître est si familière aux gens de Tokyo qu'elle est universellement connue sous le nom de « *chu-ken* Hachiko », ou « Hachiko, la chienne fidèle ».

Née en 1922, Hachiko était la chienne du professeur Eisaburo Ueno, de l'Université de Tokyo. Ueno vivait dans Shibuya, alors considéré comme une banlieue, mais qui est aujourd'hui un quartier très branché de Tokyo. Tous les matins, le professeur se rendait à pied de sa maison jusqu'à la gare de Shibuya pour prendre le train qui le menait à son travail – et tous les matins Hachiko l'accompagnait.

Tous les après-midi, quand Ueno rentrait chez lui par le train de fin de journée, Hachiko l'attendait sur le quai et venait à sa rencontre. Tous les autres passagers et les marchands de Shibuya en vinrent à connaître et à aimer la chienne, et à attendre sa vigile quotidienne.

Un jour, en 1925, Ueno mourut subitement à son travail. Hachiko la chienne fidèle l'attendit sans faillir à la gare cette nuit-là, mais son maître ne vint pas.

Chapitre 3

Hachiko revint ainsi attendre son maître l'après-midi suivant. Et l'autre après, et encore l'autre après. En réalité, elle continua de revenir à la gare, malgré la pluie, la neige et les occasionnels tremblements de terre, tous les après-midi des dix années suivantes.

Hachiko mourut en 1935, mais son amour et sa totale dévotion restent vivants. La statue de Hachiko qui se trouve aujourd'hui à la gare de Shibuya est devenue le lieu de rencontre des amoureux.

Pour éviter les querelles, les Japonais ont placé près de la statue de Hachiko une poinçonneuse qui émet pour les amoureux une carte indiquant l'heure de leur arrivée.

Les amoureux peuvent ainsi se prouver mutuellement qu'ils sont arrivés à l'heure précise à la gare de Shibuya, tout comme le fit Hachiko la chienne fidèle pendant ces années d'attente solitaire.

– T. R. Reid

Ashlee

Imaginez, si vous le pouvez, un chien qui ressemble à un karbau lorsqu'il est dans l'eau et à un ours noir lorsqu'il en sort, et vous avez ma chienne Ashlee.

J'ai essayé à plusieurs reprises cette semaine d'écrire quelques lignes au sujet d'Ashlee. Je voulais partager ce qui est à mon avis une merveilleuse histoire mettant en scène cet animal qui fut une véritable compagne, une amie extraordinaire et quelqu'un que je n'oublierai jamais. Je m'ennuie d'elle de tout mon cœur et je suis parfois inondée par les souvenirs impérissables qui la ramènent à ma mémoire.

Je fais mon possible, mais même après tout ce temps la douleur causée par la perte de mon amie la plus chère est si grande que je ne peux m'empêcher de pleurer. Incapable de travailler, étouffée par les sanglots, je dois alors quitter mon bureau.

La loyauté et l'amitié

Konrad Lorenz a dit ces mots : « La fidélité d'un chien est un cadeau précieux qui exige la même responsabilité morale indéfectible que l'amitié d'un être humain. Un lien véritable avec un chien est l'attachement le plus durable que l'on puisse trouver sur cette terre. » J'en suis profondément convaincue et je me considère vraiment privilégiée d'avoir vécu cette relation avec Ashlee.

Ma fille venait tout juste de commencer un nouveau travail comme commis dans un commerce de bonbons et de cigarettes. Alors qu'elle se rendait avec une amie à Ocean City, dans le Maryland, pour le congé de la Fête du travail, elle trouva deux chiots minuscules sur le bord de la route. L'un était une petite boule noire et crépue, l'autre était plutôt moucheté. Ils avaient environ neuf semaines. Ma fille décida d'annuler son voyage au bord de la mer et fit demi-tour. C'est ainsi qu'elle arriva à la maison avec les deux chiots. Nous avions déjà un chien de dix ans qui avait eu des problèmes de santé pendant un certain temps, et je ne voulais vraiment pas en avoir un autre. Elle me dit de ne pas m'inquiéter, qu'elle allait leur trouver un foyer. Effectivement, elle trouva tout de suite une famille pour le chiot moucheté. Cependant, elle ne semblait pas très pressée d'envoyer la petite chienne noire dans un autre foyer.

Ma fille s'absenta pendant plusieurs jours sous le prétexte qu'elle cherchait une famille pour la petite chienne noire. Je n'étais pas à la maison à son retour. Elle laissa donc une note sur le comptoir de la cuisine, me disant qu'elle était passée prendre des choses, que la petite chienne était dans sa chambre, que la porte était fermée et qu'il ne fallait pas la toucher. Je réfléchis un moment et commentai à voix haute : « Et pourquoi donc ne veut-elle pas que je la touche? » Je n'ai pas besoin d'ajouter que ma fille savait exactement ce qu'elle faisait. Je me dirigeai vers sa chambre et pris la petite chienne dans mes bras. Nous fûmes immédiatement unies pour toujours. Ma fille fut ravie et triste en même temps, car elle pensait que la petite chienne allait être à elle. Et il était évident que celle-ci allait devenir mon amie pour la vie.

Chapitre 3

Mon autre chien devint paralysé et nous dûmes le faire endormir, ce qui eut comme conséquence de me rapprocher encore davantage de ma nouvelle amie. Mon vétérinaire l'examina et tenta d'évaluer son âge ; selon nos conjectures, elle était un mélange de labrador noir et de berger australien. Ma fille l'appela Ashlee. Le vétérinaire eut aussi l'impression que durant son aventure sur l'autoroute elle avait été frappée par une voiture ou était tombée d'un lieu élevé, car elle avait un problème grave à la hanche. Comme cela ne semblait aucunement la gêner, nous décidâmes à ce moment de ne pas la faire traiter.

Au cours des ans, Ashlee est venue un peu partout avec moi (sauf au travail). Elle était une fidèle compagne. Merveilleuse voyageuse, elle me m'a tenu compagnie lors de concours hippiques. Elle me suivait dans mes randonnées à cheval et supervisait tous les autres petits animaux sur la ferme. Nous étions continuellement en communication, Ashlee avec les oreilles et les yeux, en bougeant la tête ou en remuant son petit bout de queue, moi lui parlant sans arrêt. Elle m'avertissait quand j'enfermais par mégarde les chats dans une armoire. Ashlee savait toujours où ils étaient et venait me le dire. Si j'étais dans la cour, elle m'avertissait quand le téléphone sonnait ou quand la machine à laver faisait des siennes. Elle était vraiment intelligente.

Je travaillais pour une importante compagnie informatique et, en 1990, je décidai de prendre une retraite anticipée. Ashlee et moi nous arrangeâmes pour faire ce que nous aimions le plus – être ensemble. La première année fut la plus agréable et la plus heureuse de toute ma vie. Ashlee et moi faisions beaucoup de gardiennage à la maison ou à la ferme chez des personnes de la région. Nous savourions chaque journée passée ensemble à travailler ou à jouer. Certaines des personnes dont je gardais la ferme avaient une piscine creusée. Ashlee et moi avons passé des moments merveilleux à nous baigner et à nous prélasser autour d'une piscine. Ashlee était celle qui aimait le plus paresser. Elle adorait le deuxième plongeon dans la piscine. Elle ressemblait à un bœuf musqué ou à un karbau. Elle se laissait flotter sur le ventre, prenait une grande gorgée d'eau et la recrachait en deux jets de chaque côté de sa gueule. Elle aimait par-dessus tout quand je sautais du plongeoir. Elle courrait alors vers l'autre côté de la piscine, sautait à l'eau et nageait jusqu'à moi pour prendre mon poignet dans sa gueule et me sauver. Même quand mes pieds touchaient le fond, je faisais semblant qu'elle me sauvait et j'en faisais toute une histoire. Je l'aimais tellement.

Quand nous allions en randonnée, son activité préférée était de se baigner dans les ruisseaux. J'immobilisais mon cheval dans le ruisseau et lâchais les rênes, et Ashlee s'amusait simplement à patauger tout autour, à nager et à faire le karbau.

En mai ou en juin 1991, nous déménageâmes dans une nouvelle ferme équestre. Toutefois, je n'étais plus aussi active que je l'avais été. On aurait dit que j'étais vidée de mon énergie. J'essayai néanmoins d'aider les propriétaires de la nouvelle ferme du mieux que je pouvais. À la fin septembre, ou au début d'octobre, je commençai à me sentir mal. Le médecin ne trouvait rien. Ashlee semblait sentir que quelque chose n'allait pas. Elle me suivait pas à pas, sans jamais me perde de vue. Si je sortais dans l'arène extérieure, il lui fallait être à un endroit d'où elle puisse me voir. Si je montais mon cheval dans l'arène intérieure, elle restait dans l'embrasure de la porte ou à l'abri derrière la barrière.

Une journée de 1991, alors que j'étais dehors avec Ashlee, je me sentis vraiment mal. Croyant que j'avais une grippe ou une indigestion, je demandai à la voisine, qui était infirmière, de vérifier ma température et ma respiration. Elle m'examina et suggéra d'appeler une ambulance. J'étais en train de faire une crise cardiaque. L'hôpital local où on m'amena n'avait pas d'unité de cardiologie et on ne put pratiquer sur place l'angioplastie que je dus subir à trois artères. Après la chirurgie, on me ramena toutefois aux soins intensifs de cet hôpital, puis à l'unité de soins coronariens.

Ashlee ne put voir que l'ambulance qui m'emmenait à toute vitesse à l'hôpital. Elle resta immobile et silencieuse sous le réverbère où s'était trouvée l'ambulance et ne voulut pas rentrer à la maison. Ma fille dut la forcer avec l'aide d'un voisin. Une fois à l'intérieur, elle sembla démoralisée – elle refusa de manger, de boire et d'aller dehors. Ma fille la transportait en bas de l'escalier et la faisait sortir, mais elle restait alors assise sous le réverbère avec une mine triste. L'infirmière de l'hôpital nous entendit ma fille et moi parler d'Ashlee et elle proposa à ma fille de l'amener après que le personnel administratif eût quitté l'hôpital à la fin de la journée. Ashlee pourrait ainsi voir que j'allais bien.

Ma fille était nerveuse – elle ne voulait pas être surprise par l'administration de l'hôpital en train de faire entrer clandestinement un chien dans ma chambre. Mais Ashlee n'eut pas la moindre appréhension au moment d'entrer dans l'ascenseur. Elle semblait même excitée et traversa avec détermination le corridor qui se rendait à ma chambre. Quand elle passa la porte, elle reconnut semble-t-il mon odeur et s'approcha du lit. Je me levai et m'assis sur le plancher avec tous mes tubes. Elle agitait son petit bout de queue d'une manière telle que tout son corps frémissait. Nous pleurâmes toutes les deux. Elle mit sa patte autour de mon bras, se roula sur le côté, et j'étreignis cette masse de presque 40 kilos en pleurant à chaudes larmes. Je n'avais jamais été si heureuse de voir quelqu'un de toute ma vie. Et c'était de même pour elle. Elle m'embrassa et je l'embrassai aussi. Les infirmières avaient toutes les larmes aux yeux. Nous avions peu de temps devant nous, car nous ne voulions pas causer de problèmes au personnel infirmier qui avait permis à Ashlee de venir à l'hôpital. J'étais branchée à un moniteur cardiaque, mais au moment de leur départ je voulus descendre jusqu'au stationnement avec elles. Je décidai de les accompagner en traînant tous mes tubes avec moi. Quand je mis Ashlee dans la voiture de ma fille, elle paraissait triste de me quitter encore une fois mais sembla comprendre. Lorsque je revins à ma chambre, les infirmières étaient toutes dans un état de panique, car je ne les avais pas averties et le moniteur cardiaque s'était débranché, ne montrant qu'une ligne plane. Elles n'avaient aucune idée d'où j'étais. J'étais tellement heureuse que j'en oubliais ma condition.

Une fois rentrée à la maison, rassurée sur mon état, Ashlee alla mieux aussi. Elle recommença à manger et à sortir, reprenant sa vie normale. Elle continua toutefois de se tenir près du réverbère lorsqu'elle était dehors.

À mon retour, elle m'accueillit avec enthousiasme et une grande excitation, puis se montra froide pendant quelques jours. Je pouvais sentir que mon absence l'avait blessée.

En 1994, on lui diagnostiqua plusieurs problèmes de santé, dont une hanche complètement finie. Selon le vétérinaire, il était insensé de lui imposer une chirurgie à la hanche alors qu'il y avait un risque qu'elle ne puisse pas survivre à l'intervention.

En janvier 1995, j'adoptai un autre chien pour lui tenir compagnie et m'aider à traverser ce qui, je le sentais au fond de moi, était sur le point d'arriver. Le 14 août 1995, elle était vraiment en mauvais état et pouvait à peine marcher. Elle avait des problèmes de reins, mangeait mal, souffrait d'une série de malaises. Nous descendîmes faire notre petite promenade en fin de soirée. Je la portai en bas des marches, jusqu'à l'extérieur. Elle ne voulait pas venir avec nous et je sus que le temps était venu. Elle me le dit avec ses yeux. Je l'aimais trop pour ne pas comprendre le message qu'elle m'adressait. Je dormis sur le plancher avec Ashlee toute la nuit et au matin je l'amenai chez le vétérinaire.

Je puis seulement espérer qu'un jour nous serons de nouveau réunies.

– Barbara DeMambro

Le chaton

Teddy, notre chien bien-aimé, avait perdu sa bataille contre la vieillesse, laissant derrière lui Toby, notre bichon de huit ans ; Domino, notre chatte de 18 ans, qui dort la plupart du temps ; ma fille Wendi ; et moi-même, remplie de chagrin. Wendi surgit alors avec l'idée de trouver un chaton pour tenir compagnie à Toby. Toby avait toujours aimé les chats, et je n'étais pas prête à faire entrer un nouveau chien dans la maison. Il avait été

Chapitre 3

l'ombre de Teddy pendant toute sa vie et, sans aucun doute, il devait se sentir douloureusement perdu.

Nous prîmes donc Toby avec nous, en direction du refuge pour animaux de la région. Nous avions décidé de laisser Toby choisir lui-même son chaton.

Je suppose que nous avions, Wendi et moi, une réelle intuition, car cette idée était pour nous une évidence. Le responsable du refuge pour animaux accepta de laisser Toby entrer dans la salle des chats.

Tandis que Wendi tenait Toby, je me dirigeai vers la première cage et en sortis une petite créature grise et duveteuse. Je l'approchai de Toby, mais il eut une réaction de recul. Je choisis une autre boule de fourrure, mais il ne montra aucun intérêt. Je pris finalement un minuscule chaton orange, et c'est alors que Toby s'éveilla. Il commença à émettre des sons et tenta de lécher le pauvre bébé effrayé, qui se tortillait en pleurant. Nous étions incrédules. Je recommençai le même rituel, soulevant les chatons à tour de rôle. Encore une fois, lorsque je lui tendis la petite chatte orange, Toby faillit sauter des bras de Wendi. Nous le laissâmes la lécher, et il fut clair que c'était elle qu'il avait choisie. Même le gardien n'en croyait pas ses yeux. Il fallait se rendre à l'évidence : Toby avait fait son choix.

Ce qui se produisit lorsque nous revînmes à la maison avec la petite chatte fut encore plus remarquable. Nous la sortîmes de sa boîte, et elle courut immédiatement vers Toby. Il se mit à la lécher et elle se pelotonna contre lui. Elle ne se laissa pas toucher ni par moi ni par ma fille pendant au moins une semaine. Elle pleurait chaque fois que nous tentions de la prendre. Mais elle suivait Toby partout. Il lui faisait sa toilette et elle le prenait pour sa mère. Il la poussait dans tous les coins de la maison, comme s'il voulait lui faire découvrir les alentours. Elle dormait près de lui et ne cessait de ronronner.

Avec le temps, elle devint plus joueuse. Elle le taquinait, lui tirait la queue ou le collier. Il ne s'en offusquait pas. Il se couchait sur elle, se roulait en boule, et elle restait là à ronronner. On ne peut trouver de plus bel exemple d'amour entre deux espèces.

La loyauté et l'amitié

La chose la plus étrange, ce fut de voir à quel point ces deux-là avaient l'air de déjà se connaître. Je ne peux vraiment pas l'expliquer. Je ne sais que ce dont j'ai été témoin.

Tulip a maintenant quatre ans, et le lien particulier entre elle et Toby se poursuit. Ils continuent de jouer ensemble et de se taquiner. Parfois, à mon réveil, je les trouve tous les deux sur mon lit. Tulip est couchée de tout son long et ronronne, tandis que Toby lui nettoie les oreilles.

– Barbara Brighton

Un amour de chiot

Milos Forman, gagnant de plusieurs Oscars et réalisateur de *Vol au-dessus d'un nid de coucou*, *d'Amadeus*, de *Ragtime* et de Hair, était en tournage à Memphis quand, frappé d'un coup de foudre, il adopta un très jeune chien limier. Le chiot, auquel le réalisateur donna le nom de Woody Chrudos, fut son fidèle compagnon pendant tout le reste du tournage de *Larry Flynt*.

« Le moment le plus touchant durant le tournage se produisit à la prison d'une petite ville à l'extérieur de Memphis », se rappelle Forman. « Le chiot avait plusieurs semaines et il dormait la majeure partie du temps. Nous l'avons donc gardé constamment avec nous. Quand nous allions au restaurant, le chiot nous accompagnait et dormait parfois dehors dans la voiture. Nous allions chacun notre tour voir si tout allait bien, de sorte qu'il ne fut jamais laissé sans surveillance plus de quelques minutes. »

« Un jour, nous avions décidé d'aller à un restaurant situé sur une grande artère où il était impossible de garer la voiture. Le stationnement le plus près était à environ 500 mètres. Ne sachant trop que faire, j'aperçus soudain un policier, à qui je dis : » Écoutez, pouvez-vous me dire s'il y a un autre stationnement près d'ici? Nous devons garder un œil sur ce chiot. »

Forman assure que le policier ne savait pas du tout qu'il était en train de parler à un réalisateur célèbre et que lui-même n'en fit aucune mention.

« J'en suis convaincu », affirme-t-il. « Nous avions une voiture très ordinaire, une Ford ou quelque chose du genre, et je suis certain qu'il ne savait pas qui j'étais. Je fus donc extrêmement surpris quand il me dit : «Eh bien, mettez votre voiture ici sur le trottoir et je vais le surveiller ».

Forman se rappela cette histoire en riant : « Nous avons donc garé la voiture sur le trottoir devant le restaurant. Le repas allait bon train, et l'un de nous est sorti pour voir si tout se passait bien. C'est alors que nous avons aperçu le policier. Debout à côté de la voiture, il jouait son rôle de gardien. Il nous faisait des signes, le sourire aux lèvres, et nous a rassurés en criant : « Ça va, le chiot est encore endormi. Tout est sous contrôle! ».

« Imaginez. C'était tout simplement incroyable. J'étais vraiment touché. »

– Linda Romine

D'abord le chien

Au mois de novembre 1957, Laika, une chienne bâtarde de taille moyenne, devint la première créature terrestre vivante à voyager dans l'espace. Les photographies de sa face souriante sous son harnais en forme de casque et du réseaux de fils destinés à capter ses réactions parurent dans les journaux du monde entier. Son voyage à bord de *Spoutnik 2* (ou *Muttnik*, comme Ed Herlihy, du *Moviestone News*, avait malicieusement surnommé l'appareil) suscita ainsi des millions de vœux d'encouragement. Toutefois, il devint vite évident que son voyage serait sans retour. Laika aboyait, flottait en état d'apesanteur et mangeait la nourriture distribuée par un appareil. Après une semaine, l'air de la cabine se raréfia et elle mourut.

Dans « D'abord le chien », un émouvant poème dédié à Laika, le célèbre poète polonais Zbigniew Herbert écrivit ce qui suit :

d'abord donc le chien honnête bâtard
qui ne nous a jamais abandonnés
rêvant de réverbères et d'os terrestres
s'endormira dans sa niche tourbillonnante
son sang chaud se mettant à bouillir et à s'assécher

mais nous derrière le chien et le second
chien qui nous guide au bout de sa laisse
nous avec notre canne blanche d'astronaute
nous nous cognons maladroitement aux étoiles
nous ne voyons rien nous n'entendons rien

– Marjorie Garber

Popeye

Parti depuis longtemps, toujours dans notre mémoire. C'était un bon gars, né quelque part aux environs des Blue Ridge Mountains. Il traversa avec nous des moments difficiles, mais partagea aussi les moments heureux. Le vieux le prit avec lui quand il n'était encore qu'un chiot minuscule. Et Pop s'accrocha solidement pendant près de dix-sept fichues années. Je considère qu'à la fin il était tout simplement fatigué. Il était sourd, l'arthrite l'avait rendu boiteux et son arrière-train était criblé de plombs de fusil qu'il s'était sans doute mérités pour s'en être pris à un cerfs (ou à une vache primée), ou pour avoir batifolé avec la mauvaise femme. Mais Popeye a toujours été un sacré chien. Il était la terreur des intrus (ou du facteur ou des policiers). On n'avait qu'à saisir le collier de fourrure autour de son cou et à crier : « Allez! ». Grimper par-dessus une clôture de deux mètres, traverser une rivière pour rapporter un bâton ou un Frisbee. Il ne supportait pas les autres mâles, chiens ou chats, quels qu'ils soient. Eh non, pas un seul. Et il avait ses blessures de guerre pour le prouver!

Pop avait l'habitude de s'échapper. Non qu'il ne nous aimait pas. Juste comme ça, sans raison. C'était un vrai chien, et il avait la bougeotte et un besoin fou d'aventure. Le vieux plaçait constamment des annonces dans le journal (eh oui, Pop savait lire), parcourait des kilomètres et fouillait la région jusqu'à ce qu'il retrouve Pop. Un fois, des enfants l'avaient attaché à un arbre avec le projet de le lâcher ensuite sur d'autres chiens. Ils l'avaient baptisé Le Tueur. Une autre fois, un grossier personnage l'avait attrapé et s'apprêtait à l'accoupler avec sa chienne, ce qui prouve à quel point Popeye avait fière allure. Je crois que la seule fois où Pop ne voulut pas revenir à la maison lors d'une de ses fugues, ce fut quand il se retrouva dans un quartier cossu. Gageons qu'un de ces richards prévoyait l'amener sur son yacht, le nourrir de bifteck et lui donner un nom snob et ridicule. Mais le vieux siffla et Pop naviqua directement vers le fond de la camionnette. Je pense qu'il regretta un peu d'avoir été retrouvé cette fois-là.

Popeye a traversé le pays au moins trois fois aller-retour, dans différents véhicules de fortune. Il a couché dans des motels, sous des camions, dehors, au froid et le long des rivières. Il était toujours fidèle au poste, toujours le même bon bougre. Il est aujourd'hui enterré en haut des chutes de l'Oregon, près d'une rivière, sous la fraîcheur d'un pin douglas. Il est mort en Californie, mais le vieux n'avait pas envie de laisser son garçon pour toujours au pays des fruits et des noix. Nous avons donc fait un triste voyage pour amener Pop à l'endroit qui lui convenait. Après la mort de Pop, le vieux a pris un coup et est resté soûl pendant environ un an. Le vieux ne sera plus jamais le même. Je suis quand même heureux qu'il n'ait pas fait empailler son Pop pour l'installer sur des roulettes et le traîner partout avec lui. J'ai dû argumenter longtemps, mais j'ai fini par convaincre le vieux que Pop était le meilleur des chiens et qu'il méritait pour son dernier repos un endroit paisible et confortable.

Alors, Popeye, à ta santé, mon gars. Merci d'avoir été un bon ami et un courageux compagnon.

Cœur vaillant, âme courageuse
Le dernier des Chiens hurleurs de Caroline
Bon garçon.
Popeye le chien.

– Anonyme, Cimetière virtuel des animaux

Fala

Récit publié par *The Washington Post* lors du dévoilement, à Washington, d'un monument en l'honneur de Franklin Delano Roosevelt et d'un bronze représentant Fala.

Note de l'éditeur : Franklin Delano Roosevelt est mort au printemps 1945. « Quand le général Eisenhower vint à Hyde Park déposer une couronne sur la tombe de Roosevelt, écrit l'historienne Doris Kearns Goodwin, Fala entendit les sirènes du cortège de voitures et pensa que son maître était de retour. Eleanor remarqua qu'elle dressa les oreilles. » Fala perdit son entrain et vécut moins de cinq années après la mort de FDR. Elle fut enterrée près de la tombe de FDR à Hyde Park.

Mon dernier mari, Felix Belair Jr., était l'un des reporters du *New York Times* affectés à la Maison Blanche. Un jour, il rentra à la maison en m'annonçant : « Fais tes valises, nous allons à Miami. » [Franklin Delano] Roosevelt allait pêcher pendant deux semaines et les reporters pouvaient amener leurs épouses. Nous voyageâmes en train, et le trajet prit trois jours à cause du petit chien de Roosevelt, Fala. Toutes les deux ou trois heures, le train s'arrêtait et quelqu'un sortait promener Fala. Nous ne vîmes jamais le président monter dans le train ou en descendre, mais nous n'avons pas manqué, et à plusieurs reprises, de voir Fala pendant ce voyage.

– Margaret Belair

Le chien et Dieu

Brownie fut le premier chien de mon enfance. C'était un superbe colley mêlé de berger. Il ne laissait jamais personne se battre et venait à ma défense quand mes frères me tabassaient. Alors qu'il allait avoir 16 ans, il commença à éprouver de la difficulté à se mouvoir. Mes parents nous expliquèrent qu'il fallait l'amener à l'hôpital. « Est-ce qu'il va revenir? », voulus-je savoir. Mes parents me répondirent qu'ils n'en savaient rien. Mon père, un routier au grand cœur, l'amena donc chez le vétérinaire. Brownie ne revint jamais parmi nous. Mon père était vraiment bouleversé car, selon ce qu'il nous raconta, Brownie était mort dans ses bras. Mon père ne pleurait jamais, sauf aux funérailles d'un être cher. Mais à ce moment précis je sus à quel point il tenait à Brownie. En fait, 44 ans plus tard, j'ai encore son collier, que mon père n'a jamais eu la force de jeter.

Tag Along, un fox-terrier nain, est apparu dans ma vie le jour de mon dixième anniversaire. Il ressemblait étonnamment à Wishbone, le chien de la série télévisée, et il était un compagnon très éveillé. Il comprenait le langage des signes, l'italien, l'allemand et, bien sûr, l'anglais. Ma mère apprit à cette époque qu'elle avait un cancer. Tag resta continuellement auprès d'elle. Elle passa la dernière année de sa vie alitée, et nous fîmes tout en notre possible pour l'aider. Tag était toujours auprès d'elle. Quand elle dut aller à l'hôpital, il la suivit. Nous le faisions entrer clandestinement pour faire plaisir à maman. Les infirmières et les médecins nous surprirent à quelques reprises et nous firent des problèmes, mais nous les ignorions et revenions d'une fois à l'autre avec lui. Quand elle mourut, Tag était à quelques kilomètres de l'hôpital, mais il savait qu'elle s'en était allée. Il ne cessa pas de pleurer pendant toute une semaine.

Après le dégel du printemps, nous allâmes la visiter au cimetière. La pierre tombale n'avait pas encore été installée, mais Tag trouva tout de suite l'endroit. Il vécut jusqu'à 18 ans et eut plusieurs rejetons, même à un âge avancé. Il fut l'un de mes meilleurs amis pendant la première période de ma vie.

Plusieurs personnes disent que les chiens sont bêtes. Très bien! Comment se fait-il alors qu'ils savent ce que nous ressentons quand nous sommes heureux, déprimés, sérieux? Comment se fait-il qu'ils comprennent notre langage alors que nous ne comprenons pas le leur?

Dieu a envoyé les chiens pour veiller sur les êtres humains. Quoi que nous fassions, le chien reste noblement à nos côtés.

Les Amérindiens racontent que lorsque la Terre mère se morcela, les animaux et les êtres humains sautèrent chacun de leur côté. Au moment où la Terre se partagea, un seul animal sauta du côté de l'homme, et ce fut le chien. Épelez dog à l'envers, et vous avez god.

Baron Hans, notre saint-bernard, commença à descendre la pente à l'automne 1995. Ses hanches l'avaient lâché et nous devions le soutenir et le transporter. Je ne pouvais supporter l'idée de le faire endormir. Le vétérinaire affirmait qu'il ne souffrait pas, et nous essayâmes tous les traitements imaginables. Son état s'améliora, mais les temps étaient durs. Mon travail consistait à ouvrir des casinos, et j'étais souvent sur la route. Le 8 avril 1996, Baron Hans s'est éteint chez le vétérinaire, en compagnie de mon frère, Al, qui l'a soutenu jusqu'au dernier moment. Je n'ai pas encore vraiment vécu mon deuil.

Hans, comme tous les autres chiens extraordinaires que nous avons eus et aimés tendrement, adorait les chiots. Je crois sincèrement que, s'il a vécu si vieux, c'était pour en prendre soin. Imaginez un saint-bernard de 80 kilos et mesurant près d'un mètre au collier en train de jouer avec une petite boule de fourrure pesant tout au plus 225 grammes! Les chiots lui tiraient les oreilles et la queue, montaient sur son dos, et il ne grognait jamais. Quand un chiot disparaissait, nous l'appelions et promptement il nous le ramenait. C'était un noble et gentil géant.

Nous avons dépensé plus d'argent pour nos chiens que pour nous-mêmes. Je ne peux imaginer les choses autrement. Bien des gens nous trouvent étranges, mais je ne suis pas d'accord avec eux. Nous sommes des personnes normales. Nous aimons et chérissons les chiens... et aussi d'ailleurs les chats.

Tous mes amis qui êtes partis avant moi, je sais que vous êtes avec Dieu. Mon unique prière est d'aller, un jour, bientôt, vous rejoindre. Nous pourrons alors jouer de nouveau ensemble.

Que Dieu vous bénisse, avec tout notre amour.

– Tom et Al Ambrosia

Salut Sweetie

Ce samedi-là, Roz et moi étions extrêmement fatigués à notre arrivée au Mexique, où nous avions loué un condo pour nos vacances. Nous défîmes rapidement nos valises, nous nous rendîmes au Continental Plaza Hotel afin d'avaler une léger goûter et une margarita, puis nous revînmes furtivement à notre chambre pour y dormir de 3 heures de l'après-midi jusqu'au dimanche matin. Pas de chiens pour nous réveiller à l'aube, pas de téléphone, rien que du repos. Playa del Carmen est une petite ville située sur la côte du Yucatán, en face de Cozumel. Le village est propre, il y fait un temps superbe et la plage est fantastique. Notre condo se trouvait dans un nouveau développement appelé Playacar – des hôtels, des condos et des villas pour les Mexicains aisés et pour les touristes américains qui y viennent pendant l'hiver.

La loyauté et l'amitié

Le jour suivant, nous paressâmes un moment, puis nous errâmes dans les rues de Playa del Carmen avec l'idée de prendre une bouchée et de visiter quelques boutiques. L'une des premières choses qui nous frappa fut la quantité de chiens errants – des chiens amicaux, réservés et paisibles qui semblaient apprécier les touristes sans chercher à les approcher. Tous ces chiens étaient de race mêlée. La moitié d'entre eux étaient de couleur brun sable. Les autres étaient noirs et blancs. Ils ne nous dérangeaient pas, et nous les laissions tranquilles. Nous étions en vacances. Nos amis, Diane et Alan, vinrent nous rejoindre. Nous nous délectâmes tous les quatre dans l'ambiance agréable de l'endroit.

Quelques jours plus tard, tandis que nous traversions Playa del Carmen pour aller dîner, une chienne particulièrement calme et intelligente regarda Roz droit dans les yeux. Roz lui retourna son regard et lui lança : « Salut Sweetie. » Nous continuâmes tous les quatre à marcher avec cette extraordinaire sensation de liberté que seules procurent de vraies vacances loin des responsabilités. Tout à coup, Diane s'écria : « Hé, mais elle nous suit! » Sweetie, comme nous nous mîmes dès lors à l'appeler, semblait s'être attachée à Roz. Elle marcha derrière nous jusqu'à ce que nous trouvions un restaurant. Elle s'installa alors en boule à une distance raisonnable de notre table et fit un somme. « Elle doit vouloir de la nourriture », dit quelqu'un. Nous lui jetâmes un morceau de pain, qu'elle ne sembla pas remarquer. Ce que Sweetie remarquait toutefois, c'était la présence d'autres chiens. Chaque fois qu'un chien avait l'audace de s'approcher, elle se mettait à grogner férocement, nous faisant savoir (ainsi qu'à l'intrus) que nous avions non seulement une compagne, mais aussi une protectrice. Malgré nos tentatives de la dissuader, Sweetie revint avec nous jusqu'au condo, puis se coucha au milieu du chemin et s'endormit. « Elle doit appartenir à quelqu'un, se disait Roz, car elle porte un collier anti-puces. Elle a quelqu'un qui l'aime. » Diane se leva plusieurs fois pendant la nuit pour regarder dehors. La chienne était toujours couchée en boule sur la route, jouant sont rôle de gardienne. Au matin, elle avait disparu.

Sweetie était selon toute évidence un mélange de labrador noir et de braque allemand : les pattes blanches jusqu'aux genoux, la tête et le corps noirs tachetés de blanc, une longue queue et de gentils yeux doux. Elle devint notre sujet de conversation toute la journée du lendemain. « Peut-être que des touristes sont venus avec leur chien et l'ont laissée ici. Il est impossible qu'elle n'ait pas appartenu à quelqu'un! » D'un autre côté, nous disions-nous, il se pourrait qu'un touriste américain ait laissé ici une chienne labrador et qu'elle se soit accouplée avec le chien d'un touriste allemand. Nous n'avons pas revu Sweetie avant le soir, alors que nous rentrions de dîner. Mais elle était cette fois couchée sous la table d'un jeune couple allemand qui semblait aussi surpris par ses attentions que nous l'avions été la veille (« Nous n'affons pas de chien à Dusseldorf! »). Roz s'approcha, et Sweetie se redressa en agitant joyeusement la queue. Elle mit une patte sur le genou de Roz et la lécha avec un grand plaisir. À notre grand soulagement, Sweetie resta avec ses nouveaux amis et s'abstint de nous suivre jusqu'au condo. Toutefois, le soir suivant, elle attendait à l'endroit où nous l'avions aperçue la première fois et nous suivit jusqu'au restaurant. Elle s'installa le plus près possible de notre table, à un endroit où elle n'allait pas déranger les serveurs. Elle nous raccompagna après dîner et monta la garde toute la nuit. Que nous l'ayons voulu ou non, nous avions maintenant un chien.

Le dernier soir de notre voyage, Sweetie nous attendait à l'entrée des condos Xaman-Ha. Au moment où elle venait vers nous, un couple que nous n'avions jamais vu s'écria : « Regarde! C'est Socks! Salut, Socks!) La chienne les regarda un instant, sembla hocher la tête, puis se retourna de nouveau vers nous. « Vous connaissez cette chienne?», leur ai-je demandé.

La femme nous répondit dans un pur accent du Midwest : « Les propriétaires de notre condo conservent un livre d'or pour que tous les gens qui passent inscrivent leurs salutations. Je crois qu'ils sont des Territoires du Nord-Ouest, au Canada. Évidemment, il est souvent question du climat qu'il fait là-bas. Mais quelques personnes ont laissé dans le livre des messages au sujet de Socks. Il paraît qu'elle est vraiment adorable et qu'il faut bien prendre soin d'elle si on la voit. Mais nous ne l'avions encore jamais aperçue. » Un autre couple de touristes qui descendait la route cria aussi « Salut, Socks! » et racontèrent cette même histoire de messages laissés dans le livre d'or de leur condo.

Le mystère fut résolu par une autre femme qui se joignit à nous. C'est d'elle que vient le reste de l'histoire. Von Ann Stutler (« Von est un nom allemand. Yvonne sans le Y », nous at-elle dit) travaille dans le domaine musical. Avec son mari et un associé (propriétaire à Playacar), elle dirige le Westchester Broadway Theater d'Elmsford, dans l'État de New York. C'est une femme sérieuse, réfléchie, avec qui l'on ne peut que prendre plaisir à converser. « Je viens ici depuis plusieurs années. Nous aimons vraiment Playa del Carmen. Tout le monde connaît Socks. À ce qu'on sache, elle a eu au moins deux portées – les garçons du bar-restaurant Señor Frog's prennent soin d'elle et de sa dernière portée. Il y a actuellement au moins huit chiots. Tous les chiens noirs et blancs de Playacar sont ses rejetons.

« Il y a quelques années, mon amie Julie et moi ne pouvions plus supporter de voir Socks constamment en chaleur. Il nous semblait qu'elle serait incapable de passer à travers une autre grossesse. Elle était maigre et apathique. Elle avait perdu son entrain habituel. Socks est une chienne qui aime jouer dans les vagues, se promener et socialiser avec tout le monde. Nous l'avons donc amenée chez le vétérinaire pour la faire stériliser. Ce que nous ne savions pas, c'est que l'opération ne se fait pas de la même manière au Mexique. Pour sauver du temps et de l'argent, le vétérinaire a enlevé seulement l'utérus, en laissant les ovaires. Socks a donc continué d'avoir des chaleurs et, chaque fois, tous les chiens mâles des environs étaient après elle. Grâce à Dieu, ce vétérinaire a quitté la région et un autre a pris sa place. Il y a quelque temps, Socks a souffert d'une vaginite tellement grave qu'aucun antibiotique ne faisait effet. Le vétérinaire a insisté pour pratiquer l'euthanasie, car il n'avait aucun moyen d'apaiser sa souffrance. Mais, croyez-le ou non, Socks a survécu à l'injection mortelle. Elle ne voulait tout simplement pas mourir. Le vétérinaire a ri et a dit : « Je crois bien qu'elle était due pour vivre». Un jour ou deux après la tentative d'euthanasie, l'infection s'est résorbée et Socks était de nouveau d'aplomb. Quelques mois plus tard, un nouveau vétérinaire est arrivé dans la ville et a accepté de lui enlever les ovaires afin de lui offrir une vie plus agréable. Je crois qu'elle a huit ou neuf ans.

« Les gens du coin sont vraiment étranges par rapport aux animaux. On donne souvent des chiots aux enfants pour leur anniversaire, mais aussitôt que le chien grandit personne ne veut plus en prendre soin. Ils les relâchent alors dans la jungle ou les laissent courir en liberté dans les rues de la ville. Les chiens forment des meutes. Ils errent dans la ville et se disputent les restes. Le pire de l'histoire, c'est que les enfants sont élevés en se faisant dire par leur grand-mère : " Si tu n'es pas sage, je vais te jeter aux chiens." Les garçons des restaurants détestent les chiens et leur donnent souvent de la nourriture empoisonnée. Socks avait un bon ami, Pedro, un beau mâle brun avec qui elle avait l'habitude de se promener. Un jour, les employés d'un restaurant leur ont donné de la nourriture empoisonnée. Socks n'y a pas touché, mais Pedro est tombé très malade après en avoir mangé. Socks a traîné son ami sur plus d'un kilomètre jusque chez moi, mais j'étais absente pour quelques jours. Elle a donc amené Pedro chez une de mes amies et s'est mise à japper pour réveiller la maison. Le temps de comprendre ce qui se passait, il était trop tard. Mon amie n'a pas pu soigner Pedro. Vous avez dû voir qu'elle boitait un peu ce soir. Les garçons du restaurant l'ont probablement chassée à coup de pieds pendant la journée. »

Von Ann avait raison au sujet de l'attitude des gens du coin à l'égard des animaux de compagnie. J'ai rencontré dans une boutique une vendeuse qui était fière de nous montrer ses animaux familiers – un affectueux iguane et un boa constricteur qu'elle portait autour du cou comme une cravate. Pour elle, il était toutefois inconcevable de posséder un chien.

« Les Mexicains et les Américains qui ont une maison à Playacar sont tous très préoccupés par la manière dont les chiens sont maltraités à Playa del Carmen. Je suis amie avec Jerry Van Dyke [une des vedettes de la série télévisée *Coach*], qui possède une maison ici sur la plage. Avec d'autres résidents de Playacar, il a essayé d'éduquer les gens afin qu'ils prennent mieux soin des chiens et acquièrent un certain sens des responsabilités. Nous avons maintenant un nouveau vétérinaire et une clinique où l'on castre le plus grand nombre de chiens possible pour contrôler la population. Grâce à des donations, les animaux reçoivent aussi les vaccins essentiels, en particulier contre la rage et la maladie de Carré. Jerry a animé un dîner afin d'amasser des fonds pour assurer les principaux services, et un grand nombre de personnes sont venues l'appuyer. Le mois prochain, je donne un cours de toilettage pour chiens à un groupe de personnes de la place. Si elles peuvent en faire une petite entreprise, peut-être que les gens deviendront assez fiers de leurs chiens pour mieux en prendre soin. Il s'agit d'un projet à long terme, mais nous sommes bien partis. »

Chaque fois que Von Ann vient à Playacar, elle apporte à Socks un nouveau collier anti-puces. Quand les Stutlers sont en ville, Socks se nourrit des meilleurs aliments en boîte qu'ils lui apportent des États-Unis. C'est pour cette raison – et sûrement aussi à cause de ses mauvaises expériences avec des gens mal intentionnés – qu'elle avait refusé la nourriture que nous lui avions offerte le premier soir. « Mais pourquoi, ai-je demandé, prend-elle la peine de se rendre à Playa del Carmen quand vous êtes ici? Pourquoi ne reste-t-elle pas chez vous? « Von Ann sourit en me répondant calmement : « Elle est comme ça. Elle sait que je ne suis pas toujours là. S'attacher aux gens fait partie de sa vie. C'est de cette manière qu'elle a survécu jusqu'ici. »

Je regardai tour à tour Sweetie/Socks et Von Ann Stutler. Sweetie était prête à partir en ville avec nous pour une nuit. Je me tournai vers Von Ann et lui dis : « Appelez-la. C'est votre chienne, pas la nôtre. Ce serait plus juste que vous puissiez vous amuser avec elle. »

« Je vais essayer, nous dit-elle, mais vous allez voir ce qui va arriver. » Von Ann appela la chienne dont elle avait sauvé la vie un si grand nombre de fois. Mais Socks restait immobile, prête à venir avec nous. Roz et Von Ann échangèrent un regard, celui de deux personnes amoureuses des chiens, et sourirent.

« Allez, Sweetie, lança joyeusement ma femme. Allons dîner. » Ce soir-là, après le dîner, Socks nos lécha tout à tour – Alan, Diane, Roz et moi – pour nous dire au revoir. Elle resta cependant à Playa del Carmen plutôt que de nous accompagner au condo à Playacar.

Nous comptons séjourner de nouveau dans les condos Xaman-Ha l'année prochaine, et probablement aussi longtemps que ce lieu de vacances restera aussi génial et amical. Si vous y allez, et je vous le souhaite, arrêtez-vous saluer Socks pour nous. Vous n'avez qu'à dire « Salut, Sweetie » quand vous la verrez, et vous jouirez de la compagnie de l'un des chiens les plus intelligent que nous ayons jamais rencontré.

– Don Nathanson

L'éternel retour

Note de l'éditeur : Eric Knight fut commandant de l'armée de l'air durant la Deuxième Guerre mondiale. Son avion de transport fut abattu en janvier 1943, alors qu'il se rendait en Afrique du Nord. Knight ne survécut pas à l'écrasement.

Américain d'origine anglaise, il laissa derrière lui, sur sa ferme en Pennsylvanie, sa veuve, Jere Knight, et Toots, la chienne qu'il adorait,. La loyauté et les aventures de cette chienne de garde qui fut pour lui une compagne extraordinaire fournirent à Knight l'inspiration de ce récit.

Toots mourut deux ans après son maître, en avril 1945, et fut enterrée sur la ferme.

Cette histoire fut publiée pour la première fois dans le *Saturday Evening Post* en 1938, une semaine avant Noël. Elle ébranla profondément une nation qui se sortait de la crise de 1929, une nation qui avait besoin de croire aux rêves et aux miracles. Ensuite, avec le temps, les vertus et les vérités simples se démodèrent, et avec elles cette histoire, qui n'en demeure pas moins l'un des plus forts récits mettant en scène un chien qui ait jamais été écrit. Son titre original était *Lassie Come Home*.

Ni Knight ni Toots n'ont vécu assez longtemps pour voir leur histoire devenir un symbole immortel de la fidélité entre l'homme et le chien, et de l'éternel retour.

La chienne avait rejoint le garçon à la sortie de l'école pendant cinq ans. Elle ne comprenait plus maintenant que les temps avaient changé et qu'elle n'était plus supposée être là. Mais le garçon savait.

Il ouvrit donc la porte de la petite maison et, avant même d'entrer, se mit à parler.

« Maman, dit-il, Lassie est de retour. »

Il s'immobilisa un moment, comme s'il attendait quelque chose. Mais l'homme et la femme à l'intérieur de la maison restaient silencieux.

« Entre, Lassie », dit le garçon en tenant la porte ouverte. Le colley tricolore entra, obéissant. La tête basse, comme tout bon colley qui sait que quelque chose ne va pas, il alla jusqu'au tapis et se coucha devant le foyer. Le chien noir, blanc et or avait une allure d'aristocrate. L'homme, assis près du feu sur un tabouret bas, continua de regarder ailleurs. La femme alla à l'évier, où elle s'affaira.

« Elle m'attendait comme d'habitude à l'école », ajouta le garçon. Il parlait vite, comme s'il faisait une course contre la montre. « Elle a dû encore se sauver. J'ai pensé que, pour cette fois, nous pourrions seulement... »

« Non! », cria la femme.

Le garçon perdit sa désinvolture. Sa voix devint suppliante.

« Mais pour une fois, maman! Juste cette fois. Nous pourrions la cacher. Ils ne le sauraient jamais. »

« Des chiens, des chiens, des chiens! », vociféra la femme. Les mots jaillirent comme si les supplications du garçon avaient été le coup d'envoi de sa propre colère. « J'en ai marre d'entendre toujours parler de cabots dans cette maison. On l'a vendue, l'affaire est close et on ne va pas revenir là-dessus. Le plus vite ils la reprendront, le mieux ce sera. Grouille-toi et ramène-la, sinon nous aurons encore M. Hynes sur le dos. M. Hynes! »

Prenant une voix aiguë, elle imita l'accent cockney du sud : « J'vous connais, vous du Yorkshire, avec vos chiens qui r'viennent. Vous les entraînez, vos chiens, pour qu'ils r'viennent. Comme ça vous pouvez les vendre une fois, puis une deuxième fois, puis une troisième fois. »

« Eh bien oui, elle a été vendue. Alors, sortez-la d'ici et rapportez-la à ceux qui l'ont achetée! »

La lèvre inférieure du garçon s'avança de manière obstinée, et le silence se fit dans la petite maison. La chienne leva alors la tête et poussa doucement la main de l'homme, comme le font les chiens quand ils demandent une caresse. Mais l'homme recula et se mit à fixer le feu sans dire un mot.

Le garçon s'essaya encore, avec la ruse acharnée d'un enfant, et prit une voix cajoleuse.

« Regarde, 'pa. Elle veut que tu lui souhaites la bienvenue. C'est qu'elle est heureuse d'être à la maison! Peut-être qu'ils ont pas bien pris soin d'elle là-bas? Regarde, tu trouves pas que son poil est terne? Un peu d'huile de lin dans son eau, c'est ça qu'il lui faudrait. »

Regardant toujours le feu, l'homme fit signe que oui. Mais la femme, comme si elle voyait venir la nouvelle offensive du garçon, renifla.

« Ouais, tu serais pas un vrai Carraclough si tu savais pas comment t'occuper d'un chien. On dirait que pour vous, les hommes du Yorkshire, c'est plus facile que de casser un œuf. Ma foi du bon dieu, j'ai l'impression que les types de par ici s'en font plus pour leurs cabots que pour leurs propres rejetons. Ils s'assoient au coin du feu en laissant leurs enfants crever de faim et ils ont l'esprit tranquille du moment que leur chien a bien mangé. »

L'homme fit soudain un mouvement, mais le garçon l'interrompit immédiatement.

« Mais elle a l'air vraiment maigre. Juste à voir, on voit bien. Je suis sûr qu'ils la nourrissent mal. Regarde-la! »

La loyauté et l'amitié

« Ouais, dit la femme entre ses dents, je serais pas surprise que Hynes garde pour lui les meilleurs morceaux. Et Lassie a toujours eu un gros appétit. »

« Elle est rendue beaucoup trop maigre », dit le garçon.

Presque malgré eux, pour la première fois, l'homme et la femme regardèrent la chienne.

« Non d'un chien, mais c'est qu'elle n'a plus que la peau et les os, » dit la femme. Elle se prit alors elle-même au piège. « Seigneur Dieu, je suppose que j'vais devoir lui donner un p'tit quelq'chose. Elle le refusera sûrement pas. Mais tout'suite après, elle s'en retourne. Et puis j'veux plus jamais voir de chien dans ma maison. Plus jamais. Ces chiens-là, faut les nourrir, faut en prendre soin, c'est autant de trouble qu'un enfant! »

Ainsi, en grommelant et en maugréant comme toute bonne villageoise, elle se retourna pour réchauffer une casserole de nourriture pour la chienne. L'homme et le garçon observèrent la chienne colley pendant qu'elle mangeait. Quand elle eut terminé, le garçon prit un linge plié et une brosse qui étaient sur le dessus de la cheminée et commença à brosser son pelage. L'homme le regarda aller pendant plusieurs minutes, puis ne put se retenir.

« Donne », dit-il.

Il prit le linge et la brosse que lui tendait le garçon et se mit au travail d'une main experte. Il frotta la riche et épaisse fourrure de la chienne, puis brossa les poils blancs comme neige de l'encolure et du poitrail, dégageant les lourdes jambières sur les pattes de devant. Il se concentrait dans son travail, tandis que le garçon, qui s'était assis sur le tapis, l'observait d'un air content. La femme supporta la scène aussi longtemps qu'elle put.

« Maintenant pourrais-tu s'il te plaît sortir ce cabot d'ici? »

L'homme alors s'emporta.

« Eh bien, tu voudrais tout d'même pas que j'la rapporte aussi sale qu'un lavage du lundi, non? »

Il s'inclina de nouveau et se mit à brosser les flancs de la chienne.

« Joe! », supplia la femme. « Vas-tu la sortir d'ici? Attends-tu que Hynes rapplique? J'veux pas de cet homme dans ma maison. Ça entre sans enlever son chapeau, puis ensuite ça se prend pour le duc en personne – avec ses maudites guêtres.

« D'accord, ma femme. »

« Et cette fois, Joe, amène p'tit Joe avec toi. »

« Pourquoi? »

« Pour en finir une fois pour toutes. C'est pour lui qu'elle s'échappe. Elle vient pour p'tit Joe. S'il t'accompagnait et lui disait de rester, peut-être bien qu'elle l'écouterait et qu'on aurait enfin un peu de paix et de tranquillité dans cette maison – même si dieu sait qu'il n'y a pas beaucoup d'espoir ces temps-ci au train où vont les choses. » La voix de la femme s'estompa, comme si elle allait se mettre à pleurer de lassitude.

L'homme se leva. « Amène-toi, Joe », dit-il. « Mets ta casquette. »

Le duc de Rudling marchait dans les sentiers de gravier de son domaine en compagnie de sa petite-fille Philippa. Philippa était une jeune fille brillante et cultivée, la seule membre de sa famille avec qui le duc pouvait apparemment converser sans jurer. Car le duc était aussi, apparemment, le vieil homme le plus irascible et le plus hargneux des trois Ridings du Yorkshire.

« Le pays est en train sombrer! », hurlait le duc en marquant le pas avec son grand bâton en prunier. « Quand j'étais jeune homme! Ah! Les femmes d'aujourd'hui ne sont plus aussi belles. Les chevaux d'aujourd'hui ne vont plus aussi vite. C'est comme pour les chiens. On ne voit plus aujourd'hui de chiens comme... »

À ce moment précis, le duc et Philippa contournèrent un massif de rhododendrons et aperçurent un homme, un garçon et un chien.

« Ah », dit le duc, admiratif. Et tout d'un coup il fronça les sourcils. « Diable, Carraclough! Qu'est-ce que tu fais avec mon chien? »

Il criait comme si ceux à qui il s'adressait se trouvaient dans le comté voisin. Le duc de Rudling croyait en effet que les gens n'avaient plus l'oreille aussi bonne que dans sa jeunesse.

La loyauté et l'amitié

« Eh oui, c'est Lassie », répondit Carraclough. « Elle s'est encore sauvée et je la ramène. »

Carraclough leva sa casquette et donna un coup de coude au garçon pour qu'il fasse de même, non pas dans un geste servile, mais pour montrer qu'il était aussi bien élevé que n'importe qui.

« Diable, elle s'est encore échappée! », hurla le duc. « Moi qui avait dit à ce parfait imbécile de Hynes de... Où est-il? Hynes! Hynes! Diable, Hynes, pourquoi est-ce que tu te caches? »

« Me voici, monsieur le duc! », répondit une voix venant de très loin derrière les arbustes. Hynes ne tarda pas à apparaître. L'homme au visage anguleux portait une veste à carreaux, des culottes de cheval et des guêtres de palefrenier en tissu.

« Amène cette chienne », hurla le duc. « Et enferme-la! Diable, si elle s'échappe encore une fois, je... je... »

Le duc brandit son grand bâton en guise de menace et, puisqu'il n'allait tout de même pas remercier Joe Carraclough ni lui baiser la main, il s'éloigna en tapant du pied et en marmonnant.

« J'vais l'enfermer », grommela Hynes une fois que le duc fut parti. « Et si jamais elle s'échappe, je vais... »

Il fit mine d'attraper la chienne, mais la botte ferrée de Joe Carraclough écrasa fermement le pied de Hynes.

« J'ai amené mon garçon avec moi pour qu'il lui demande de rester. Cette fois, je crois bien qu'elle ne s'échappera pas. Oh, pardon! Je ne voyais pas que je te marchais sur le pied. Allez, Joe, amène-toi mon garçon. »

Ils descendirent par le sentier de gravier qui crissait sous leurs pas et longèrent les bâtiments bien tenus. Quand la porte de l'enclos se referma derrière elle, Lassie courut jusqu'au haut grillage pour les regarder s'en aller. Elle se pressa contre la clôture, puis attendit.

Le garçon était resté tout près lui aussi et passait les doigts à travers le grillage pour toucher son museau.

« Il faut y aller, mon garçon », ordonna le père. « Dis-lui de rester! »

Le garçon regarda autour de lui, cherchant en vain de l'aide. Il avala sa salive, puis se mit à parler, à voix basse et rapidement.

Chapitre 3

« Reste là, Lassie, et reviens plus à la maison », dit-il. « Et viens plus me chercher à l'école. Parce que je veux plus te voir. T'es un mauvais chien et on t'aime plus et on veut plus de toi. Alors reste ici et laisse-nous tranquilles, et reviens plus jamais. »

Sur ces mots, il se retourna. Il ne voyait plus très bien où il allait. Aussi, il trébucha. Son père, qui s'éloignait de Hynes en tenant la tête bien haute, le poussa brutalement et lui dit d'un ton sec : « Regarde où tu vas! »

Le garçon rejoignit alors son père et marcha avec lui. Il se disait qu'il ne comprendrait jamais pourquoi les adultes se montraient parfois si durs au moment où l'on avait le plus besoin d'eux.

Par la suite, les jours passèrent sans que la chienne ne réapparaisse à la barrière de l'école. Les choses de furent vraiment plus, dès lors, comme avant. Tellement de choses, d'ailleurs, n'étaient plus comme avant.

Telles étaient les pensées du garçon lorsque, après avoir remonté péniblement le sentier, il ouvrit la porte de la petite maison et entendit la voix irritée de son père qui disait : « Laisse-moi tranquille. Si tu penses que j'aime... »

Quand ils entendirent s'ouvrir la porte, la voix se tut et la maison devint silencieuse.

C'est comme ça maintenant, pensa le garçon. Ils n'osent plus parler devant toi. D'une manière ou d'une autre, c'était plus qu'il n'en pouvait supporter.

Il referma la porte, courut dans la nuit jusqu'à la lande, cette grande étendue plane où tous les gens du village allaient marcher seuls quand la vie, avec tous ses problèmes, semblait devenir trop lourde.

Après un long moment, il entendit la voix de son père qui traversait la noirceur.

« Joe, qu'est-ce que tu fais là dehors, mon garçon? »

« J'me promène. »

« Oui. »

La loyauté et l'amitié

Ils continuèrent à marcher ensemble, sans but, chacun absorbé dans ses pensées. Tous les deux pensaient à la chienne qui avait été vendue.

« Vas pas penser qu'on est durs avec toi, Joe », dit enfin l'homme. « C'est juste qu'un type doit être honnête. Faut pas oublier ça. Parfois, quand un type a pas grand chose à lui, il s'accroche ferme au peu qu'il a. Mais être honnête, c'est être honnête. Y'a pas deux façons.

« Écoute bien, Joe. J'ai travaillé pendant dix-sept ans à la mine de Clarabelle. Jusqu'à sa fermeture. Et j'étais un bon mineur. Dix-sept ans! Des camarades, j'en ai eu des douzaines. Et aucun d'eux pourra jamais dire que Joe Carraclough a menti ou pris ce qui lui appartenait pas. Aucun homme dans le comté de Riding pourra traiter un Carraclough de malhonnête.

« Et quand t'as vendu quelque chose à quelqu'un, quand t'as pris son argent et que tu l'as dépensé... eh bien, ce qui est fait est fait. Un point c'est tout. Et tu dois vivre avec ça. »

« Mais Lassie était... »

« Écoute, Joe! Tu n'peux rien y faire. C'est terminé – et peut-être même que c'est pour le mieux. On avait pas le choix, Joe. On était plus capables de la nourrir. T'aurais tout de même pas voulu voir Lassie dépérir et devenir toute maigre, comme il y en a qui font. Tu l'aimes beaucoup, n'est-ce pas? Alors dis-toi qu'elle a maintenant plein de nourriture, un chenil à elle, un bon enclos, et qu'elle vit comme une vraie princesse. C'est pas le mieux qui pouvait lui arriver? »

« Elle aurait pas dépéri. Elle a jamais manqué de nourriture avec nous. »

L'homme soupira avec colère. « T'es jamais satisfait, Joe. Faudra que tu te fasses à l'idée. Tu reverras plus jamais Lassie. Elle s'est échappée une fois de trop, et le duc l'a amenée avec lui en Écosse, et c'est là qu'elle va rester. Alors, disons-lui au revoir et bonne chance. Elle r'viendra plus jamais, jamais. Je voulais pas te le dire, mais c'est comme ça. Faudra que tu mettes ça dans ta pipe et que tu le fumes, et qu'on n'en parle plus – en particulier devant ta mère. »

Le garçon trébucha dans le noir. L'homme s'arrêta.

Chapitre 3

« Faudrait maintenant qu'on rentre. Nous avons laissé ta mère toute seule. »

Entraînant le garçon, il fit demi-tour et continua, mais comme s'il se parlait à lui-même.

« Tu vois, Joe, les femmes sont pas comme les hommes. Elles doivent s'occuper de la maison et se débrouiller du mieux qu'elles peuvent, en espérant que les choses aillent bien. Et quand les choses vont mal, ch bien, elles le disent et elles secouent leur homme. Mais ça n'veut rien dire vraiment. Faut donc pas que tu t'en fasses quand ta mère est dure dans ses paroles.

« Faut seulement que tu apprennes à être patient et à les laisser parler. Quoi qu'elles disent, ça finit toujours par s'en aller en fumée. »

Ils restèrent silencieux jusqu'à ce qu'apparaissent, tout en haut de la côte, les lumières du village. Le garçon dit alors : « Est-ce que c'est bien loin l'Écosse, papa? »

« Ah mais, mon garçon, c'est une très, très longue route. »

« Mais c'est combien loin, papa? »

« Je ne sais pas... mais c'est plus loin que ce que toi ou moi pouvons marcher. Maintenant, mon garçon, cesse de t'inquiéter et essaie d'être un homme. Et cesse aussi de harceler ta mère, tu veux? »

Joe Carraclough avait raison. La route est longue, comme ils disent dans le Nord, du Yorkshire à l'Écosse. Beaucoup trop longue pour un homme à pied – ou pour un garçon. Et même s'il y repensait souvent, le garçon se rappelait ce que son père lui avait dit lorsqu'ils marchaient sur la lande. Il laissa donc ces pensées derrière lui.

Mais il y a une autre manière de voir les choses ; et il s'agit de la distance de l'Écosse jusqu'au Yorkshire, qui est tout aussi longue que la distance du Yorkshire à l'Écosse. Il devait bien y avoir au moins 600 kilomètres à partir du domaine du duc de Rudling, loin au nord dans les Highlands, jusqu'au village de Holdersby. Cela, pour un homme qui va droit son chemin.

Pour un animal, quelle distance cela peut-il représenter? Une distance certainement plus longue. Car un chien n'est pas en mesure d'étudier les cartes, de lire les panneaux routiers et de poser des questions. Il ne peut qu'y aller à l'aveuglette et se fier à son instinct, en sachant qu'il doit garder le cap sur le sud, toujours le sud. Il errera, se trompera, cherchera de tous côtés, aboutira à des bras de mer et à des lochs qui le feront dériver et reculer avant qu'il ne retrouve sa route – toujours vers le sud.

Un tel parcours doit représenter environ 1 500 kilomètres – oui, 1 500 kilomètres en terrain inconnu.

Il y aurait des landes à parcourir et des ruisseaux à traverser à la nage. Et ensuite, les grands lochs allongés qui s'étirent pratiquement d'un côté à l'autre de cette terre austère lui barreraient la route, l'obligeant à ratisser une centaine de kilomètres avant de trouver un passage qui lui permette de continuer vers le sud.

Il y aurait en outre des fleuves à traverser, de larges fleuves tels que le Forth et la Clyde, le Tweed et la Tyne, où il faut parcourir des kilomètres avant de trouver un pont. Et les ponts se trouveraient dans des villes. Et dans les villes, il y aurait des agents – comme celui du Lanarkshire qui, dans toute sa vie, n'avait jamais laissé s'échapper un chien qu'il avait capturé. Sauf un. Et ce chien était un colley maigre qui se mit à tournoyer en grognant dans la fourrière. Ce colley se démena tant et si bien qu'il réussit à s'enfuir jusqu'au bas de la rue – vers le sud.

Mais il y a aussi des gens aimables ; des gens qui savent et comprennent à la manière des chiens. Un soir, à Durham, un vieux couple trouva un chien qui gisait épuisé dans un fossé – la tête tournée vers le sud. Il l'amenèrent chez eux, le réchauffèrent, lui donnèrent à manger et le soignèrent. Comme le chien semblait intelligent et avoir bon caractère, ils le gardèrent avec eux en espérant qu'il finisse par se plaire à cet endroit. Mais quand il reprit des forces, tous les après-midi, vers quatre heures, il s'approchait de la porte en gémissant, puis se mettait à aller et venir entre la porte et la fenêtre comme un animal en cage.

Ils essayèrent toutes les ruses et toutes les gentillesses pour qu'il s'attache à eux, mais finalement, quand le chien commença à refuser la nourriture, le deux vieux surent ce qu'ils devaient faire. Parce qu'ils comprenaient les chiens, ils ouvrirent la porte un bon après-midi et regardèrent le colley s'en aller, non pas vers la droite en descendant la route, ni vers la gauche, mais droit à travers les champs en direction du sud ; il trottait d'un pas régulier, comme s'il savait qu'il lui restait une longue, une très longue route à faire.

Ah, ces 1 500 kilomètres de côtes et de collines rocheuses, de campagne et de lande, de sentiers, de routes et de terres labourées, de fleuves, de rivières et de ruisseaux, de neige et de pluie, de brouillard et de soleil, ces 1 500 kilomètres représentent un long périple, même pour un être humain. Mais cela semblerait trop loin – beaucoup, beaucoup trop loin – pour qu'un chien, quel qu'il soit, fasse le voyage à l'aveuglette et se rende à destination.

Et encore – et encore –, après tant de semaines passées à voir ses espoirs s'envoler un à un, pourquoi est-ce qu'un garçon qui sort de l'école en passant par le vestiaire toujours rempli de l'odeur de la laine mouillée en train de sécher, pourquoi est-ce qu'un garçon qui traverse la cour bétonnée en passant près des glissoires noires et cirées, pourquoi est-ce que ce garçon, poussé par l'habitude acquise pendant cinq ans, tournerait les yeux vers une silhouette se tenant près de la barrière de l'école? Il ne s'agit pas, cette fois, d'une chienne aux oreilles fièrement dressées sur sa tête effilée et parée d'un masque noir et or, mais d'une chienne affaiblie qui essaie en vain de lever la tête et d'agiter une queue écorchée, sale, rendue matte par la poussière et la graisse, et qui réussit tout au plus à pousser un gémissement faible, joyeux et plaintif quand un garçon à genoux l'entoure de ses bras et touche son corps qui n'a pas été touché depuis plusieurs jours.

Qui pourra décrire l'urgence du garçon courant maladroitement avec un gros chien dans les bras – courant à travers le village, dépassant le moulin désert et le Centre d'emploi, d'où les hommes le regardent passer depuis les profondeurs de leur réflexion sur la vie et le chômage? Qui pourra décrire cette voix haut perchée – une voix de garçon qui s'écrie alors qu'il court en haut de la côte :« Maman! Oh, maman! Lassie est de retour! Lassie est de retour! »

La loyauté et l'amitié

Quiconque a déjà eu un chien n'aura pas besoin qu'on lui décrive les sons qu'émet un homme lorsqu'il se penche vers une chienne qui a été à lui pendant longtemps ; ni les mouvements d'une femme qui se hâte de préparer la nourriture, probablement le lait condensé de la famille dilué dans de l'eau chaude ; ni la manière dont on soulèvera la mâchoire de la chienne pour y faire entrer à la petite cuillère l'œuf cru et le brandy acheté avec de maigres ressources ; ni comment les plaies à vif sont tendrement pansées.

Il en fut ainsi un certain jour. Plus tard, un autre jour, dans la petite maison, on vit la femme soupirer de plaisir, car la chienne s'était relevée sur ses pattes pour la première fois. La chienne était maintenant penchée sur son bol de flocons d'avoine, et elle lapait, lapait encore et encore, tandis que des frissons traversaient ses flancs creusés.

Et un autre jour, le garçon réalisa que, non, la chienne n'était toujours pas à lui. La petite maison se remplit encore de pleurs et de protestations, et la femme cria d'une voix perçante : « Finirons-nous par avoir un jour la paix dans cette maison? » Ce soir-là, longtemps après s'être couché, le garçon entendit la voix de la femme qui s'élevait sur tous les tons ainsi que la voix régulière et réitérative de l'homme. Cela dura longtemps après qu'il se soit endormi.

Au matin, l'homme parla sans regarder le garçon, en prononçant les mots comme s'il se les était plusieurs fois répétés à lui-même.

« Ta mère et moi avons décidé que Lassie allait rester ici jusqu'à ce qu'elle prenne du mieux. D'une manière ou d'une autre, personne ne peut en prendre soin mieux que nous. Mais le jour où le duc reviendra, elle repartira avec lui. Elle lui appartient, et c'est la chose honnête à faire. Elle est avec toi pour un bout, alors sois content. »

Quand on est un enfant, « un bout » représente, au début, une longue suite de journées. Il s'agit toutefois d'une période terriblement courte lorsque l'on regarde en arrière.

Chapitre 3

Le garçon apprit à quel point cela était court le matin où, se rendant à l'école, il aperçut une voiture conduite par une jeune femme. Dans la voiture, se trouvait un vieil homme aux cheveux gris et à l'air mauvais qui brandissait sa cane en criant : « Hé là! Hé là, diable! Le garçon, là-bas! Hé! »

Il ne servait alors à rien de s'enfuir, car la voiture était plus rapide. Elle ne tarda pas à être juste à côté. « Diable, Philippa, vas-tu arrêter cette chose puante un moment? Salut, mon garçon! »

« Oui, monsieur. »

« T'es le garçon de ce type, n'est-ce pas? Quel est son nom, déjà... »

« Mon père s'appelle Joe Carraclough. »

« Je sais. Je sais. Est-il chez lui en ce moment? »

« Non, monsieur. Il est à Allerby. Un ami a parlé pour lui à la mine et il est allé voir s'il pouvait trouver quelque chose là-bas. »

« Quand est-ce qu'il revient? »

« J'sais pas. Peut-être à l'heure du thé. »

« C'est bon, c'est bon. Je vais passer vers cinq heures pour le voir. Une affaire importante. »

Il était difficile de faire semblant d'écouter la leçon. Le garçon attendait seulement que l'horloge marque midi. Il courut alors à la maison.

« Maman, le duc est de retour et il s'en vient pour reprendre Lassie. »

« Diable! Nous n'aurons jamais la paix dans cette maison! Es-tu certain de ce que tu dis? »

« Oui. Il est venu me parler. Il a dit de dire à papa qu'il viendrait à cinq heures. Est-ce qu'on peut la cacher? Oh, maman. »

« Non, ton père... »

« Tu voudrais pas lui demander? S'il te plaît, s'il te plaît. Demande à papa de... »

« P'tit Joe, ça ne sert à rien. Alors, arrête de demander constamment! Ton père ne mentira pas. Je dois au moins lui donner ça. Quoi qu'il arrive, il ne mentira pas. »

La loyauté et l'amitié

« Mais juste cette fois, maman. S'il te plaît, demande-lui. Juste pour cette fois. Un seul petit mensonge ne va pas le tuer. Je vais le convaincre. Oui, je vais le convaincre. Quand je serai grand, j'aurai un travail et je ferai de l'argent. Je lui achèterai plein de choses – et à toi aussi. Je vous achèterai tout ce que vous voudrez si seulement... »

Pour la première fois, le garçon se comporta comme un enfant face aux difficultés. La mère, regardant au-dessus de son épaule, vit les larmes qui coulaient à flot sur son visage déformé par la peine. Elle se retourna vers le feu et resta un instant silencieuse. Puis elle commença à parler.

« Joe, il ne faut pas », dit-elle doucement. « Il faut que tu apprennes à ne jamais désirer une chose à ce point dans la vie. Il ne faut pas, mon garçon. Tu ne dois pas vouloir des choses à tout prix, comme tu veux avoir Lassie. »

Le garçon agita ses poings serrés avec irritation.

« Ce n'est pas ça, maman. Tu ne comprends pas. Ce n'est pas moi qui veut l'avoir, c'est elle qui veut être avec nous, tu ne vois pas! C'est pour ça qu'elle a fait tous ces kilomètres. Elle veut à tout prix être avec nous! »

La femme se tourna et le fixa dans les yeux. Ce fut comme si, à ce moment, après plusieurs années, elle voyait pour la première fois cet enfant, ce garçon, son propre fils. Elle baissa les yeux vers la table. Elle se rendait.

« Viens donc manger », dit-elle. « Je vais lui parler. Oui, c'est d'accord. Je suis sûre qu'il n'acceptera pas de mentir. Mais je vais lui parler. Je vais parler à M. Joe Carraclough. Oui, je vais le faire! »

À cinq heures ce même après-midi, le duc de Rudling sortit en pestant et en maugréant de sa voiture devant l'entrée de la petite maison, pour se trouver face à un garçon qui lui barrait le passage. Le garçon se tenait debout, farouche et obstiné, et lui lança : « Va-t'en! Ton cabot est pas ici! »

« Diable, Philippa, ce garçon est dérangé », dit le duc. « Y'a pas de doute, il est dérangé. »

Le duc avança en donnant de grands coups avec son bâton, jusqu'à ce que le garçon, s'écartant de la portée du menaçant bâton de prunier, le laisse passer.

« Ton cabot est pas ici », protesta le garçon.

« Qu'est-ce qu'il dit? », demanda la fille.

« Il dit que mon chien n'est pas ici. Diable, tu deviens sourde ou quoi? Je suis supposé avoir l'oreille dure et je n'ai pas eu de peine à l'entendre. Maintenant, mon garçon, dis-moi c'est quoi ce chien à moi qui est pas ici? »

Lorsqu'il s'était tourné vers le garçon, le duc avait pris l'accent commun du Yorkshire, comme il le faisait chaque fois qu'il s'a-dressait aux habitants des maisonnettes – une habitude que déploraient la duchesse de Rudling et plusieurs autres membres de la famille du duc.

« Approche, approche, mon garçon. Quel chien est pas ici? »

« Ton chien est pas là. Nous, on l'a pas. » Les mots sortaient de plus en plus rapidement à mesure que le garçon reculait et que l'effrayant vieil homme avançait. « Y'a pas un chien qui peut faire ça. Y'a pas un chien qui peut courir une si longue dis-tance. C'est pas Lassie. C'est un autre qui lui ressemble. C'est pas Lassie! »

« Eh bien, ma foi du bon dieu », dit le duc d'un seul souffle. « Où est ton père, mon garçon? »

La porte s'ouvrit derrière le garçon et une voix de femme se fit entendre. »

« Si vous cherchez Joe Carraclough, il est dans le hangar où il a passé la moitié de l'après-midi enfermé. »

« De quoi parle ce garçon? Un de mes chiens serait ici? »

« Non », répondit tout de suite la femme d'un ton sec. « Il a pas dit qu'un cabot à vous était ici. Il a dit qu'il était pas ici. »

« Eh bien, alors, quel chien à moi est pas ici? »

La femme avala sa salive et regarda autour d'elle comme pour chercher de l'aide. Le duc attendait, l'oeil scrutateur sous ses sourcils froncés. Vérité ou mensonge, la réponse de la femme resta en suspens, car ils entendirent soudain le grincement d'une porte et le bruit que l'on fait avec la bouche pour demander à un

chien de suivre. « C'est le seul cabot qu'on a ici. Est-ce qu'il ressemble à un de vos chiens? », dit la voix de Joe Carraclough.

Le garçon se retourna, la bouche ouverte, prêt à pleurer et à
protester une dernière fois. Et il resta bouche bée. Car il venait
d'apercevoir son père, Joe Carraclough, le connaisseur en colleys, qui se tenait avec une chienne à ses pieds – une chienne
qui attendait assise patiemment à sa gauche comme tout chien
bien entraîné, comme Lassie avait l'habitude de faire. Mais
cette chienne n'était pas Lassie. Il aurait été en fait ridicule de
faire quelque comparaison que ce soit avec Lassie.

Alors que la tête de Lassie était fine et aristocratique, celle de
cette chienne était en effet lourdaude et grossière. Tandis que
les oreilles de Lassie se dressaient en une parfaite symétrie,
cette chienne avait une oreille pendante et l'autre, dressée à la
manière d'un berger allemand, un trait qui ne manquerait pas de
donner la chair de poule à tout éleveur de colleys. Alors que le
pelage de Lassie était d'une riche couleur fauve, celui de cette
chienne avait de vilaines taches noires. Lassie avait sur le
devant un nuage de fourrure blanche comme neige, tandis que
cette chienne avait un tablier blanc cassé parsemé de touffes
gris-bleu.

En outre, Lassie avait quatre pattes blanches, et celle-ci avait
une patte blanche, deux pattes brun sale et une autre presque
noire.

Voilà la chienne que tous regardèrent quand se présenta Joe
Carraclough. Sans avoir eu à mentir, il n'avait que posé une
question. Tous étaient immobiles, attendant le verdict du duc.

Mais le duc ne disait rien. Il s'approcha d'abord, lentement,
comme s'il rêvait. Il se pencha vers le colley, l'observant avec le
même regard connaisseur que n'importe quel habitant du
Yorkshire. Ces yeux ne s'attardèrent pas aux oreilles tordues, ni
au pelage tacheté, ni à la lourde tête du chien. Ils regardaient
plutôt la patte que soulevait le duc, en examinaient le dessous,
scrutant les cinq coussinets noirs traversés de cicatrices, aux
endroits mêmes où les épines et les pierres les avaient lacérés.

Le duc examina la patte pendant un bon moment, et quand il
se releva, il avait perdu son accent du Yorkshire. Il parla comme

un vrai gentleman : « Joe Carraclough. Je n'ai jamais été propriétaire de cette chienne. Sur mon âme, elle ne m'a jamais appartenu. Jamais! »

Puis il se retourna et s'en alla d'un pas pesant vers le chemin en agitant sa canne et en disant : « Ça alors! Plus de six cents kilomètres! Je ne l'aurais jamais cru. Diable, huit cents kilomètres! »

Il était à la barrière quand sa petite-fille lui chuchota énergiquement quelque chose.

« Mais oui », cria-t-il. « Occupe-toi de tes oignons. C'est pour ça que je suis venu. Cette histoire de chiens m'a fait oublier. Carraclough! Carraclough! Pourquoi est-ce que vous vous cachez! »

« Je n'ai pas bougé, monsieur. »

« Ah, vous êtes là. Vous avez du travail? »

« Eh bien, du travail », dit Joe. Il n'avait rien trouvé de mieux à dire.

« Oui, du travail, du travail », répéta le duc d'un ton impatient.

Comme toute bonne ménagère du Yorkshire, Mme Carraclough vint alors à la rescousse.

« Pourquoi? Joe a trois ou quatre possibilités qu'il est en train de considérer », dit-elle en affichant la fierté qui était de mise. « Mais il n'a pas encore dit oui ou non à aucune d'elles. »

« Alors, qu'il dise non tout de suite », répliqua vivement le vieil homme. « J'ai dû virer Hynes. Il n'était pas capable de faire la différence entre un chien et une pouliche ivre.

« J'aurais dû savoir qu'aucun Londonien ne pouvait s'occuper des chiens comme on aime que ce soit fait dans le Yorkshire. Combien, Carraclough? »

« Eh bien », commença à dire Joe.

« Sept livres par semaine, et vous en aurez pour votre argent », enchaîna promptement Mme Carraclough. « Il y en a un qui pourrait bien monter jusqu'à huit. », mentit-elle avec expérience. Car il faut bien savoir mentir un peu dans la vie, et quand une femme a épousé un homme qui a eu le culte de l'honnêteté tout au long de sa vie, elle doit apprendre à mentir pour deux.

La loyauté et l'amitié

« Cinq », grogna le duc – qui, après tout, était aussi du Yorkshire et ne pouvait s'empêcher d'être un peu dur lorsqu'il était question d'argent.

« Six », dit Mme Carraclough.

« Cinq livres dix », négocia habilement le duc.

« Marché conclu », dit Mme Carraclough, qui était prête au départ à s'entendre pour trois livres. « Mais, évidemment, vous fournissez la maison. »

« D'accord », répondit promptement le duc. « Cinq livres et la maison. Vous commencez lundi. Mais à une condition. Carraclough, vous pouvez vivre sur mes terres, mais je ne veux pas voir la tête épaisse et la queue tordue de cet horrible bâtard difforme sur ma propriété. Sortez-la à jamais de ma vue. Vous allez vous en débarrasser? »

Il attendait, tandis que Joe cherchait ses mots. Mais ce fut le garçon qui répondit joyeusement : « Oh non, monsieur. Elle va m'attendre à l'école la plupart du temps. De toute manière, d'ici quelques jours nous l'aurons mise dans un meilleur état et vous ne pourrez jamais la reconnaître. »

« Je n'en doute pas », répondit le duc en s'éloignant vers sa voiture. « Je suis convaincu que c'est exactement ce que vous allez faire. »

« Ne reste pas assis là comme un lion sur la colonne de Nelson. Il me semble que tu étais supposé être un homme dur », lui dit la fille après un bon moment.

« De la foutaise, ma chère. Je suis un impitoyable réaliste. Pendant cinq ans, je me suis juré que j'aurais ce chien par tous les moyens, et maintenant, dieu merci, j'ai au moins réussi à l'avoir. »

« Bof! Il a fallu que tu achètes l'homme avant d'avoir le chien. »

« Eh bien, ce n'est peut-être pas la pire partie du marché. »

– Eric Knight

Chapitre 4

L'espoir et la persévérance

*Près de cet endroit sont déposés les restes de celui qui possé-
dait la beauté sans la vanité, la force sans l'insolence, le courage sans la férocité, et toutes les vertus de l'homme sans ses
vices. Cet éloge, qui serait une insignifiante flatterie s'il était
inscrit audessus de cendres humaines, n'est qu'un juste tribut à
la mémoire de Boatswain, un chien.*

**– Lord Byron, inscription sur
le monument funéraire de son
chien terre-neuve, Boatswain (1808)**

Brandy

Voici l'histoire de deux personnes extraordinaires et d'un
chien très spécial. Après en avoir lu le récit dans mon journal
local, j'étais tellement impressionnée que j'ai pris contact avec
le couple pour leur dire comment je me sentais. C'est de cette
manière que j'ai connu Tony et Diana Crimi et leur chien
Brandy. L'article du journal n'avait en fait livré qu'une parcel-
le de cette histoire remarquable de sacrifice et d'amour pour les
animaux.

Tout a commencé vers le mois de mai 1995 à Roy, dans l'É-
tat de Washington. Comme plusieurs villes de cet État, Roy est
un mélange de forêts sauvages et d'étendues urbaines. La nature y est très présente. Un jour, alors que Diana venait de traverser une zone particulièrement sauvage, elle aperçut une très
jeune chienne de chasse. Elle tenta de l'attraper, mais la chienne était terrifiée. De retour chez elle, elle raconta à Tony ce qui
s'était passé et, préoccupés, ils commencèrent à laisser tous les
jours de la nourriture pour chiens le long de cette partie de l'autoroute, qui s'étendait sur environ huit kilomètres. De mai à
septembre, tous les jours, Diana et Tony laissèrent à cet endroit
de la nourriture à l'intention d'une chienne sauvage qu'ils
avaient à peine entrevue. En fait, Diana n'avait vu la chienne

que trois ou quatre fois. Tous leurs efforts pour l'amadouer furent sans résultat.

Vers le mois de septembre, Diana commença vraiment à s'inquiéter. Elle parvenait à approcher la chienne jusqu'à une quinzaine de mètres, mais se rendait compte que l'animal était en train de mourir de faim. Ses côtes étaient apparentes, et on voyait clairement se dessiner sa colonne vertébrale de la tête à la queue. Vers le mois d'octobre, même si Diana était allée tous les jours la nourrir, la chienne restait toujours cachée dans les buissons et ne mangeait qu'après son départ. Diana et Tony essayèrent d'utiliser la nourriture comme appât pour attirer Brandy dans une cage de la société protectrice des animaux, mais elle ne s'approcha jamais.

Diana avait aussi pu voir que la chienne portait un collier de dressage. On avait dû lui mettre ce collier alors qu'elle était très jeune, car il était visiblement trop petit et avait entaillé sa peau, causant une grave infection. L'enflure sous le cou était aussi grosse qu'un pamplemousse et, même à cinq mètres, Diana pouvait sentir l'odeur fétide.

Quotidiennement, elle apportait de la nourriture dans l'espoir d'entrevoir Brandy (comme l'avaient baptisée les Crimi).

L'hiver approchait, et dans cette région il peut être extrêmement rigoureux. En octobre, Diana et Tony se rendirent à pied jusque dans les bois dans l'espoir de trouver la chienne. Ils découvrirent un genre de tanière sous un vieux viaduc près des voies d'un chemin de fer. Ils se mirent dès lors à apporter la nourriture directement à cet endroit. Diana laissait chaque fois un vêtement afin que Brandy s'habitue à son odeur.

Mais Brandy disparut pendant de longues périodes – dix jours en octobre, quatorze jours en décembre et treize jours en février.

D'autres personnes commencèrent à se préoccuper de l'état critique dans lequel se trouvait la jeune chienne. Quand on installa une cage près de sa tanière, elle disparut et n'y revint plus.

À mesure que les jours passaient, la faim et les infections menaçaient plus sérieusement Brandy. Les Crimi étaient au bord de la panique. C'est alors que Brandy fut aperçue aux abords de la route 507. Diana se réjouit de cette nouvelle tout en s'en inquiétant, car elle savait ce secteur particulièrement dangereux pour les animaux. Elle se remit à y déposer de la nourriture.

Le fait de résoudre le problème de la nourriture laissa la place à d'autres préoccupations. Diana craignait que le collier profondément enfoncé dans le cou de Brandy ne finisse par l'étrangler. Le couple continua de prendre soin d'elle à distance. Les infections se multipliaient autour de son cou, formant une protubérance qui n'allait pas se résorber. Diana consulta un vétérinaire attaché à la base militaire, et celui-ci lui fournit des antibiotiques qu'elle ajouta à la nourriture de la chienne.

Au printemps 1996, les Crimi commencèrent à désespérer. Brandy avait jusqu'alors réussi à s'en tirer, malgré plusieurs rencontres avec des coyotes de même qu'avec une mère ourse et ses deux rejetons. Elle avait aussi survécu à deux importantes inondations, à la circulation parfois dense sur l'autoroute et aux rigueurs d'un hiver de neige et de pluie. Mais ce n'était qu'une question de temps pour que la chance l'abandonne. Tony décida donc de construire une cage spéciale.

Le couple localisa dans les bois un secteur que la chienne avait l'habitude de fréquenter et ils y installèrent la cage, en plaçant chaque jour le nourriture plus près. Cinq longues journées passèrent. Tony eut finalement l'idée d'utiliser du matériel de camouflage. Il installa donc un filet et grimpa dans un arbre où il attendit patiemment. Quand, au bout de quatre heures, Brandy s'approcha pour manger, Tony n'eut qu'à tirer la corde.

Brandy, terrifiée, tenta de s'échapper. C'est alors que les Crimi la touchèrent, en lui disant qu'elle était une bonne fille. Elle regarda Tony, agita trois fois la queue, et abdiqua. Elle avait laissé tomber ses peurs.

Près d'une année s'était écoulée depuis la première fois où Diana avait aperçu Brandy. Le couple constata que le collier pourri était tombé, mais que les infections en chaîne avaient causé de graves dommages. Le vétérinaire procéda à plusieurs interventions chirurgicales pour refermer les plaies de son cou et lui administra d'énormes quantités d'antibiotiques pour éliminer les infections. Il évalua son âge, et Tony et Diana réalisèrent avec horreur que Brandy avait commencé son calvaire alors qu'elle n'était qu'une pauvre petite chienne de sept mois.

Une fois remise d'aplomb, Brandy se montra extrêmement curieuse et active, en plus d'être très douce et affectueuse. C'était une chienne élancée aux oreilles noires pendantes ; son poil, court, était blanc tacheté de noir. À part les séquelles de ses anciennes infections et une cicatrice rose à l'endroit où se trouvait le collier, elle était en bonne santé.

Diana et Tony croient que Brandy est un pointer. Un éleveur spécialisé dans cette race avait quitté la région pendant l'hiver. Elle avait un collier électronique émettant des chocs semblable à ceux que portent les chiens dans les concours de chasse. Diana et d'autres personnes supposèrent que Brandy s'était échappée d'un endroit des environs où se tenaient de tels concours.

Brandy est aujourd'hui heureuse et en pleine santé. Elle ne quitte presque jamais Tony.

Je suis encore fascinée lorsque je pense à cette chienne remarquable et au courage extraordinaire qu'elle a démontré.

Ayant souvent recueilli moi-même des chiens errants, j'aimerais croire que je serais allée aussi loin que les Crimi. Mais je n'en suis pas certaine. Ce sont des personnes merveilleuses au cœur plus grand que la moyenne des gens.

Si nous savions tous faire preuve d'autant de compassion et de générosité, le monde dans lequel nous vivons serait grandement meilleur.

« C'est un miracle qu'elle n'ait pas été tuée, affirme Diana. C'est tellement une belle fin. Tout ce dont elle avait besoin était que quelqu'un la touche et lui donne de l'amour. »

Après avoir lutté pour s'enfuir, ce premier soir, elle sauta dans la camionnette de Tony et de Diana et, pendant le trajet jusqu'à la maison, s'endormit sur les genoux de Diana.

– Deborah M. Killian

Chiots à vendre

Un propriétaire de magasin était en train d'accrocher dans sa vitrine une affiche qui disait CHIOTS À VENDRE quant un petit garçon apparut.

« Quel prix vous demandez pour les chiots? », demanda-t-il.

L'homme répondit au gamin qu'il entendait ne pas les laisser aller à moins de 50 $ chacun.

Le garçon fouilla dans sa poche, en tira quelques pièces et leva les yeux vers le propriétaire du magasin en disant : « J'ai deux dollars et trente-sept sous. Est-ce que je peux les regarder? »

Le propriétaire du magasin sourit et siffla. Une chienne nommée Lady sortit de la niche et traversa l'allée en courant, suivie de cinq minuscules boules de poil. L'un des chiots traînait derrière les autres. Le petit garçon voulut immédiatement savoir pourquoi le chiot boitait ainsi.

« Qu'est-ce qui ne va pas avec ce petit chien?

– Le vétérinaire nous a dit qu'il lui manquait une cavité articulaire à la hanche, dit le propriétaire du magasin. Ce chien va boiter toute sa vie.

– C'est lui que je veux acheter », dit promptement le gamin.

Le propriétaire du magasin répliqua : « Non, tu ne veux pas acheter ce chien. Si tu veux vraiment l'avoir, je vais te le donner. »

Le garçon s'approcha du visage du propriétaire du magasin et lui dit avec colère : « Je ne veux pas que vous me le donniez. Ce petit chien a autant de valeur que les autres chiots et je veux payer le plein prix. Je vais vous donner 2,37 $ maintenant et 50 sous tous les mois jusqu'à ce que je l'aie tout payé! »

Le propriétaire du magasin s'objecta : « Non, non, non. Tu ne veux pas ce chien. Il ne sera jamais capable de courir, de sauter et de jouer comme les autres chiens. »

Le petit garçon lui répondit en soulevant son pantalon pour montrer sa jambe gauche. La jambe, nettement difforme, était soutenue par les deux tiges d'acier d'un appareil orthopédique.

Chapitre 4

« Vous voyez, monsieur, dit-il, je ne cours pas très bien moi-même et je crois que le chiot a besoin de quelqu'un qui le comprenne. »

– Dan Clark

Des sous pour Balto

Tout le monde connaît l'histoire de Balto, qui sauva les enfants de Nome, en Alaska, d'une épidémie de diphtérie. Cependant, la plupart des gens ignorent comment les enfants de Cleveland ont, à leur tour, sauvé Balto.

En 1927, George Kimball, un homme d'affaire de Cleveland, était de passage à Los Angeles lorsqu'il aperçut huit huskies sibériens dans la vitrine d'un établissement bon marché. Cette exhibition l'attrista. Les chiens étaient enchaînés. Sous leur épaisse fourrure arctique, dans la chaleur californienne, ils étaient en train de suffoquer, et personne ne s'en souciait.

George fut étonné d'apprendre que l'un de ces chiens était Balto, et que les autres faisaient partie de l'équipe de traîneau que Balto avait conduite à peine deux ans auparavant pour sauver la population de Nome d'une épidémie de diphtérie. Comme George n'avait pas les moyens d'avancer les deux cents dollars nécessaires pour acheter l'équipe de chiens de traîneau, il fit appel à la population de Cleveland.

On retrouve aujourd'hui, à New York, dans Central Park, une statue de bronze représentant Balto, le chien meneur de Gunnar Kaasen. Sur le socle, on peut lire l'inscription suivante :

Dédié à l'esprit indomptable
Des chiens de traîneau qui ont transporté
L'antitoxine sur six cents miles
À partir de Nenana,
Sur la glace rugueuse, à travers les eaux traîtres

L'espoir et la persévérance

Et les blizzards de l'Arctique,
Pour porter secours aux sinistrés de None
Pendant l'hiver de 1925. Endurance...
Fidélité... Intelligence...

Les actes héroïques de Balto sont aujourd'hui reconnus. Le 20 janvier 1925, l'unique médecin de Nome transmettait à Anchorage un message télégraphique indiquant qu'un début d'épidémie de diphtérie menaçait des milliers de vies et qu'il était à court de sérum. Deux pilotes se portèrent volontaires pour en assurer le transport, mais l'opération fut considérée comme trop dangereuse. La seule manière de faire parvenir l'antitoxine jusqu'à la ville était de la transporter par traîneau à chien à partir de Nenana, ce qui représentait une distance de plus de 1 000 kilomètres.

Le monde entier s'intéressa à l'expédition, qui fut complétée en cinq jours, sept heures et demie. Vingt mushers et 150 chiens prirent le relais. Cinq enfants moururent, 29 cas de diphtérie furent diagnostiqués et 1 100 vécurent sous la menace de l'épidémie. Balto conduisit la meute à travers les 84 derniers kilomètres, et déposa son musher, rendu temporairement aveugle et incapable de se tenir sur ses pieds, à la porte de l'unique médecin de Nome.

Des historiens ont écrit que s'il y avait encore des enfants à Nome au printemps 1925, ce fut en grande partie grâce « à l'endurance, à la fidélité et à l'intelligence ».

Quand Balto eut besoin d'aide, ses héros furent les enfants de Cleveland.

Dès son retour à Cleveland, George organisa une grande collecte : des sous pour Balto.

« Nous arrivions à l'école avec nos sous et nous les mettions dans la boîte avant d'entrer dans la salle de classe », raconta Garnet Bielfelt sur les ondes de la Radio publique nationale plusieurs années plus tard. « Il y avait une seule grande boîte. À cette époque, vous savez, les enfants ne pensaient pas à voler ou quoi que ce soit. Ils étaient tellement fiers de déposer leurs sous dans la boîte. Nous étions simplement heureux de voir la boîte s'emplir de jour en jour. »

Plus de 2 300 $ furent ainsi recueillis. On organisa un défilé où Balto et son équipe apparurent en héros, et on leur offrit un nouveau foyer au zoo de Cleveland. La première journée, 15 000 personnes accoururent pour voir les chiens.

« On aurait dit que quelque chose m'attirait vers Balto, et j'ai sauté par-dessus la corde pour le toucher un bref instant, se rappelle Garnet. J'ai au moins réussi à toucher Balto. Je ressentais une très forte émotion. »

En fait, la population de Cleveland aimait tellement Balto qu'à sa mort, en 1933, on décida de l'empailler. Il se trouve aujourd'hui au musée d'histoire naturelle, dressé sur ses pattes, comme s'il était en train de scruter à travers le blizzard pour trouver le chemin de Nome.

« Ses yeux sont encore brillants, affirme Garnet. Il a encore dans le regard cette étincelle qu'il avait quand il était vivant. Personne n'a réussi à lui enlever. »

– Michael Capuzzo

Le miracle de Noël

Jonnie Wall Williams, une hôtelière établie dans la région rurale d'Indiantown, en Floride, collectionne les miracles de Noël.

« J'ai appris très jeune à rechercher les miracles et à les noter », dit Williams, qui se plaît à préciser qu'elle est la descendante d'une « longue lignée de cuisiniers et de conteurs ».

« Il existe des miracles de toutes les grandeurs », affirme Jonnie, une autochtone d'Indiantown, propriétaire et gérante du Seminole Inn. « Parfois, les miracles sont des leçons que la vie nous donne, ajoute-t-elle. Parfois, ils se présentent de manière spectaculaire. D'autres fois, ils surviennent de manière subtile, par petites touches, comme ces pensées qui vous disent de faire telle ou telle chose. »

Âgée de 43 ans, Jonnie partage chaque année ses histoires de miracles avec les personnes présentes aux fêtes de Noël qui ont lieu traditionnellement à son hôtel.

Elle relate un miracle de Noël survenu dans son enfance passée sur une ferme d'Indiantown, « dans un foyer très heureux et à cheval du matin au soir ».

« J'avais une jument appelée Flicka et un chiot boxer nommé Winkles. [N.D.T. Wrinkles signifie en français " rides " ou " plis ".] Nous l'avions appelé Wrinkles parce que sa face devenait toute plissée lorsqu'il souriait, vous savez, de cette manière qu'ont les chiens de sourire. »

Quand Flicka fut vendue à une famille de la ville, Wrinkles déménagea avec la jument. Il manquait beaucoup à Jonnie, jusqu'à ce premier Noël où il vint à son ancienne maison. « Il est revenu ensuite à chaque Noël. Nous nous sommes souvent demandés comment il faisait pour savoir quel jour c'était, mais il le savait. »

Des années plus tard, Jonnie, récemment divorcée, retourna vivre chez ses parents. Son fils Josh, âgé de 10 ans, avait pris le divorce « très, très mal ». Il voulait un chien pour Noël. « Je lui ai dit que non, il n'aurait pas de chien tant que nous habiterions avec ses grands-parents. Il s'est mis à me supplier. J'ai encore une fois dit non. »

Le matin de Noël, Josh se précipita dehors et revint dans la maison avec les yeux comme des soucoupes, en demandant : « Qui m'a donné ce chien? »

Ce n'était personne. « Girl était la chienne de la communauté. Elle a simplement décidé qu'elle était notre chien et elle est venue chez nous parce que Josh avait besoin d'elle. C'est une petite chienne bâtarde à poil roux et elle adore littéralement Josh. »

Girl est restée avec notre famille environ six mois, puis est repartie « auprès de quelqu'un d'autre qui avait besoin d'elle », ajoute Jonnie.

« Josh et cette chienne m'ont fait réaliser à quel point les prières et les souhaits des gens sont importants. Vous essayez d'appliquer un raisonnement d'adulte devant ces choses, mais ça ne marche pas. »

– Sally D. Swartz

Le fougueux professeur

La deuxième semaine du mois d'avril 1975 était bien entamée et les vents d'hiver fouettaient encore l'ouest du Montana. Pendant tout ce long hiver, j'avais caressé le rêve d'acheter au printemps un chiot malamute ou akita enregistré. Je voyais mentalement ce chiot de grande race devenir un chien adulte capable de me traîner en haut des sentiers accidentés des montagnes sauvages de Selway-Bitterroot tout en transportant sa propre nourriture dans un sac à dos.

J'avais perdu les deux jambes après avoir reçu des éclats d'obus pendant mon service militaire en Corée comme fusilier marin. Ce chien de rêve allait me donner accès à la nature sauvage.

Quand je fis part de mes plans à ma femme, elle fit signe que oui et se remit à peindre le tableau auquel elle était en train de travailler. Au souper, ce soir-là, elle me dit : « Tu sais, il y aura toujours des gens qui feront la file pour acheter ces animaux très chers dans les boutiques spécialisées, mais la plupart des chiots recueillis dans les refuges vont, eux, mourir. » Elle ne dit rien d'autre, mais je commençai à remettre mon rêve en question. J'avais moi-même déjà été abandonné sans espoir de survie ; ce souvenir me fit sans doute réfléchir davantage.

Le lendemain matin, je me rendis à la Société protectrice des animaux de Missoula. « J'ai besoin d'un chiot spécial », dis-je à la jeune femme qui m'accueillit à la réception. « J'en veux un qui soit capable de transporter de lourdes charges en montagne. »

Le sourire de la femme s'effaça. « Je vais vous montrer le seul chiot qui nous reste. Quelqu'un est venu hier nous laisser ce petit camarade. Je suis tombée en amour avec lui. J'ai bien essayé de le nourrir, mais sans succès. Mais ce chien est vraiment particulier. »

Avant que je n'aie pu dire un mot pour l'arrêter, elle disparut derrière une porte. Je patientai dans la froide salle d'attente, en me disant que j'aurais bien mieux fait d'aller à la boutique pour animaux dans le sud de la ville.

La femme revint avec le chiot le plus pitoyable que j'aie jamais vu. Sa queue, presque nue, pendait comme une branche en hiver. Il avait la tête penchée et l'on voyait saillir ses côtes minuscules. L'absence de poils découvrait sa peau rose à certains endroits. J'allongeai le bras et soulevai sa tête. Il me regarda, mais il ne restait plus aucun espoir dans ses yeux bleus. De toute évidence, il ne s'agissait pas là du vigoureux chien de traîneau que je cherchais, mais je sentis un élan d'attachement envers ce chiot abandonné. « Je le prends », dis-je à la femme.

« Vous le prenez? demanda-t-elle avec un sourire radieux.

– Bien sûr que je le prends », répondis-je en ayant repris mon calme.

La femme sortit un formulaire que je signai. « Ce sera dix dollars », dit-elle avec le même sourire. Elle se tourna vers le chiot, qui tenait à peine sur ses pattes, et lui remonta la tête et la queue. « Lève ta queue, chuchota-t-elle. Tu as été adopté. »

Il garda la queue légèrement recourbée vers le dos tandis que je le transportais dans ma veste jusqu'à la fourgonnette. Pendant le trajet, je lui caressai doucement les oreilles et lui dis que j'attendais de grandes choses de lui, mais il ne répondait pas. Quand j'arrivai à la maison, ma femme vint m'accueillir. « Mon Dieu, murmura-t-elle, il est tout rose. »

Après quelques jours de soins intensifs, une étincelle apparut dans ses yeux bleus et nous l'appelâmes Feist. [N.D.T. De feisty, qui signifie « fougueux », « vif », « qui a du cran ».] Pendant plusieurs jours, nous crûmes que Feist était retardé car il ne répondait à aucun son. Puis, un matin, ma femme eut une intuition. « Je crois que Feist est peut-être sourd », dit-elle. Elle l'amena dans le garage et souffla dans un sifflet, ce qui produisit un son strident. Feist resta calmement assis sur sa couverture et regarda ma femme avec une expression distraite. Il était complètement sourd.

Au cours des six semaines suivantes, Feist se rempluma et gagna des forces. Sa queue se transforma en un panache touffu qu'il agitait fièrement. Il semblait aimer être dehors, même par les journées froides du printemps. Je lui construisis donc une niche et la calfeutrai avec des couvertures, que Feist s'empressa de déchirer en lambeaux. Il arracha aussi nos plantes vivaces, déterra les pommes de terre que nous venions de planter et ravagea les fraisiers. Il arracha même les branches basses des plus petits arbres. Ma compassion initiale commençait à décroître. J'étais sur la défensive. Je clôturai le jardin, ficelai ce qui restait des arbres fruitiers et clouai un nouveau tapis dans sa niche. Je pensai même à placer une annonce dans le journal local : « Chiot à vendre – beau berger australien – prix raisonnable. »

La dernière semaine de mai arriva, et j'étais occupé à préparer et à corriger les examens finaux. Je reçus alors un appel de la directrice des programmes d'éducation spécialisée de notre district. « J'aimerais que vous veniez rencontrer quelques-uns de nos étudiants, dit-elle. Je crois que vous pourriez être pour eux une source d'inspiration.

– Que voulez-vous dire?, demandai-je. Comment suis-je supposé inspirer les étudiants des programmes spécialisés

– Vous semblez avoir surmonté votre handicap », répondit-elle. « Et vous semblez marcher plutôt bien. »

J'étais flatté. « Eh bien, je vais essayer de penser à quelque chose. Quand tout cela aura-t-il lieu et où dois-je me présenter?

– Pouvez-vous vous rendre à Hawthorne School dans le courant de l'avant-midi lundi prochain?

– Euh, lundi matin? marmonnai-je.

– Oh, merci beaucoup », dit-elle. Et elle raccrocha.

L'espoir et la persévérance

Le samedi et le dimanche, pendant toute la journée, j'écrivis de petits discours sur des feuilles brouillons, que je chiffonnai et jetai l'une après l'autre au panier. Que pouvais-je bien dire à ces jeunes avec qui j'avais si peu de choses en commun? Je pensai à mes propres épreuves, mais je n'avais jamais fait face à des problèmes de cette nature dès la naissance. Je me sentais de plus en plus mal à l'aise.

Je remuais encore toutes ces questions dans ma tête quand ma femme m'annonça que le dîner était prêt. Il ne restait plus que seize heures avant que je n'aille faire un fou de moi. Au moment où je contournais la table, j'aperçus par la porte vitrée du patio une forme gris-bleu qui courait à pleine vitesse après un oiseau. « J'ai trouvé, criai-je. J'ai un chien sourd qui a diablement bien surmonté son handicap. »

Je demandai à deux autres professeurs de me remplacer pendant mes classes du matin, mis une laisse à Feist qui ne cessait de se tortiller et pris la direction de Hawthorne School.

Les lieux étaient tranquilles à notre arrivée, mais je trouvai facilement la salle de l'éducation spécialisée.

Quand Feist et moi nous traversâmes la porte, nous fûmes accueillis par des oh! et des ah! J'allais me tourner pour saluer l'un des professeurs, quand un petit garçon en chaise roulante me tira par la manche. « Je vais mourir d'ici quelques semaines, vous savez », dit-il. J'avalai ma salive avec difficulté et je me tournai vers Feist.

Une petite fille qui était couchée sur le plancher essaya de se lever, mais elle retomba. Un garçon maigre, allongé sur un genre de civière, faisait des efforts pour mieux voir Feist. Ma tête était vide. Je me penchai vers Feist, qui se tenait au milieu de la salle en regardant l'une après l'autre les chaises roulantes. Pourquoi n'agites-tu pas au moins la queue, pensai-je.

Soudain, comme s'il avait lu mes pensées, Feist inclina la tête d'un côté, agita sa queue dressée et sauta dans les airs pour aboutir sur les genoux du garçon qui avait dit qu'il allait mourir. Il lécha le visage du garçon et lui tira les cheveux. Le garçon se mit à rire, au point que des larmes coulèrent sur sa chemise usée. Feist tourna sur lui-même et bondit jusqu'à la petite fille couchée sur le plancher, qui avait finalement réussi à s'asseoir. Il s'écrasa sur elle et commença à tirer sur sa blouse de la même manière qu'il s'y était pris pour arracher mes plants de fraises. Il se précipita d'un enfant à l'autre, et la salle finit par être remplie par le rire des enfants et les pirouettes du chiot. Il s'arrêta d'un coup sec devant la porte et agita la queue comme pour dire « mes amis, le spectacle est terminé ».

Encore une fois, je ne sus pas trop quoi dire. Cherchant mes mots, je remerciai les professeurs de leur invitation, tout en pensant en moi-même à ce vieux dicton que l'on répète dans le milieu du vaudeville : « Ne venez jamais après le numéro du chien. »

Au milieu des acclamations, je me dirigeai avec Feist vers l'entrée principale. La jeune directrice arriva dans le hall en même temps que nous. Feist choisit ce moment pour lever la patte et, sans montrer aucune gêne, laisser sa trace sur la colonne qui se trouvait au centre du hall. La directrice se raidit et je me sentis rougir. Mais j'entendis alors le chœur derrière nous qui scandait : « Oui! Feist! »

Feist grandit, devenant plus robuste et gagnant de la maturité. Il apprit à jouer à la balle et devint un véritable athlète. Quand il bondissait haut dans les airs pour attraper une balle, son corps se courbait et il ressemblait à une truite arc-en-ciel jaillissant de la Bitterroot River pour attraper une mouche. Il apprit que les arbres n'étaient pas faits pour être réduits en morceaux, que l'air sortant des conduits de chaleur n'était pas un ennemi invisible et que les oiseaux ne pouvaient pas être attrapés au vol. Mais, par-dessus tout, il étudia chacun de mes mouvements et apprit à s'ajuster à mes limites. Il inclinait la tête pour étudier ma démarche, mais ne cessait de me mettre à l'épreuve et de me lancer des défis.

Quand je décidai que l'heure de notre première promenade était finalement arrivée, j'achetai une nouvelle laisse et installai mon appareil orthopédique.

Feist attendit impatiemment jusqu'à ce que je puisse m'agripper fermement à la laisse, puis tira sur le collier comme un chien de traîneau à sa première course. Il s'élança au petit trot.

L'espoir et la persévérance

Je n'avais pas marché, pour ainsi dire, depuis la Corée. J'essayai de le ralentir, mais il ne voulait rien savoir. Ses pattes sveltes fendaient l'air et je titubais derrière lui dans une poursuite peu enthousiaste.

Après presque trois semaines de cette routine quotidienne de plus de 1,5 kilomètre, je remarquai que mon souffle était meilleur et que mes jambes devenaient plus fortes. J'en vins à attendre nos sorties avec impatience. Pour la première fois depuis des années, je ressentais une douce euphorie. Je respirais l'air de cette fin de printemps et je humais avec plaisir l'odeur des peupliers de Virginie qui commençaient à bourgeonner. Parfois Feist s'arrêtait pour flairer les odeurs subtiles de ces matins tranquilles. Il lui arrivait de faire une pause près d'un ruisseau ; il s'amusait alors à pêcher des feuilles flottantes, non sans se retourner pour voir si j'observais ses ébats. Ces gambades ne furent pas inutiles. En observant ses gracieuses cabrioles, j'appris à utiliser de nouveaux muscles. Et, le plus important, mon attention se portait chaque jour davantage vers lui, et moins vers ma propre personne. Je commençai à me rendre compte qu'il faisait avec moi le travail d'un entraîneur qui enseigne à un enfant maladroit.

Quand nous arrivions devant un ruisseau profond, il partait en reconnaissance pour trouver un passage peu profond où je pourrais traverser, pataugeait jusqu'à l'autre côté et m'attendait en agitant frénétiquement la queue tandis que je choisissais soigneusement les roches les plus plates pour poser les pieds. Il me montrait les passages les plus faciles autour des rochers et faisait tous les efforts pour me tirer en haut des pentes abruptes. Il semblait connaître mes faiblesses, mais ne tolérait aucun relâchement de ma part. Il se dépensait sans compter pour m'enseigner, et je devais donc faire des efforts pour apprendre.

Feist m'acceptait comme j'étais, mais il me poussait à atteindre le meilleur de moi-même et à grandir tout comme lui il grandissait, mentalement et physiquement. Le fait de ne pas avoir de jambes n'était pas davantage une excuse pour moi que le fait de ne pas entendre n'en était une pour lui.

Il a démontré, pendant près de dix-huit ans, un indomptable courage. Toute sa vie durant, jamais il ne s'est lamenté, jamais il ne s'est plaint. Il acceptait la vie telle qu'elle était, la regardait droit en face, et ne reculait jamais devant rien ou personne.

Feist mourut finalement au mois de juin 1992, en laissant toutefois un héritage derrière lui : « Attrape-moi si tu peux, et je vais t'enseigner, je serai ton berger. » Il est maintenant de l'autre côté de la rivière. Il a une étincelle dans les yeux et il agite la queue, me faisant signe de le suivre en posant les pieds sur les roches fermes.

Voilà l'histoire authentique d'un chien remarquable qui m'aida littéralement à remonter la pente de ma vie. Il était (et demeure) pour moi une source d'inspiration ; grâce à son enthousiasme et à sa détermination, je peux encore monter et descendre des collines et marcher de deux à trois kilomètres par jour. Mon état de santé et mon bien-être actuels, je les dois en grande partie à Feist.

J'ai construit dans notre cour un monument en l'honneur de Feist. Ma femme a semé tout autour un jardin de fleurs. Nous faisons en son nom des dons mensuels au refuge pour animaux, afin que d'autres chiens agitent la queue et que d'autres personnes puissent apprendre comme j'ai appris de Feist.

Nous ne pouvons pas nous attendre à avoir un enfants parfait à tout coup, mais nous pouvons prendre ce qui nous est donné et le laisser nous enseigner à grandir et à nous épanouir. Voilà ce que Feist nous a appris.

– John M. Alston

Guide pour chien aveugle

Chelsa, notre courageuse labrador, était une chienne de travail robuste et enthousiaste qui, pendant sept merveilleuses années, vécut pour rapporter les bâtons et les jouets qu'elle repêchait dans notre lac. Puis la vie de ma douce amie fut frappée par la tragédie, qui prit la forme du diabète. Tandis que nous tentions d'ajuster ses doses d'insuline, elle commença à perdre la vue. Ses yeux se voilèrent et s'assombrirent, comme s'ils se couvraient des menaçants nuages noirs qui annoncent l'approche d'une grosse tempête. L'orage éclata, laissant Chelsa complètement aveugle.

Nos amis essayaient de nous persuader d'être humains et de la faire endormir. Quelques-uns se moquèrent des dépenses que nous étions prêts à faire pour la garder en vie. Elle avait besoin d'une diète spéciale et de deux injections d'insuline par jour. Je dois avouer que, certains jours, je me suis demandé si je n'étais pas égoïste en refusant d'envisager l'euthanasie.

Alors, Chelsa m'entendait entrer dans la chambre et agitait la queue avec le même enthousiasme qu'un chien voyant. Elle s'assoyait là, dans son rôle de gardienne de la balle… et toujours prête à la rapporter si quelqu'un arrêtait de jouer. Il était impensable que je lui enlève la vie alors qu'elle était tellement remplie de joie de vivre.

Chelsa a un handicap physique. Je suis physiothérapeute. Mon fils a un handicap physique. Tous mes patients ont des handicaps physiques. J'enseigne avec la plus profonde conviction à mon fils et à mes patients à surmonter leur handicap. Pourquoi alors douterais-je de ma capacité d'enseigner à Chelsa à relever le défi que représente sa cécité?

J'avais eu l'occasion de travailler avec des enfants aveugles. Je comprenais donc les principes de base pour enseigner la mobilité. Je décidai de faire de mon mieux pour donner à Chelsa la possibilité de surmonter les obstacles du destin qui barrèrent son chemin.

Ma première étape fut la boutique de jouets. Je cherchais des balles et des animaux en peluche qui feraient du bruit. Je trouvai une balle qui avait un son de crécelle et des grelots pour mettre à l'intérieur de balles odorantes. Je n'eus par ailleurs qu'à remplacer l'ourson en peluche silencieux que Chelsa n'arrivait plus à localiser par un animal contenant une boîte à musique. Je trouvai ensuite à l'animalerie des gâteries pour

chiens sans sucre, que l'on pouvait lui offrir après ses douloureuses injections d'insuline. Nous les attachions à un bâton afin
qu'elle les flaire plus facilement.

L'étape suivante consista à enseigner à Chelsa quelques nouveaux ordres. *En haut* ou *en bas* servait à la prévenir qu'il y
avait des marches. *Attention*! devint une manière efficace de
l'avertir qu'il y avait un obstacle, comme un arbre ou une voiture stationnée. Nous lui indiquions aussi la direction avec des
ordres tels que *ici, en arrière, non* et *c'est là*. J'appris à claquer
des doigts ou à taper des mains constamment en marchant, de
manière à ce que Chelsa puisse me suivre ou me trouver. Avant
de lui faire une injection, nous lui disions le mot piqûre afin de
ne pas l'effrayer. Et nous évitions de déplacer les meubles ou de
laisser traîner l'aspirateur.

Chelsa est de nouveau en sécurité dans son monde. Elle continue de garder ses balles et espère toujours que quelqu'un sera
prêt à lui lancer. Elle nage dans des eaux qu'elle ne peut voir et
rapporte les bâtons avec la même ardeur qu'un labrador voyant.
Elle me suit partout dans la cour, contournant avec succès les
obstacles. Elle ajuste ses déplacements aux meubles et aux marches, car elle a en mémoire l'endroit où se trouvent ces obstacles permanents.

Chelsa m'inspire dans mon travail comme physiothérapeute.
Dans la mesure où je peux modifier son environnement et lui
enseigner de nouvelles manières d'exécuter des tâches avec
succès, je me dis que je peux attendre encore davantage de mes
patients humains. Elle est aussi une source d'inspiration pour
mon fils. Shane a obtenu cet été son diplôme universitaire et
commence ses études de troisième cycle. Le fait de la voir lutter pour continuer à prendre part aux activités qu'elle affection-
ne l'encourage dans sa propre lutte pour être un adulte actif qui
contribue à sa société.

Chelsa fait ressortir le meilleur en chacun de nous. Elle nous
a enseigné à rechercher les vraies valeurs de la vie ; elle nous
a aidés à voir au-delà des problèmes physiques. Elle est un
exemple vivant de persévérance devant la difficulté. Je
transporte cette expérience à la maison de retraite où j'enseigne

aux personnes âgées à ne pas perdre le goût de vivre simplement parce qu'elles font face à de nouveaux défis physiques pendant la période de leur vie où elles sont le plus vulnérables. J'ai appris à utiliser de nouveaux outils qui me servent dans ma démarche pour atteindre des personnes face auxquelles plusieurs ont abandonné. Chaque fois que Chelsa revient triomphante et complètement trempée, tenant fièrement un bâton dans sa gueule, je regarde au fond de ses yeux absents et j'aperçois son cœur de lion.

– *Patty Aguirre*

Une famille pour Radar

L'ouragan Andrew avait détruit leur maison à la campagne, les obligeant à se reloger dans un petit appartement de la banlieue de Miami. Jim et Sherry Norris ainsi que leur fils, Scott, amenèrent avec eux quelques boîtes et leurs deux toutous, Gipper et Cindy.

Jim passa souvent sa pause du midi à observer les travaux de reconstruction de leur maison et à nourrir les dobermans et les bergers égarés qui venaient errer autour de son garage, dont la porte n'avait pas encore été remise en place. Les chiens errants disparurent après quelques jours.

Un jour, cependant, peu après que la famille se soit réinstallée dans la maison reconstruite, Sherry entendit ses chiens japper de manière inhabituelle. Elle ouvrit la porte et aperçut une forme jaune qui traversait la rue comme une flèche, pour disparaître parmi les manguiers qui commençaient à se repeupler.

Des mois durant, on vit errer cet insaisissable vagabond dans les champs du voisinage. Scott put le voir, un matin, allongé au soleil au milieu de la route. Il lui sembla que l'animal ressemblait davantage à un renard qu'à un chien.

Chapitre 4

Un soir d'octobre, alors que Sherry se promenait dans les champs en s'émerveillant devant les manguiers qui reprenaient vie, elle tomba face à face, sous le clair de lune, avec le chien jaune errant. « Il est resté figé et je me suis lentement approchée de lui, raconte Sherry. J'ai pu voir à quel point il était pitoyablement maigre. Ses grandes oreilles étaient sur le qui-vive. Il avait la queue recourbée vers le dos et les poils de son cou étaient dressés. Je me suis arrêtée et jc l'ai appclé doucement. Il a fait demi-tour et a traversé la rue en courant. Le lendemain matin, quand nous sommes partis pour l'école, nous l'avons vu qui nous observait de sa tanière. »

Le soir suivant, Sherry laissa un tas de nourriture pour chiens au coin de la rue. Le chien jaune ne se montra pas, mais le lendemain matin la nourriture était disparue. Cette routine se répétant pendant plusieurs jours.

« Un soir, je l'ai vu qui s'approchait de la nourriture, relate Sherry. Il avançait lentement, avec d'extrêmes précautions, comme s'il marchait sur des œufs. Puis il a penché la tête et s'est mis à manger prudemment, en me jetant des regards inquiets. »

L'Halloween approchait. « Maintenant que je le nourrissais, il faisait des ronds autour de moi en jappant. Mais c'était du bluff, car il était timide et avait peur des gens. Mon but était de l'approcher suffisamment pour lui mettre un collier et une laisse afin que le personnel de la fourrière puisse l'attraper. Il était dans un état pitoyable et je ne voulais pas le voir s'approcher de mon fils ou de mes chiens. »

Vers l'Halloween, le chien en était à manger dans l'allée menant à la maison. Le matin, Sherry n'avait qu'à crier « Chien! », et un chien jaune sortait de sa tanière sous les manguiers et s'approchait, la queue entre les pattes, pour prendre son petit-déjeuner.

« Après plusieurs mois à le nourrir de cette manière, nous lui avons donné le nom de Radar. Peu de temps après, il répondait à son nom. Il était moins décharné. Il avait toujours la queue entre les jambes, mais il était plus téméraire.

« Un soir de novembre, raconte Sherry, il a tendu la patte et l'a posée sur ma main. Il m'a regardée pendant que je touchais sa patte offerte. Quelques jours plus tard, je pouvais lui caresser la tête.

« Scott s'est mis à m'accompagner pour donner à Radar son repas du soir, mais le chien ne le laissait pas venir trop près. Un matin, Radar a décidé qu'il pouvait faire confiance à Scott et lui a tendu la patte.

« L'humain suivant à gagner sa confiance a été Jim. Radar a fait sa connaissance un midi et lui a offert la patte. C'est à peu près à cette époque que Jim a décrété qu'il ne voulait plus d'autres animaux. Scott et moi étions d'accord pour que Radar reste à l'extérieur. Mais nous n'avons pas pu empêcher qu'il s'aventure un jour dans la maison au moment où nous rentrions avec les cartons d'épicerie. Quand le téléphone a sonné, le pauvre animal s'est mis à trembler. Nous avons réalisé qu'il n'avait jamais été en contact avec cet objet auparavant. Nous l'avons chassé de la maison avant le retour de Jim.

« Radar s'est mis à "frapper à la porte" chaque fois qu'il voulait entrer. Le décret "plus d'animaux" fut de nouveau invoqué, et je promis de faire quelque chose pour assurer l'avenir de Radar. Je devais sans tarder lui trouver un foyer.

« J'ai demandé l'aide d'un voisin pour faire monter Radar dans la fourgonnette et l'amener chez le vétérinaire. Après que Radar ait été déclaré en parfaite santé et ait été enregistré au Dade County, il ne me restait qu'à placer une annonce dans le journal : "Chien mâle robuste et castré à donner. Très doux, a besoin d'une famille aimante."

« Après tous ces mois où nous avons vu cet animal craintif et décharné se transformer en un chien presque gras, qui apprend à remuer la queue et qui cogne à la porte, il allait être difficile de lui dire au revoir.

« Scott ne comprenait pas pourquoi Radar ne pouvait rester avec nous. Nous lui avons souligné que nous avions déjà deux chiens, que Radar ne resterait pas dans la cour et que papa n'aimait pas tous ces trous qu'il creusait pour s'échapper. Radar devait s'en aller dans une nouvelle famille. Autant la chose nous semblait logique à moi et à mon mari, autant notre fils ne voyait que l'amour qu'il ressentait pour le chien.

« Au mois de décembre, une famille est venue voir Radar. La mère, le père et l'adolescente ont tous trouvé que c'était un beau chien. Mon cœur a chaviré quand ils ont dit qu'ils voulaient le prendre. Nous les avons regardé partir. Le museau noir de Radar était appuyé contre la fenêtre de la voiture et il nous regardait, pendant que Scott lui faisait au revoir de la main. Puis nous sommes rentrés tous les trois, les adultes se disant silencieusement en eux-mêmes que c'était la meilleure chose à faire, l'enfant s'en allant tristement dans sa chambre. Ce fut un vendredi soir très tranquille.

« Le samedi, nous avons reçu un appel de sa nouvelle famille. Il semblait bien s'adapter. On lui avait donné un bain et il avait dormi toute la nuit dans la chambre de leur fille. Il avait mangé et s'était bien conduit dans la maison. Ils l'aimaient beaucoup.

« Le dimanche matin, nous avons eu un nouvel appel. La famille s'était absentée pendant une heure pour faire des courses et il s'était enfui. Il s'était servi d'un buisson pour escalader le mur de près de deux mètres entourant leur maison. J'étais affolée. Ils demeuraient à environ 25 kilomètres de chez nous.

« Nous habitions deux secteurs séparés par des rues et des routes de comté et par le Florida Turnpike. Nous savions ce qu'il essayait de faire : revenir à la maison. J'en étais malade. Mon premier réflexe était de sauter dans la fourgonnette et de partir à sa recherche. Mais je ne voulais pas que Scott soit témoin du résultat probable, un chien mort. Je me sentais immensément coupable. Mon pauvre enfant a passé toute la journée à jouer devant la maison en attendant le retour de son ami. J'attendais de mon côté l'inéluctable appel téléphonique qui m'annoncerait qu'il avait été trouvé mort ou blessé.

« À cinq heures, toujours rien. Je les ai appelés. Ils l'avaient cherché partout en voiture mais ne l'avaient pas trouvé. La fourrière de Dade County était fermée jusqu'au lundi.

« Ce soir-là a été pour Scott le plus triste de sa vie. Il est rentré à reculons, au coucher du soleil. Quand il a dit ses prières avant de s'endormir, nos yeux se sont remplis de larmes. " S'il te plaît, mon Dieu, ramène Radar à la maison. Je l'aime tellement, il est mon ami ", disait notre petit garçon dans ses prières.

« J'ai appris la mauvaise nouvelle à Jim quand il est rentré, et lui aussi était bouleversé. Au moment de se coucher, il a affirmé que si Radar s'en sortait, il nous faudrait le garder. Je me suis levée du lit et, à la noirceur, j'ai traversé la maison, la cuisine et le garage, jusqu'à la rue. Il y avait là un kilomètre de silence. Les étoiles brillaient dans la nuit claire, annonçant que les brises de l'hiver allaient bientôt rafraîchir les nuits de la Floride. Notre pauvre Radar était égaré quelque part sous cet immense ciel scintillant. J'ai fait ma propre prière. Elle venait de la petite fille encore vivante au fond de moi et qui aime toutes les créatures partageant notre monde. Je n'ai jamais rien demandé, ai-je dit au ciel, mais donne-nous s'il te plaît un miracle de Noël et guide Radar vers la maison.

« Le lundi est arrivé, avec sa routine des jours de semaine : s'habiller, préparer le café, réveiller Scott pour l'école. Jim voulait la page des sports, et j'avais oublié d'entrer le journal. Au moment où s'ouvrait lentement la porte du garage, j'ai eu le souffle coupé. Notre chien perdu était là, tout humide, devant la porte. J'ai crié «Il est là, il est là. Radar est de retour». Il est entré dans la cuisine en trottinant. Jim et Scott sont accourus jusqu'à l'entrée, et ça a été une effusion de caresses, et de coups de langue et de queue frénétiques. Radar a ensuite vidé goulûment un bol d'eau et un bol de nourriture, puis s'est écrasé sur le plancher. Notre miracle de Noël s'était réellement produit!

« Radar est maintenant un précieux membre de la famille. Nous le promenons trois fois par jour. C'est un excellent flaireur, mais les lapins ne courent aucun danger. Sa gueule est «tendre» et il vient chercher avec la plus grande délicatesse les gâteries que nous lui tendons. Le matin, il vient se faufiler dans mon lit et pose sa tête sur l'oreiller. Depuis qu'il est un chien de maison, son pelage a pris de superbes reflets dorés. Il sera pour toujours notre cabot en or. »

– Sherry Norris

Chapitre 4

Un miracle en appelle un autre

Dans la petite ville de Cornelius, dans l'Oregon, vivait une pétillante vieille femme appelée Henrietta. Tous les matins, elle parcourait les trottoirs de la ville et, tel un rayon de soleil ambulant, semait la joie chez toutes les personnes qu'elle croisait. Trottinant devant elle, il y avait Daisy, une chienne blanche galeuse, à moitié édentée et à la queue râpée.

Sous le soleil comme sous la pluie, le duo apparaissait, toujours avec le sourire, toujours joyeux, chacune appréciant la présence de l'autre et de toutes les personnes qu'elles rencontraient.

Puis, un jour, Henrietta ne se montra pas. Ni le jour suivant. Ni l'autre après. Les gens de la ville commencèrent à s'inquiéter. Quelques personnes se rendirent donc chez Henrietta. Ils la trouvèrent dans une chambre sombre, en compagnie d'une chienne agonisante. Daisy avait les yeux sortis de la tête, sa langue était bleue et pendait entre ses dents, et son pelage ébouriffé avait perdu tout éclat.

Préoccupées par l'état d'Henrietta et de Daisy, ces personnes insistèrent pour amener la chienne chez le vétérinaire. Elle devait être examinée. Les habitants de la ville se rendirent alors compte que Daisy était le moteur de la vie d'Henrietta.

Daisy fut conduite chez le Dr Bob Bullard, un vétérinaire entre deux âges d'apparence décontractée mais extrêmement minutieux et compétent. Celui-ci fit un examen d'urgence, qui révéla de graves problèmes. La maladie de Daisy pouvait être fatale, le traitement était coûteux, et Henrietta n'avait pas d'argent – raison pour laquelle elle n'avait pas amené Daisy voir le vétérinaire.

Dr Bullard admit Daisy à l'hôpital et entreprit des interventions d'urgence. Daisy allait devoir y demeurer. Henrietta rentra donc chez elle le cœur vidé : éteinte, sombre, sans espoir.

Le lendemain matin, une femme d'âge moyen et à l'air déterminé fit irruption par la porte de la clinique. Elle se présenta au médecin : « Enchantée de vous connaître. Je suis la fille d'Henrietta... Je suis venue de Californie aussitôt que j'ai appris ce qui arrivait à Daisy. »

La femme retira ses gants et enleva son manteau. « Pensez-vous que la chienne va s'en tirer? », demanda-t-elle au médecin.

Celui-ci se tourna vers elle d'un air inquiet, car il avait senti que quelque chose se dissimulait dans cette question. « Pourquoi voulez-vous le savoir?, demanda-t-il.

– Parce que je crois que la mort de Daisy serait vraiment la meilleure chose qui pourrait arriver. Maman est beaucoup trop vieille pour passer ses journées à vadrouiller dans le climat humide de l'Oregon. Si Daisy s'en allait, nous pourrions la convaincre de venir s'installer dans un foyer en Californie. Il est temps qu'elle abandonne cette fichue indépendance... Ce serait vraiment mieux pour elle. Tellement mieux. » Elle hésita un instant, puis demanda : « Ne pourrait-on pas donner un petit coup de pouce à Daisy? » Un peu confuse, elle enchaîna : « Cela délivrerait Daisy de ses souffrances. »

Le vétérinaire regarda l'acier froid de la table d'examen et essaya d'imaginer ce qui arriverait à Henrietta dans un environnement bureaucratique et trop réglementé, où ses volontés propres seraient constamment niées. Il dit alors d'une voix forte : « Eh bien, il vous faudra trouver une autre excuse que la mort de Daisy pour sortir votre mère d'ici... car Daisy a encore de longues années à vivre. »

À partir de ce moment commença une veille intense, faite de traitements médicaux, de soins attentifs et de prières. Une chose extraordinaire se produisit alors. L'histoire d'Henrietta s'était répandue de bouche à oreille dans toute la ville de Cornelius, et de petits montants d'argent se mirent à affluer pour payer une facture que le médecin n'avait d'ailleurs jamais eu l'intention d'envoyer. On alluma des lampions à l'église. Les dimanches matin, le vétérinaire quittait sa famille, les chevaux qu'il aimait et les springers avec lesquels il avait l'habitude de sortir dans les champs, et se rendait voir Daisy. Il s'assoyait sur le plancher en béton du chenil et, avec amour, la voix suppliante, il lui donnait à manger bouchée par bouchée.

Vous l'avez deviné. La guérison fut longue, mais Daisy s'en tira et Henrietta dit au revoir à sa fille en l'embrassant. La semaine suivante, le soleil recommença à briller à Cornelius. Car, au bout de la rue, on voyait approcher Henrietta accompagnée d'une silhouette blanche et duveteuse appelée Daisy.

Le vétérinaire n'avait pas seulement sauvé une chienne, il avait aussi sauvé une femme. Du coup, il avait remonté le moral de sa communauté. Malgré toute cette pluie qui tombe dans l'Oregon, Cornelius continuera de voir passer son rayon de soleil appelé Henrietta, elle-même propulsée par une petite chienne blanche appelée Daisy.

– Bill Tarrant

Le journal de bord de Capitaine

L'agent des loisirs et de la pêche eut le souffle coupé quand il s'agenouilla à côté du « cerf » blessé qu'on l'avait chargé de secourir. Il avait répondu à l'appel d'une vieille femme qui vivait en face du terrain inoccupé où elle avait aperçu l'animal en détresse.

Toutefois, il ne s'agissait pas d'un cerf, mais d'un doberman bleu, dont la couleur du pelage se rapprochait de celle des cerfs qui fréquentent les environs. La femme avait cependant raison sur un point. Le jeune mâle était, effectivement, en détresse. Il avait été privé de nourriture à un point tel que ses côtes ressortaient à travers sa peau comme des lames de rasoir. Il faisait la moitié de son poids normal. Son corps était couvert de plaies et de contusions, et son œil gauche avait été arraché, probablement, pensa l'agent, par une balle de fusil. L'agent prit dans ses bras le corps flasque et sans résistance et se dirigea vers le refuge pour animaux de la région. Le jeune chien était agonisant. Il se mit à trembler et se recroquevilla de peur quand il entendit les aboiements et le tumulte à l'intérieur du refuge.

L'espoir et la persévérance

Secourir des dobermans était l'une de mes spécialités. Je possédais un petit troupeau de chèvres laitières et, au cours des ans, j'avais eu souvent l'occasion d'utiliser leur lait très riche pour redonner des forces à des animaux malades ou orphelins. J'ai donc reçu cet appel de détresse qui allait me mener vers l'une des relations les plus gratifiantes de ma vie.

Nous l'avons appelé Capitaine, car il était tellement évident que, à ce moment de sa vie, il n'avait précisément pas le commandement sur son bateau.

Molly, ma chienne labrador noire, étais la seule à montrer un peu d'intérêt à l'égard de cette chose presque inanimée qui avait une odeur de chien, mais qui ne répondait à aucune de ses avances ou de ses invitations à jouer. Quand elle découvrit toute la place que j'allais donner à Capitaine, Molly nous bouda tous les deux pendant plusieurs semaines.

Capitaine avait été privé de nourriture assez longtemps pour que son système digestif ait de la difficulté à assimiler beaucoup plus que quelques cuillerées à soupe de nourriture à la fois. Je devais le nourrir toutes les deux ou trois heures, et ce, le jour comme la nuit.

Heureusement que j'ai le sommeil léger. Un peu comme une nouvelle mère avec son premier bébé, j'étais à l'affût du moindre son et du moindre mouvement. Peu importe l'heure, j'étais prête à accourir à la vitesse de l'éclair pour satisfaire à tous ses besoins.

Mon plan était de le remettre sur pied et de lui trouver un nouveau foyer. Mais une fois guéries ses lésions physiques, il resta longtemps avec des blessures mentales et émotionnelles qui le rendaient trop vulnérable pour une adoption. Chaque fois qu'il voyait une main s'élever au-dessus du niveau des épaules, il s'écrasait au sol terrorisé. Lorsque je faisais des travaux autour de la maison, la simple vue d'une pelle, d'un sarcloir, d'un râteau ou même d'un balai le faisait fuir dans un coin. Quels abus incroyables avait dû subir ce chien, qui se révéla pourtant de tempérament très doux.

Capitaine et Molly devinrent finalement de bons amis. Molly aimait bien tout régenter, comme pour lui rappeler qu'elle était le chef. Mais j'observai que, de plus en plus souvent, Capitaine était capable de la persuader de faire les choses à sa manière à lui. Il commençait à pratiquer les techniques de chien passif-dominant qu'il allait finir par maîtriser à la perfection pour séduire tous ceux qui feraient sa connaissance.

Après avoir travaillé avec lui pendant plus d'un an, je commençais à désespérer de réussir un jour à le rééduquer. Il sentit ma frustration, car il s'étendit devant mes pieds, posa son museau sur ma jambe et me regarda avec des yeux tellement remplis d'amour, d'espoir et de promesses que je sus à cet instant qu'il allait vivre avec nous jusqu'à la fin de ses jours.

Il avait dû recevoir le message par télépathie, car à partir de ce jour il se mit véritablement à s'épanouir. Grand « causeur », il reprenait cette même position, à mes pieds, la tête sur mes genoux, plusieurs fois par jour. Il conversait avec moi sur tous les sujets, des événements de la journée à mes projets d'avenir. Il formulait silencieusement des réponses aux moments appropriés et semblait affectionner ces séances. Il me fixait du regard et faisait tous les efforts pour comprendre. Les animaux sont des créatures qui se plaisent dans les habitudes. Ce fut donc le début d'un rituel quotidien auquel tous les deux nous tenions précieusement.

Le regard anxieux et craintif laissa graduellement la place à la confiance et à la sérénité, agrémentée d'une touche d'humour espiègle qui se laissait deviner sous la surface. Il était maintenant prêt à socialiser. Capitaine était déjà chez lui un hôte accompli, qui faisait la joie des visiteurs. Je fus surprise de constater que, du moment qu'il ne me perdait pas de vue, il commençait à prendre plaisir à s'approcher des gens qu'il rencontrait dans le parc ou dans la rue.

Le club canin local organisait tous les mois des visites dans des maisons de retraite. Étant donné que Capitaine avait un caractère doux et calme, et que son pelage satiné était agréable à caresser, on le mit à l'essai en le laissant se joindre à un groupe. Il eut un succès sans précédent et passa les dix années suivantes à partager tout l'amour et la compassion que son cœur contenait avec ces vieilles personnes qu'il désirait ardemment réconforter.

Chaque année, l'Arizona Veterinary Medical Association accorde des prix aux animaux ayant fait preuve de qualités remarquables. Les directeurs de plusieurs maisons de retraite soutinrent la candidature de Capitaine afin qu'on lui octroie une reconnaissance spéciale. La plaque de bronze fut présentée dans le cadre d'une rencontre avec l'American Veterinary Medical Association, ce qui donna à l'événement une diffusion nationale.

Capitaine fut brossé et toiletté jusqu'à ce que reluise chaque centimètre de son corps. Il savait que c'était sa journée, et il ne cessait d'agiter son petit bout de queue. On nous avait dit de demeurer au niveau de la salle, devant la scène où se trouvaient le présentateur et le micro, pour recevoir le prix. Cap, convaincu que les gens de la salle ne le voyaient pas suffisamment, sauta de son propre chef sur la scène, alla droit en avant et fit cadeau au public très nombreux de son sourire du « chien le plus heureux du monde ». Il ne savait plus où donner de la queue sous le tonnerre d'applaudissements. Quel cabotin!

Sur le trajet du retour, Cap eut sa gâterie préférée : un Big Mac, sans ketchup.

Le club canin animait aussi chaque année des séances de sensibilisation dans les écoles primaires, afin d'inciter les propriétaires de chiens à se responsabiliser. Le but de ce programme était de susciter de bonnes habitudes chez les jeunes enfants, dans l'espoir qu'ils les conservent à l'âge adulte.

À ma connaissance, même s'il avait été victime de très mauvais traitements, Cap n'a jamais réagi à une menace en montrant les dents ou en grognant. Il semblait toujours prêt à présenter l'autre joue. C'est ainsi qu'il put se joindre à la brigade scolaire. À la fin des séances, nous permettions aux enfants de s'approcher pour caresser et toucher les chiens. Nous devions donc nous assurer que tous les chiens soient suffisamment équilibrés et capables de faire face calmement aux gestes inattendus des enfants.

Je l'observai donc pendant que les marmots le caressaient, le serraient ou essayaient de l'attraper. Sa réaction était de lever la tête vers eux, avec son fameux sourire étiré jusqu'aux oreilles. Je n'avais pas à m'inquiéter. Un nouveau chapitre de sa vie allait pouvoir être écrit. Il reçut une montagne de grandes enveloppes en papier kraft contenant les remerciements des centaines d'enfants qu'il a réussi à séduire au cours des ans.

Une équipe de Hollywood vint dans notre ville pour tourner des séquences ayant notre scène locale comme toile de fond. Il y avait un rôle pour un chien. Environ une douzaine d'aspirants se présentèrent à l'audition. Cap et moi étions en retard. Tandis que je descendais la rue avec lui en toute hâte, il saluait tout le monde que nous croisions et s'arrêta enfin pour converser avec le policier qui dirigeait la circulation. Le réalisateur et l'acteur principal, Peter Coyote, nous virent arriver et prirent leur décision sur le champ. Cap eut le rôle. Comme il avait été dressé au sifflet silencieux et savait hurler sur commande, il possédait certainement des talents utiles.

Le film, intitulé *Living a Lie*, était produit par la CBS. L'une des actrices principales était Jill Eikenberry, de la série télévisée *LA Law*. Cap incarnait le chien d'un méchant personnage qui l'abandonnait dans sa camionnette pendant plusieurs heures tandis qu'il se rendait dans un saloon. Le costume de Cap consistait en un foulard bleu et rose. La scène qu'il tournait avait lieu à l'arrière du pick-up.

La nuit du tournage, son jeu fut parfait. Il reçut le cachet « or » – 150 $ pour huit heures de travail. Ce montant, le double du taux en vigueur, était sa récompense pour avoir réussi la scène du premier coup, sans qu'on n'ait à tourner de nouvelles prises.

Pauvre Cap. Sa première expérience cinématographique avait bien sûr été un succès, mais il fut ensuite, comme dit le proverbe, « malade comme un chien » pendant trois jours. En attendant sa scène, il avait enjôlé tous les membres de la distribution et s'était fait donner des petits pains à la dinde, au rosbif et au fromage venant du wagon-restaurant.

L'espoir et la persévérance

Quand il eut plus de dix ans, je commençai à limiter quelques-unes de ses activités extérieures. J'avais de nouvelles responsabilités à la maison. Ma mère, qui était à la fin de sa vie, vint vivre avec nous. Il se désigna lui-même aux tâches d'infirmier personnel et de garde du corps ; elle ne se retrouvait jamais seule. Il lui prodigua les meilleurs soins et fit preuve de toute la prévenance à laquelle il s'était exercé pendant plusieurs années. Il plaçait sa tête sous sa main quand elle était trop faible pour la soulever et restait sans bouger pendant des heures pour qu'elle puisse le toucher et sentir sa présence.

Après la mort de ma mère, Cap orienta ses attentions vers les deux nouveaux manchester terriers qui venaient de naître dans le garde-robe de ma chambre à coucher. Leur mère, Tracy, imposait une sainte terreur à quiconque s'approchait de ses bébés, mais Capitaine mit en œuvre ses dons habituels et les chiots ne tardèrent pas à venir se blottir contre lui pour faire leur sieste ou mâchouiller ensemble leurs jouets en caoutchouc, sous le regard placide de Tracy qui s'installait à proximité et se montrait ravie d'avoir une nounou à la maison.

Quand il eut treize ans, nous déménageâmes dans un petit ranch de cinq acres en contrefort des Rocheuses. Nous rendîmes visite aux pensionnaires de la maison de retraite et du foyer pour vétérans de la région, mais Capitaine commençait à avoir moins de résistance et semblait préférer rester à la maison. Il faisait sa tournée quotidienne de nos cinq acres et préférait s'allonger dehors à observer le cerf et l'antilope qui venaient brouter dans le pré. Ceux-ci s'enfuyaient aussitôt qu'ils apercevaient un autre chien, mais ils ne tardèrent pas à se sentir en confiance avec Capitaine et à ignorer sa présence. Peut-être le cerf pensa-t-il qu'il était l'un des leurs, répétant la même erreur d'identité qui s'était produite tant d'années auparavant.

Il y avait dans la cour une maisonnette pour enfants construite au-dessus d'un carré de sable. Le carré de sable devint le palais d'été de Cap. Il y faisait ses siestes de l'après-midi enfoui dans le sable frais.

Malgré tout le chemin qu'il avait réussi à parcourir, il lui restait un fond d'insécurité avec lequel il devait composer. Tout les soirs, il prenait un carré de flanelle pour aller se coucher. Il tenait le doux morceau de tissu entre ses pattes, en tirait une bonne partie vers lui, lui « parlait » pendant quelques minutes, puis tombait endormi en suçant un coin. Avait-il perdu sa mère à un trop jeune âge? Toutes les nuits, il avait sa doudou, sa « couverture de Linus » bien propre. Dans la lessive hebdomadaire, il y avait donc toujours une petite pile de carrés de flanelle troués aux endroits qu'il avait mâchouillés.

Au cours du printemps où il eut ses quinze ans, je remarquai un léger écoulement rosâtre à l'une de ses narines. Les antibiotiques et les stéroïdes firent effet pendant un certain temps, mais nous dûmes envisager la possibilité d'une tumeur à l'os nasal. En général, ce genre de tumeur se développe lentement. Au moment où les symptômes apparaissent, il est souvent trop tard pour intervenir. Il ne semblait pas souffrant, mais simplement incommodé. Il mangeait tous ses repas avec le même appétit, continuait de mâchouiller ses jouets et dormait avec les manchester terriers blottis tout contre lui. Un dimanche matin, il courut toutefois vers moi avec du sang qui coulait abondamment de sa narine. Il avait dans les yeux la même expression que le premier jour où je l'ai vu – non pas de la douleur, mais de la peur. Il ne comprenait pas ce qui lui arrivait et, effaré, me suppliait de l'aider.

Au cours de l'une des conversations que nous avions eues pendant la première année, je lui avais promis de ne jamais lui laisser vivre aucune souffrance qui ne serait absolument nécessaire, car il avait déjà subi plus que sa part. Le moment où je devais tenir ma promesse était arrivé.

J'appelai immédiatement la vétérinaire. Si elle se dépêchait, elle serait chez nous en moins de vingt minutes. Je le berçai dans mes bras, et nous eûmes notre dernière conversation. Il me regardait dans les yeux et ne quitta pas mon regard, même après l'arrivée de la vétérinaire. Celle-ci installa le tourniquet et administra l'injection qui allait l'amener de l'autre côté du Rainbow Bridge. [N.D.T. Le Rainbow Bridge, ou « pont de l'Arc-en-ciel », relie la Terre et le Ciel et mène à un lieu idyllique où se retrouvent les animaux chers morts ou disparus.] Il ne pouvait plus parler, mais le message dans ses yeux disait clairement « merci et au revoir ».

Sa doudou est maintenant sur une étagère dans la salle de lavage. Capitaine n'en a plus besoin et il nous l'a laissée au cas où nous aurions besoin du réconfort qu'il n'est plus en mesure de nous donner en chair et en os. Les manchester terriers jettent encore tous les jours un coup d'œil dans le carré de sable et font le tour de la propriété à sa place. Ils ne s'intéressent pas beaucoup à leurs jouets et ne savent pas trop où s'installer pour faire leurs siestes. Ils vont finir par s'en remettre, mais je crois qu'une partie d'eux-mêmes s'ennuiera et se souviendra toujours de cet ami qu'ils aimaient tant.

S'agit-il d'une saga à l'américaine où le pauvre se sort de la misère ou s'agit-il d'une histoire d'amour? Peut-être un peu des deux. Je crois toutefois que les moments les plus marquants et significatifs de cette aventure se rapportent aux centaines de personnes qui ont été irrésistiblement touchées par ce large sourire contagieux et ce petit bout de queue constamment agité, et par le grand cœur d'un chien qui, en réponse à toute l'horreur que l'espèce humaine lui a fait endurer, a offert le meilleur de lui-même.

Les anges sont à la mode cette année. Peut-être Dieu envoie-t-il de temps à autre un de ses émissaires spéciaux sur terre pour nous montrer la vraie force de son Amour. Et peut-être ai-je simplement été touchée par un ange… un ange à quatre pattes appelé Capitaine.

– Bonnie J. Keith

Chapitre 5

Histoires cocasses

Je suis la joie dans un manteau laineux, venue danser dans votre vie pour vous faire rire!

– Julie Church

Les chiens rient, mais ils rient avec leur queue.

– Max Eastman

Il connaissait tellement de mots que mon mari et moi devions parfois les épeler pour parler entre nous. Bien sûr, comme il avait toujours été traité comme une personne (il s'assoyait souvent à la table avec une serviette attachée au cou), Fafner se considérait lui-même comme une personne. Son attitude à l'égard des autres chiens était un mélange d'arrogance et de dédain. Il jappait furieusement aussitôt qu'il en voyait un.

– Brooke Astor

Jeremy Boob, golden retriever

Nous avions choisi de passer l'été à la campagne, ce qui, ajouté à notre attitude généralement ouverte avec les enfants et avec les animaux, provoqua un véritable raz-de-marée. Nous avions déjà Winnie, un carlin, Biddy, un caniche nain, Nel, un chien de race mêlée (c'est-à-dire un bâtard) et Oomiac, un husky sibérien. C'est alors que notre fille, Pamela, décida que la meilleure manière de dépenser la première paie que lui rapporterait son nouvel emploi comme professeur d'équitation allait être, vous l'aurez deviné… l'achat d'un chien. Voilà comment Jeremy Boob arriva parmi nous.

Je dois l'avouer, Pamela mena le tout de main de maître. J'étais à cette même machine à écrire quand s'ouvrit la porte de mon bureau. Pamela entra, portant dans ses bras un énorme chiot golden retriever. Plusieurs de ses amies suivaient derrière. Leur plan, semble-t-il, était de se mettre ensemble à me dévisager si je réagissais mal. Il est très difficile de garder la tête froide quand la moitié de la jeunesse de la ville vous observe. Quoi qu'il en soit, Jeremy resta parmi nous, et c'est un chien merveilleux.

Jeremy venait d'une vieille et bonne lignée – la tête massive, le poitrail large, un tempérament attachant, absolument parfait. Il était tout à fait le portrait de son père, Junior Grossman, le géniteur probable de la moitié des golden retrievers de l'est d'Hawaï.

Jeremy, hélas, a la très mauvaise habitude de s'échapper en sautant par-dessus la clôture de la cour où nous gardons la majorité de nos chiens. Une fois libre, Jeremy se dirige toujours vers le même arrêt d'autobus où, chaque après-midi, environ à la même heure, l'autobus scolaire dépose un groupe d'enfants. Profitant de sa liberté provisoire, Jeremy va ainsi à la rencontre des enfants et choisit son « enfant du jour », qu'il suit jusque chez lui. Habituellement, il s'organise pour se faire donner un biscuit ou deux – c'est du moins ce que dit la rumeur – et, au bout d'un moment, demande la porte et rentre à la maison. Bien qu'il y ait peu de circulation dans notre quartier, nous n'encourageons pas le vagabondage.

Jeremy porte bien sûr une plaque d'identification à son collier, avec son nom, le nôtre et notre numéro de téléphone. Au cours de l'une de ses expéditions dans d'autres maisons, dans d'autres cuisines, la mère de l'enfant qu'il avait choisi cette journée-là se dit, bien intentionnée, que le chien ne devait pas être relâché seul dans la rue. Elle vérifia la plaque d'identification de notre très affable Jeremy et, sans doute parce qu'une partie était rouillée, ne put lire que son nom de famille, Boob.

Le téléphone sonna donc à la maison, et ma très anglaise belle-mère prit l'appel.

La voix à l'autre bout du fil s'exprima très clairement : « J'ai votre Boob. » [N.D.T. Boob signifie « gaffe » ou « erreur » et, s'agissant d'une personne, « nigaud ». En langage très familier, surtout en Angleterre, boobs signifie aussi « nichons ».]

« Je vous demande pardon! », répondit ma belle-mère. Vous ne pouvez imaginer l'effet de ces quatre mots quand ils sont prononcés par Phyllis Langdon Smith Barclay, diplômée de l'école pour jeunes filles de Madame Machin, à Henley-on-Thames. « Vous avez quoi? enchaîna-t-elle.

– J'ai votre Boob. »

Mon fils fut immédiatement chargé par sa mamie d'aller récupérer le chien de sa sœur. Je servis pendant ce temps un verre de sherry à ma belle-mère. « Que croyez-vous que cette femme avait en sa possession! Une belle gaffe, en effet. »

– Roger Caras

Quand on connaît son métier

Jimmy Joe Woodard, mon associé à la radio, aimait les chiens. En particulier les chiens de chasse. Joe était renommé pour avoir les meilleurs chiens de chasse de la région. L'un des plus remarquables était ce bon vieux Jake. Une année, pour son anniversaire, la femme de Joe chargea un photographe de réaliser un portrait de Jake en position d'arrêt. La photographie était superbe et de bonne dimension. Joe la plaça bien en évidence sur un mur dans son grand bureau.

Tout comme les gens, les chiens sont sensibles aux soins et à l'attention qu'on leur porte. Joe les nourrissait, les dressait, jouait et travaillait avec eux, et les amenait même nager. Il a dû en avoir des douzaines. Sur toutes ces années, deux de ses préférés furent une paire de pointers appelés Dot et Zell.

Il les adorait. Quand l'arthrite attaqua les hanches de Dot, il dépensa donc une quantité énorme d'argent pour l'intervention chirurgicale qui permit à la chienne de bénéficier de nouvelles hanches.

La tâche d'un chien de chasse est évidemment de tomber en arrêt devant les oiseaux. Tout comme les personnes qui excellent dans leur sphère d'activité, les meilleurs chiens de chasse ne vivent que pour ce travail et ils aiment ce qu'ils font. Lorsqu'ils repèrent des oiseaux, ils tombent en arrêt. S'ils aperçoivent un autre chien en position d'arrêt, ils secondent cet autre chien et tombent en arrêt dans sa direction. Ils offrent un exemple parfait de ce que doit être le travail d'équipe.

Après qu'on lui eut remplacé les hanches, Dot dut dire adieu à la chasse. Elle devint l'enfant chérie de Joe. Dans ses temps libres, il la trimbalait partout dans son camion. Elle le suivait où qu'il aille.

La première fois qu'il l'amena à son travail, elle marcha à pas feutrés derrière lui dans le couloir. Lorsqu'elle tourna le coin et entra à l'intérieur de son bureau, elle aperçut le portrait de Jake. À la seconde, en pleine station de radio, Dot tomba magnifiquement en arrêt! Elle secondait encore le bon vieux Jake!

– Bryan Townsend

Mettre un chat dehors

En 1987, nous emménageâmes dans une vieille maison de ferme (environ 1790). Nous n'étions que tous les quatre : mon mari, moi-même, notre fille et Pepper, notre springer.

Nous étions à peine installés quand je remarquai la présence de souris. Comme je trouve trop dangereux d'utiliser du poison, des appâts, des trappes ou encore ce produit collant qui retient les souris, je me dis qu'il me fallait un chat.

C'est ainsi que Puss Puss, un minuscule chaton roux, est arrivé.

Avec le temps, il devint un chaton merveilleux, adorable, joueur et gâté. Nous l'aimions tous, sauf Pepper, qui était extrêmement jaloux.

Nos problèmes allaient commencer. Nous gardions Puss Puss à l'intérieur, car il était vraiment minuscule. Mais chaque fois que nous avions le dos tourné, tout d'un coup, il se retrouvait à l'extérieur. Nous n'avions aucune idée de la manière dont il réussissait à sortir. Que pouvait-il bien se passer?

Finalement, un bon jour, nous surprîmes Pepper en train d'ouvrir la porte de quelques centimètres avec son nez, juste assez pour laisser sortir le chaton, pour ensuite s'en revenir avec l'air le plus innocent du monde occuper sa place d'animal favori de la maison.

– Joan Stauffer

Admission d'urgence

Steve Ford, d'Owensboro, dans le Kentucky, était paniqué. Il avait appris que son cher labrador avait été victime d'un accident de la circulation, mais il ne le trouvait nulle part. Il appela finalement l'Audubon Animal Hospital, où on l'informa que son chien, Jojo, était déjà sur place.

Après s'être fait blesser à la patte dans l'accident, Jojo avait parcouru une distance d'environ 1,5 kilomètre jusqu'à l'hôpital vétérinaire qu'il avait fréquenté occasionnellement, et il avait procédé lui-même à son admission. « Il est arrivé à la porte, s'est arrêté et a tout simplement présenté sa patte blessée », commenta plus tard le vétérinaire Robert Byrd.

Jojo ne fut pas tenu de remplir de formulaire pour son traite-ment.

« Il s'est présenté sans la permission de son propriétaire », ajouta Byrd. « Étant donné que son propriétaire n'avait pas procédé lui-même à l'admission, je ne savais pas si je devais ou non le soigner. Mais je suis sûr que Jojo a son propre compte-chèques. »

En quelques jours, Jojo fut soigné et remis à Steve Ford.

– Michael Capuzzo

Ralph le basset

Ralph était un gros mâle brun et blanc d'environ 40 kilos. Mon histoire préférée à son sujet est celle de ses fameuses sies-tes sur le bord de la rue. (Il pouvait dormir partout, peu impor-te ce qui se passait autour.) Les gens qui passaient près de lui s'approchaient en l'apercevant. (Il se couchait non pas en rond, mais allongé de tout son long sur le côté, ce qui lui donnait tout à fait l'allure d'un cochon mort.) Lorsqu'ils se penchaient pour le caresser, il ne bronchait pas d'un poil, sauf peut-être pour émettre un genre de gémissement et lever vers eux ses yeux injectés de sang. La plupart des gens décidaient alors qu'il avait été frappé par une voiture et venaient nous avertir. La première fois, je me suis vraiment inquiété, mais j'ai commencé à douter quand je me suis mis à leur demander s'ils l'avaient vraiment vu se faire frapper. Les gens me répondaient : « Non, mais il est couché par terre, il gémit et ne bouge pas. » Je sortais le retrouver et je me penchais pour le caresser, en lui disant : « Ralph, c'est vraiment embarrassant. Lève-toi et rentre à la maison. » Je remerciais les gens, et ensuite Ralph se levait pour me suivre en trottant. Cette scène s'est répétée plusieurs fois. Dans le cadre de notre défilé d'animaux local, une catégorie a été créée pour le « Chien le plus paresseux ». Ce prix est accompagné d'un petit montant d'argent. Ralph n'eut aucune difficulté à le remporter deux années d'affilée. Mais ensuite il est mort.

– Carl Hanson

La réponse

Il y a plusieurs années, avant que je ne m'intéresse au comportement animal, je travaillais pour un cabinet très achalandé à Glasgow, en Écosse. Un soir, un homme entra dans la salle de consultation avec un terrier Jack Russel dans les bras et les larmes aux yeux. Il hocha lentement la tête. « J'ai bien peur d'avoir à vous demander de l'endormir, docteur », dit-il tristement en déposant délicatement la chienne sur la table d'examen.

« Quel est son problème?, demandai-je.

– Eh bien, c'est que Sally est très destructrice. Elle attaque le téléphone et le mange chaque fois qu'il sonne. Elle a détruit trois téléphones jusqu'à maintenant et nous n'avons pas les moyens de les remplacer un après l'autre.

– Elle mange les téléphones? demandai-je incrédule. Ne pouvez-vous pas tout simplement mettre le téléphone hors de sa portée?

– J'ai bien peur que non. Où qu'il soit, elle réussit à l'atteindre. J'aime beaucoup Sally et je n'ai pas pris cette décision à la légère. Mais il semble bien qu'il n'y ait pas d'autre solution que de la faire piquer. »

Je regardai Sally, qui inclina légèrement la tête et me retourna mon regard en silence. C'était une belle chienne, encore toute jeune. Cela me semblait tellement regrettable d'avoir à l'endormir.

« Est-ce que je pourrais faire une tentative pour la traiter? », demandai-je, en fouillant dans ma mémoire en quête d'une solution à ce problème.

« Que pourriez-vous faire, docteur?, demanda l'homme.

– Je pourrais la mettre sur les Valium », suggérai-je en jouant le tout pour le tout. Peut-être que ça la calmerait un peu.

– D'accord, dit l'homme. Ça vaut sûrement la peine d'essayer. »

Je prescrivis une dose relativement faible de Valium à lui administrer trois fois par jour et je donnai congé à l'homme et à sa chienne. La semaine suivante, l'homme revint me voir. Il semblait encore plus triste que la dernière fois.

« Ça n'a pas fonctionné, docteur, dit-il. Elle a encore sauté sur le téléphone. J'ai bien peur qu'il ne vous reste plus qu'à l'endormir.

– La dose que j'ai prescrite était assez conservatrice, lui dis-je. Ne voulez-vous pas me donner une autre semaine pour que j'essaic une dose plus élevée? »

Il accepta et repartit pour une autre semaine avec le double de la dose. La semaine suivante, ce fut la même histoire : pas d'amélioration. J'avais conscience d'être dans une course contre la montre. Je le suppliai de m'accorder une dernière semaine à la dose maximale, et il accepta sans grand enthousiasme cette ultime mesure. Après ce qui me parut être une très longue semaine, il me revint avec un sourire radieux.

« Tout s'est arrangé, docteur, dit-il. Je crois que nous pouvons la garder. Votre traitement a fonctionné. »

Ravi d'entendre cette bonne nouvelle, je lui demandai : « Dois-je donc comprendre qu'elle ne réagit plus à la sonnerie du téléphone?

– Eh bien, ce n'est pas tout à fait ça, dit-il. Elle essaie encore de l'attraper, mais elle est tellement au ralenti que je peux mettre la main dessus avant elle. »

– Dr Nicholas Dodman

Le dressage de Zippy

Tout le monde devrait avoir un animal de compagnie. Et je ne dis pas cela uniquement parce que l'American Pet Council m'a donné un hélicoptère. Je le dis parce que ma famille a toujours eu des animaux et que, sans eux, notre vie aurait été loin d'être aussi riche en – vous me trouverez sentimental, mais c'est ainsi que je le ressens – saleté.

Les animaux de compagnie sont une manière qu'a trouvée la nature de nous rappeler que, dans l'incroyablement complexe chaîne écologique, il n'y a pas de place pour les meubles. Ainsi, le seul élément de décoration estimable que je possède est un tapis oriental, acheté sur les conseils d'un décorateur dans une vaine tentative de devenir une personne de bon goût. Ce tapis est beaucoup trop beau pour les grands habitués des trempettes à l'oignon qui habitent ma maison, et j'ai pensé sérieusement à l'entreposer dans une grande boîte où il serait en sécurité. Mais j'ai finalement décidé, dans un moment d'abandon, de l'étendre sur le plancher. J'ai alors animé, à l'intention d'Earnest, notre chien principal, et de Zippy, notre petit auxiliaire, un séminaire exhaustif sur le comportement à l'égard des tapis.

« *Non*! », leur répétai-je environ soixante-quinze fois avec mon regard le plus sévère et en pointant le tapis. Cette technique de dressage éprouvée les poussait à s'en aller honteusement comme le font les chiens quand ils se sentent très coupables mais n'ont aucune idée de la nature de leur faute. Satisfait, je sortis dîner.

J'ai plus tard établi, à l'aide d'une calculatrice électronique, que ce tapis couvre environ 2 % de la surface totale de ma maison, ce qui veut dire que si vous (pas vous personnellement) avez chez moi une crise de diarrhée, les probabilités sont d'environ 90 contre 1 que cela se produise sur mon tapis oriental. La probabilité que vous ayez 4 fois la diarrhée sur ce tapis sont de plus de 5 millions contre 1. Je devais donc en conclure qu'il s'agissait d'un geste délibéré. Le tapis semblait avoir reçu la visite d'un élevage particulier et extrêmement bien dressé de dobermans producteurs de crottes ; toutefois, après avoir mené enquête auprès des deux chiens, je me rendis compte que toute cette massive « production » était l'œuvre de Zippy. Peut-être essayait-il de faire les choses correctement. Peut-être, dans une zone quelconque du nodule de tissus nerveux de la grosseur d'un grain de café qui lui servait de cerveau, se rappelait-il que le Maître lui avait dit quelque chose au sujet du tapis. Oui! C'est ça! Au tapis!

Zippy eut au moins la décence de se sentir coupable de ce qu'il avait fait. On ne pouvait pas en dire autant de Mousse, un chien qui appartenait à un couple de ma connaissance, Mike et Sandy. Mousse était un labrador, c'est-à-dire une race de chien énorme, enthousiaste, à l'épreuve des balles et faite entièrement de matériaux synthétiques. C'est le genre de chien qui, s'il se découvre un intérêt pour vos parties intimes (ce qu'il n'évitera pas de faire), sera impossible à tenir à distance, même avec un chalumeau.

Ainsi donc, Mike et Sandy avaient à la maison deux invités qui étaient arrivés avec des parkas de duvet flambant neufs pour lesquels ils avaient dû payer très cher. Les parkas se sont retrouvés pendant plusieurs heures dans une chambre fermée en compagnie de Mousse. Quand on ouvrit finalement la porte, la visibilité à l'intérieur de la chambre était considérablement réduite à cause d'une impétueuse tempête de duvet, au centre de laquelle on pouvait distinguer un énorme tas de duvet frissonnant semblable à un gigantesque caneton mutant, sauf que celui-ci avait les yeux de Mousse rayonnant de bonheur.

Mike, Sandy et leurs invités restèrent figés un bon moment devant cette vision. Finalement, Mike, un type costaud et autoritaire, entra d'un pas colérique dans la chambre et claqua la porte. Il resta dans la pièce plusieurs minutes, puis réapparut, l'air très sérieux. Le tas de duvet se tenait derrière lui, en agitant gaiement la queue.

« J'ai parlé à Mousse, commenta Mike, et il m'a dit qu'il ne recommencerait plus. »

Les gens deviennent souvent un peu dérangés à cause de leurs animaux. Il faut en effet être un peu fou pour posséder un chat, un animal dont le mode de communication préféré est d'enfoncer ses griffes à un demi-centimètre dans votre chair. Que Dieu bénisse le propriétaire d'un chat qui doit sortir de chez lui en quête de nourriture. Il n'est pas rare de voir une dame âgée parcourir les allées du supermarché avec un chat collant comme une sangsue à ses jambes tandis qu'elle essaie désespérément d'atteindre le rayon de la nourriture pour animaux avant de s'effondrer au bout de son sang.

Pour ce qui est du plus pur exemple d'hostilité chez un animal, rien ne bat évidemment le perroquet. Je fonde cette affirmation sur Charles, un perroquet de ma connaissance ayant appartenu à un couple, Ed et Ginny. Charles avait un QI de 260 et avait compris très tôt dans sa vie que s'il parlait aux gens, ceux-ci s'approcheraient suffisamment pour qu'il puisse les mordre. Il aimait tout particulièrement mordre Ed, dont il désirait rompre le mariage afin de récupérer Ginny, la maison, la carte American Express, etc. Dans un effort pour améliorer leur relation, Ginny ourdit (ah! ah!) donc un plan selon lequel Ed amènerait Charles à – et je n'invente pas – l'école d'obéissance pour perroquets. Tous les samedis matin, Ed et Charles partaient recevoir leur leçon de dressage, et tous les samedis après-midi, Ed revenait à la maison avec des bouts de chair manquant à son bras. Ginny finit par réaliser que cela ne marcherait jamais, et se débarrassa de Ed.

Je blague, bien sûr. Qui voudrait de Ed? Ginny se débarrassa de Charles, qui occupe aujourd'hui le poste de conseiller en relations publiques auprès de Miss Zsa Zsa Gabor. Nous voyons donc qu'il y a plusieurs avantages à posséder un animal de compagnie. N'hésitez pas un instant à vous en procurer un. Si vous achetez maintenant, je vous ferai aussi un très bon prix pour un tapis.

– Dave Barry

Chapitre 5

Le homard apso

Un jour de congé, l'année dernière, mon mari et moi décidâmes de nous offrir un vrai festin et de faire cuire des homards du Maine. Bear, notre lhasa apso, est un chien curieux et très intelligent. Nous nous demandions donc comment il allait réagir devant un homard vivant dans la maison. Nous achetâmes les homards et les rapportâmes chez nous. Bear est le genre de chien qui semble aimer de manière générale les animaux et les enfants. Nous pensions donc que tout se passerait bien.

Notre cuisine a deux entrées, et nous plaçâmes un des homards sur le plancher. Bear s'approcha et se pencha un instant vers le croustillant obstacle. En avançant et en reculant lentement, perplexe devant ce qu'il voyait, il fit le tour et revint par l'autre entrée, pour se retrouver derrière le homard. Il le flaira par en arrière, en essayant de comprendre.

Soudain, il quitta la cuisine et courut jusqu'à sa boîte de jouets, où il prit une balle de tennis. Bear apporta la balle de tennis à son nouvel ami et la déposa devant le homard. Croyant que le homard jouerait avec lui, il resta là à attendre qu'il lui retourne la balle.

Ils étaient tellement adorables à voir, tous les deux. Après avoir pris conscience de la communication qui s'était établie entre eux, il m'était impossible de cuire le homard. Notre dîner fut reporté, et nous ne sommes plus capables de manger de homards depuis ce temps.

– Linda et George Lafferty

Voyager avec Lucy

Lorsqu'elle me voit préparer mes bagages, Lucy, mon caniche miniature blanc, se glisse dans sa cage de voyage, d'où elle me regarde avec ses grands yeux bruns. Elle me dit ainsi à sa manière qu'elle ne veut pas être oubliée.

Elle ne devrait pas s'inquiéter. Au cours des sept années de sa vie, elle m'a souvent accompagnée en voyage. Il existe des villes en Grèce, en Turquie, en Syrie et en Indonésie où tout le monde connaît son nom. Les femmes la montrent du doigt, les enfants se mettent à rire et de grands hommes moustachus s'é-crient « Oh, Loo-see », avec l'accent de Ricky Ricardo. Je ne mérite pas tant d'attention ; je ne suis que sa propriétaire.

On ne passe pas inaperçue quand on voyage avec un chien. Dans les pays musulmans, m'avait-on dit, un chien ne serait pas le bienvenu parce qu'on considère dans ces régions que les chiens sont sales. Cependant, rien n'est plus faux. Lucy était mon ambassadrice, un symbole de bienveillance frisé et à qua-tre pattes. Les capitaines de ferry-boats, les chauffeurs d'auto-bus et les hôteliers nous offraient une place spéciale, et les ser-veurs lui gardaient les meilleurs restes. L'attention en devenait parfois accablante.

Les caniches sont très rares en Indonésie. Comme partout ailleurs, Lucy y fut populaire. Les gens disaient « Bagus, bagus » sur un ton d'admiration, tendaient prudemment la main, mais la touchaient rarement. Ils aimaient toutefois l'ob-server.

Un soir, à Yogyjakarta, une ville historique au climat torride située dans le centre de Java, je profitais de la piscine de l'hô-tel pour me rafraîchir. Lucy me suivait d'un bout à l'autre du bassin, inquiète que je n'échappe à son œil vigilant. Après plu-sieurs minutes, se disant sans doute qu'il faisait trop chaud pour courir, elle prit son envol, se jeta à l'eau et se mit à nager avec moi. Je la sortis de la piscine et la grondai, consciente des regards qui nous observaient derrière les arbustes. J'entendis quelqu'un glousser.

Le lendemain matin, la préposée à la réception me demanda : « Était-ce votre chienne qui nageait dans la piscine hier soir? »

Je fus bien obligée d'admettre que c'était mon caniche.

Chapitre 5

« S'il vous plaît, laissez-la recommencer. Je n'ai pas réussi à voir. »

– Diana Kordas

Échange de vœux

Au cours d'une cérémonie accompagnée des hurlements à la fois des fiancés et de leurs invités, Maximillian Von Pershing, 14 ans, et Coco La Moco, 15 ans – une chienne bâtarde au pelage brun clair, gris et blanc que l'on a décrite comme un « 10 % caniche » – furent déclarés teckel et femme.

Le marié portait un smoking noir et un chapeau haut-de-forme. Il était escorté par un garçon d'honneur tenant une laisse pourpre. La mariée portait sur la tête un nœud de dentelle et un voile se déployait sur son dos. Sa laisse était aussi ornée d'un ruban de dentelle. Les nouveaux mariés échangèrent leurs vœux en aboyant, scellèrent leur union avec des biscuits pour chiens, et un des participants au mariage fit la lecture des vœux. La cérémonie se déroula sans accroc, si on oublie le berger allemand qui se mit à aboyer de la proue d'un bateau qui longea le belvédère. (« Un ancien amoureux jaloux », fit remarquer quelqu'un dans la foule.)

Le *St. Petersburg Times* publia des passages de la cérémonie qui unit Maximillian Von Pershing et Coco La Moco :

Chers amis
Nous sommes ici réunis
Pour offrir à ces deux amoureux
Un solide attachement légal
En un lieu et en une époque
Où se multiplient les divorces et l'infidélité
Il est rafraîchissant de voir
Que ce chien courant de race noble
Et vous, Coco La Moco

Oh, vous, 10 % caniche
Vous vous soyez juré fidélité
Et tout le bataclan
On peut donc dire que cette union
Est un décret de la Providence
Et cela je le sus dès le moment
Où Maxie l'a flairée

– Charles Hoskinson

Cédric

La voix à l'autre bout du fil était étrangement hésitante.

« M. Herriot... Vous m'obligeriez si vous veniez examiner mon chien. » C'était une femme, de toute évidence bien nantie.

« Certainement. Qu'est-ce qui ne va pas?

– Eh bien, il... euh... il semble être affligé de... de certaines flatuosités.

– Je vous demande pardon? »

Après une longue pause, elle reprit : « Il a... d'excessives flatuosités.

– Comment cela se manifeste-t-il, exactement?

– Eh bien... je suppose que l'on pourrait dire qu'il a des... gaz. » La voix s'était mise à trembler.

Je croyais commencer à comprendre. « Vous voulez dire des gaz d'estomac?

– Non, ce n'est pas son estomac. Il se dégage... euh... une quantité considérable de... gaz de son... son... » Le ton laissait transparaître un certain désespoir.

« Ah oui! » Tout est soudain devenu clair. « Je comprends très bien. Mais cela ne m'a pas l'air très grave. Est-il malade?

– Non, à part cela il est très en forme.

– Alors, croyez-vous qu'il soit nécessaire que je le voie?

– Oh oui, assurément, M. Herriot. J'aimerais que vous veniez le plus tôt possible. C'est devenu... un problème de taille.

– Très bien, répondis-je. Je passe chez vous ce matin même. Pourrais-je avoir votre nom et votre adresse?

– Madame Rumney, Les Lauriers. »

Les Lauriers était une très jolie maison située à l'orée de la ville, en retrait de la route, et entourée d'un vaste jardin. C'est madame Rumney elle-même qui me fit entrer. Le premier regard que je posai sur elle ne manqua pas de me surprendre. Non seulement était-elle d'une beauté saisissante, mais elle semblait venir d'un autre siècle. Âgée d'environ quarante ans, elle ressemblait à l'héroïne d'un roman victorien % grande, svelte, éthérée. Je compris immédiatement pourquoi elle avait été si hésitante lors de notre conversation téléphonique. Tout en elle suggérait finesse et délicatesse.

« Cédric est dans la cuisine, dit-elle. Je vais vous y conduire. »

Une autre surprise m'attendait. En m'apercevant, l'énorme boxer qu'était Cédric manifesta sa joie en se jetant sur moi et en me grattant la poitrine avec les pattes les plus grosses et les plus rugueuses qu'il m'avait été donné de voir depuis longtemps. J'essayai de le repousser, mais il ne reculait pas d'un poil, haletant avec ravissement dans mon visage et agitant son derrière.

« Assis, mon chien! », dit sévèrement la dame. Comme Cédric ne lui prêtait pas la moindre attention, elle se tourna nerveusement vers moi. « Il est si amical.

– Oui, répondis-je hors d'haleine, je vois ce que vous voulez dire. » Après avoir enfin réussi à éloigner l'énorme animal, je me réfugiai dans un coin. « À quelle fréquence cette… abondante flatulence se produit-elle? »

En guise de réponse, une effluve sulfureuse presque palpable émana de l'animal et demeura en suspension autour de moi. Apparemment, l'émotion causée par ma présence avait stimulé le vice de Cédric. Le dos contre le mur, j'étais incapable d'obéir à mon premier réflexe, qui était de courir m'abriter quelque part. Je me contentai donc de me couvrir le visage de la main pendant quelques instants avant de parler.

Madame Rumney agitait un mouchoir de dentelle sous son nez, et une rougeur à peine perceptible vint colorer la pâleur de ses joues.

« Oui, répondit-elle d'une voix presque inaudible, oui… c'est bien cela.

– Bon, bon, dis-je avec entrain, ce n'est rien d'inquiétant. Allons dans l'autre pièce pour discuter de son alimentation et de certaines autres questions. »

Il se trouva que Cédric consommait une grande quantité de viande. Je traçai donc un petit tableau décrivant un régime moins riche en protéines et mieux pourvu en hydrates de carbone, en plus de prescrire une mixture de kaolin antiacide à administrer au chien soir et matin. Je quittai ensuite les lieux, convaincu que le traitement allait réussir.

Cet épisode, somme toute sans importance, m'était complètement sorti de l'esprit lorsque je reçus un nouvel appel de madame Rumney.

« J'ai bien peur que Cédric ne s'améliore pas, M. Herriot.

– Oh, je suis désolé de l'apprendre. Il… euh… a toujours des… oui… oui… » Je réfléchis pendant un moment.

« Écoutez, il ne servirait à rien que je le revoie, mais je crois que vous devriez éliminer toute viande de son régime alimentaire pendant une semaine ou deux. Nourrissez-le de biscuits et de pain brun rôti au four, ce à quoi vous ajouterez des légumes. Je vais également vous donner une poudre à mélanger à sa nourriture. Peut-être pourriez-vous passer la chercher. »

La poudre était une puissante mixture absorbante, et j'étais persuadé qu'elle allait régler le problème. Toutefois, une semaine plus tard, madame Rumney me téléphona de nouveau.

« Il n'y a absolument aucune amélioration, M. Herriot. » Le tremblement était revenu dans sa voix. « Je… j'aimerais que vous repassiez le voir. »

Je ne voyais pas vraiment l'utilité d'examiner encore une fois cet animal en parfaite santé, mais je promis de faire une visite. Comme ma journée avait été bien remplie, il était passé dix-huit heures lorsque je frappai à la porte des Lauriers. Plusieurs voitures étaient garées dans l'allée, et en pénétrant dans la maison, je constatai que madame Rumney avait invité quelques personnes à prendre l'apéritif. Des gens comme elle % issus de milieux aisés et visiblement raffinés. Avec mes vêtements de travail, je me sentais un peu rustre au milieu de cette élégante assemblée.

Madame Rumney était sur le point de m'accompagner à la cuisine quand la porte s'ouvrit tout d'un coup pour laisser apparaître Cédric, qui se précipita joyeusement au beau milieu du groupe. Quelques secondes plus tard, un gentleman élégant tentait frénétiquement de repousser l'attaque du quadrupède et d'éviter que les volumineuses pattes ne réduisent son gilet en lambeaux. Aussitôt que l'homme se fut dégagé, au prix de quelques boutons, le boxer porta son attention sur l'une des dames. Celle-ci courait un danger imminent de perdre sa robe lorsque je réussis à éloigner l'animal.

Soudain, le décorum fit place au pandémonium. Les appels suppliants de l'hôtesse résonnaient par-dessus les cris de panique tandis que le gros chien se ruait dans tous les sens. Je ne tardai pas à m'apercevoir qu'un élément plus insidieux s'était ajouté à la situation. En effet, l'atmosphère de la pièce fut bientôt chargée d'une effluve reconnaissable entre toutes. Il était clair que la malheureuse maladie de Cédric se manifestait de nouveau.

Je faisais de mon mieux pour entraîner l'animal hors de la pièce, mais l'obéissance était une notion qui lui était visiblement étrangère. Mes poursuites se sont donc révélées vaines. À mesure que ce pénible épisode se déroulait, je réalisais peu à peu l'ampleur du problème auquel madame Rumney faisait face. La plupart des chiens ont des gaz à l'occasion, mais Cédric était différent : il en avait continuellement. Les émanations silencieuses étaient certes plus sournoises, mais il ne faisait aucun doute que les éruptions bruyantes étaient particulièrement embarrassantes au milieu d'une assemblée comme celle-ci.

Cédric n'arrangeait pas les choses, car à chaque vent sonore, il se retournait et regardait son derrière d'un air interrogateur, puis se mettait à gambader d'un bout à l'autre de la pièce,

comme s'il pouvait apercevoir le zéphyr et qu'il était déterminé à le cerner dans un coin.

Au bout de ce qui me sembla être une année, je finis par faire
sortir le chien de la pièce. Pendant que madame Rumney tenait
la porte grande ouverte, je pus diriger l'animal dans la bonne
direction. Mais le mastodonte n'avait pas dit son dernier mot.
En sortant, il leva prestement la patte et aspergea copieusement
une jambe de pantalon immaculée.

Je soumis le problème à mon collègue Siegfried, qui suggéra
un régime alimentaire composé de biscuits au charbon. Cédric
en mangea en grande quantité et avec un plaisir évident mais, à
l'instar du reste, ce traitement n'eut pas le moindre effet sur son
état.

Pendant ce temps, je me questionnais sur l'énigme entourant
madame Rumney. Elle avait vécu à Darrowby pendant plusieurs années, mais les habitants de cette ville la connaissaient
peu. On ne savait pas exactement si elle était veuve ou séparée
de son mari. Mais ces choses-là ne m'intéressaient pas ; pour
moi, le vrai mystère était de savoir comment elle en était venue
à acquérir un chien tel que Cédric.

Il était difficile d'imaginer un animal moins compatible avec
sa personnalité. À part son regrettable handicap, il était son
opposé en toutes choses : une énorme créature extravertie,
nigaude et chahuteuse, entièrement déplacée dans ce ménage
des plus délicats. Je n'ai jamais pu savoir dans quelles circonstances leurs destinées s'étaient croisées mais je découvris au fil
de mes visites que Cédric avait au moins un admirateur.

Il s'agissait de Col Fenton, un fermier à la retraite qui faisait
de menus travaux de jardinage et passait en moyenne trois jours
par semaine aux Lauriers. Un jour que le boxer s'élançait sur
mes talons dans l'allée au moment de mon départ, le vieil
homme regarda l'animal avec une franche admiration.

« Dieu, dit-il, ça c'est un bon chien, pas vrai!

– Oui, vous avez raison, Con, c'est vraiment une brave
bête. » Et j'étais sincère. Il était impossible de ne pas aimer
Cédric quand on en venait à le connaître. Il était extrêmement
gentil et dénué de vices, et il se dégageait constamment de lui

non seulement des vapeurs délétères mais également une espèce de bonhomie. Lorsqu'il arrachait les boutons des invités ou
qu'il arrosait leurs pantalons, il le faisait dans le plus pur esprit
d'amitié.

« Regardez-moi ces pattes! », soupira Con avec enthousiasme en contemplant les cuisses musclées de l'animal. « Sapristi,
y peut sauter par-dessus c'te clôture comme si de rien n'était.
C'est ce que j'appelle un chien! »

En l'écoutant, je me disais qu'il n'était pas surprenant que
Cédric lui plaise. En effet, l'homme avait beaucoup de points
communs avec le boxer : il ne péchait pas par excès d'intelligence, était bâti comme un bœuf et possédait de puissantes
épaules, et un sourire traversait constamment son visage massif. Ils étaient en quelque sorte de la même race.

« Eh, je déteste pas ça quand la dame elle le laisse sortir dans
le jardin », poursuivit Con. Il s'exprimait toujours sur un ton
bizarrement nasillard. « C'est un compagnon de première classe. »

Je le regardai attentivement. Non, il n'avait probablement pas
remarqué le problème de Cédric parce qu'il le voyait toujours à
l'extérieur.

En retournant vers mon cabinet, je broyais du noir à l'idée que
mes traitements n'avaient absolument aucun résultat. Même s'il
pouvait sembler ridicule de s'en faire pour un cas de ce genre,
il était évident que la chose commençait à me tourmenter. En
fait, je fis part de mes inquiétudes à Siegfried. Au moment où
je sortais de ma voiture, il descendait les escaliers de Skeldale
House et posa sa main sur mon bras.

« Tu es passé aux Lauriers, n'est-ce pas, James? Dis-moi,
s'enquit-il avec sollicitude, comment allait ton boxer péteur
aujourd'hui?

– Toujours aussi odorant, j'en ai peur », répondis-je. Mon
collègue secoua la tête en signe de commisération.

Nous étions tous deux à court de solutions. Peut-être des
tablettes de chlorophylle auraient-elles été efficaces, mais elles
n'existaient pas à l'époque. Pour ma part, j'avais tout essayé.
Apparemment, rien ne pourrait améliorer la situation. Si le

propriétaire du chien avait été un autre que madame Rumney, les choses auraient été moins graves. Le simple fait de discuter du problème avec elle était devenu presque insupportable.

Le frère de Siegfried, Tristan, qui était étudiant, ne fit rien pour améliorer les choses. En ce qui concernait la pratique vétérinaire, il choisissait avec grand soin les cas qu'il souhaitait observer. Or les symptômes de Cédric l'intéressèrent tout de suite et il insista pour m'accompagner dans l'une de mes visites. Je ne l'emmenai plus jamais par la suite. À notre arrivée, le gros chien quitta précipitamment sa maîtresse et émit un vent particulièrement sonore, comme pour nous souhaiter la bienvenue.

Tristan projeta immédiatement le bras dans les airs d'un geste théâtral en déclamant : « Parlez, douces lèvres qui jamais ne mentent! » Ce fut sa seule visite. J'avais suffisamment de difficultés comme ça.

Ce que je ne savais pas encore, c'est qu'un autre coup dur m'attendait. Quelques jours plus tard, j'avais encore madame Rumney au bout du fil.

« M. Herriot, j'ai une amie qui est propriétaire d'un petit boxer femelle tout à fait adorable. Elle veut l'emmener à la maison pour l'accoupler à Cédric.

– Pardon?

– Elle veut accoupler sa chienne et mon chien.

– Avec Cédric?… » Je me cramponnai au rebord de mon bureau. Je n'en croyais pas mes oreilles! « Et vous êtres d'accord?

– Mais bien sûr. »

Je secouai la tête pour dissiper le sentiment d'irréalité qui m'habitait. Je trouvais incompréhensible que quiconque veuille assurer une descendance à Cédric. Bouche bée, le récepteur à la main, j'eus soudain une vision terrible : huit petits Cédric remuaient devant moi, tous affligés de la même dysfonction que leur géniteur. Mais, bien sûr, ce genre de problème n'était pas héréditaire. Je me ressaisis et me raclai la gorge.

« Très bien alors, madame Rumney, il ne vous reste plus qu'à aller de l'avant. »

Chapitre 5

Il y eut une pause. « Mais M. Herriot, je voudrais que vous supervisiez l'accouplement.

– Oh, vraiment, je ne crois pas que cela soit nécessaire. » J'enfonçai mes ongles dans les paumes de mes mains. « Je crois que vous y arriverez très bien sans moi.

– Oh, mais je serais bien plus tranquille si vous étiez là. Je vous en prie, venez », dit-elle d'un ton suppliant.

À défaut d'émettre un grognement prolongé, je pris une grande respiration.

« Très bien, dis-je, je passerai chez vous demain matin. »

Pendant toute la soirée, je fus tourmenté par un sentiment d'appréhension. Un autre épisode extrêmement embarrassant en compagnie de cette femme exquise était à prévoir. Pourquoi fallait-il toujours que je partage ce genre d'expérience avec elle? Et je m'attendais réellement au pire. Même le chien le plus idiot savait instinctivement quoi faire en présence d'une femelle en chaleur. Mais avec un animal aussi simple d'esprit que Cédric, j'avais des doutes...

Le matin suivant, toutes mes craintes se confirmèrent. La femelle, Trudy, était une élégante petite créature qui semblait toute disposée à coopérer. Cédric, par contre, même s'il était visiblement ravi de la rencontrer, n'avait pas l'air de savoir ce qu'on attendait de lui. Après l'avoir reniflée partout, il tourna autour d'elle à plusieurs reprises en se dandinant, l'air coquin, la langue pendante. Puis, il se roula sur la pelouse, se précipita vers elle et s'arrêta brusquement, ses grosses pattes allongées devant lui, la tête en bas, prêt à jouer. Je soupirai. Mes craintes s'étaient concrétisées. Ce gros idiot ne savait pas quoi faire.

Cédric continua cette pantomime pendant quelque temps et, inévitablement, l'émotion entraîna une nouvelle manifestation de ses symptômes. Il s'arrêtait fréquemment pour inspecter sa queue, comme s'il n'avait jamais entendu ce genre de bruit auparavant.

À l'occasion, il interrompait son numéro de danse pour se mettre à courir à corps perdu autour de la pelouse. Ce n'est qu'après environ dix tours successifs qu'il sembla réaliser qu'il lui fallait porter davantage attention à la chienne. Je retins mon souffle au moment où il décida de l'approcher, mais malheureusement, il entreprit la petite bête dans le mauvais sens. Jusque là, Trudy avait enduré ses bêtises et fait preuve d'une grande patience, mais lorsqu'elle s'aperçut que Cédric s'activait avec empressement dans la région de son oreille gauche, c'en était trop. En émettant un jappement strident, elle le mordit à la patte arrière et détala, hérissée de frayeur.

Par la suite, chaque fois qu'il s'approchait, elle le chassait en grondant et en montrant les crocs. De toute évidence, elle était déçue de son prétendant et je ne pouvais pas l'en blâmer.

« Je crois qu'elle en a assez, madame Rumney », dis-je.

J'en avais certainement eu assez moi aussi, tout comme la pauvre dame, à en juger par son léger essoufflement, ses joues empourprées et le mouchoir qu'elle agitait devant son visage.

« Oui… oui… je suppose que vous avez raison », répondit-elle.

Ainsi, Trudy rentra chez elle et ce fut la fin de la carrière de chien reproducteur de Cédric.

C'est à la suite de ce dernier épisode que je me décidai à avoir une conversation avec madame Rumney. Quelques jours plus tard, je me rendis aux Lauriers.

« Peut-être croirez-vous que je me mêle de ce qui ne me regarde pas, dis-je, mais sincèrement, je ne crois pas que Cédric soit le type de chien qui vous convienne. En fait, il vous est tellement mal assorti qu'il nuit à votre qualité de vie.

Madame Rumney écarquilla les yeux. « Eh bien… il crée des problèmes à certains égards… mais que suggérez-vous?

– Je crois que vous devriez le remplacer par un autre chien. Un caniche, peut-être, ou encore un corgi – un animal plus petit, de qui vous pourriez vous faire obéir.

– Mais M. Herriot, je serais incapable de faire abattre Cédric. » Ses yeux s'emplirent aussitôt de larmes. « Je suis très attachée à lui malgré… malgré tout.

– Non, non, bien sûr que non, dis-je. Je l'aime bien aussi. Il est dénué de toute malice. Mais je crois avoir une bonne idée. Pourquoi ne pas le confier à Con Fenton?

– Con?…

– Oui, c'est un fervent admirateur de Cédric, et votre bonne bête serait bien traitée en compagnie du vieil homme. Sa maison est bordée de champs et il possède quelques animaux. Cédric pourrait s'ébattre à souhait là-bas et Con pourrait l'emmener avec lui quand il viendrait faire les travaux de jardinage. Vous le verriez toujours trois fois par semaine. »

Madame Rumney me regarda silencieusement pendant quelques instants, et je vis naître dans son visage une expression de soulagement et d'espoir.

« Vous savez, M. Herriot, je crois que cela pourrait être une très bonne solution. Mais êtes-vous certain que Con accepterait de le prendre?

– Je serais prêt à parier que oui. Un vieux célibataire comme lui doit se sentir seul parfois. Il n'y a qu'une chose qui m'inquiète. Normalement, ils se voient à l'extérieur, et je me demande comment Con réagirait s'ils étaient à l'intérieur et que Cédric se mettait à... lorsque son problème...

– Oh, ce ne serait rien de grave, interrompit aussitôt madame Rumney. Lorsque je pars en vacances, Con le prend toujours avec lui pour une semaine ou deux et il ne m'a jamais rien mentionné... d'inhabituel... relativement à ce genre de chose. »

Je me levai pour prendre congé. « Eh bien, c'est parfait. Je vais en parler immédiatement à notre vieil ami. »

Madame Rumney me téléphona quelques jours plus tard. Con avait sauté sur l'occasion d'adopter Cédric, et le tandem vivait apparemment heureux sous le même toit. Elle avait également suivi mon conseil et s'était procuré un jeune caniche.

Je ne vis pas le nouveau chien avant qu'il atteigne l'âge de six mois, lorsque sa maîtresse me demanda de venir le traiter pour une petite poussée d'eczéma. Assis dans l'élégante pièce, je regardais madame Rumney, qui respirait le calme, l'équilibre et la tranquillité, et je ne pouvais m'empêcher de trouver ce portrait harmonieux et approprié. Le tapis moelleux, les rideaux de velours qui pendaient jusqu'au sol, les tables délicates sur lesquelles trônaient une multitude de coûteuses porcelaines et de miniatures encadrées : ce n'était pas un endroit pour Cédric.

Le domicile de Con Fenton se trouvait à moins de un kilomètre des Lauriers et en retournant à mon cabinet, je décidai spontanément de m'y arrêter. Je me garai devant la porte et frappai. Le vieil homme vint m'ouvrir et un sourire ravi apparut sur son gros visage dès qu'il me vit.

« Entrez donc, jeune homme, s'exclama-t-il de son étrange ton nasillard. Content de vous voir! »

J'avais à peine mis le pied dans la petite salle de séjour qu'une forme poilue se précipita sur moi. Cédric n'avait pas changé le moins du monde et je dus me débattre pour me rendre jusqu'au fauteuil brisé, au coin du feu. Con s'installa en face de moi et lorsque le boxer s'élança vers lui pour lui lécher la figure, il lui cogna gentiment le crâne avec son poing.

« Assis, bougre de gros bêta », murmura-t-il avec affection. Cédric s'affala béatement sur le lambeau de tapis étendu devant le foyer et se mit à contempler son nouveau maître avec adoration.

« Eh ben, M. Herriot », poursuivit Con en coupant du tabac à chiquer d'allure exécrable et en le fourrant dans sa pipe. « Je vous remercie de m'avoir permis d'adopter ce vrai bon chien. Bon dieu, c'est tout un gaillard et y'a aucune somme d'argent qui me décidera à le vendre. Un homme pourrait pas avoir un meilleur compagnon.

– C'est parfait, Con, dis-je. Et je vois bien que notre gros ami est très heureux ici. »

Le vieil homme alluma sa pipe et un nuage de fumée âcre s'éleva jusqu'aux poutres basses et noircies. « Et pis, il est presque jamais à l'intérieur. Un bon gros chien comme lui a envie de brûler de l'énergie, hein! »

Au même moment, il devint évident que Cédric était en train de brûler quelque chose d'autre. En effet, un relent familier se fit sentir, surpassant en intensité l'odeur du tabac. Con ne semblait pas remarquer quoi que ce soit, mais pour ma part, je trouvais cette puanteur accablante.

« Bon, suffoquai-je, je ne faisais que passer pour voir comment vous vous entendiez tous les deux, mais maintenant je dois vous quitter. » Je me levai précipitamment et titubai jusqu'à la porte, sans pouvoir échapper aux odoriférantes volutes. En passant à côté de la table, où traînaient les restes du repas du vieil homme, j'aperçus ce qui semblait constituer la seule décoration de la maison, un vase fêlé contenant un superbe bouquet d'œillets. Je saisis ce moyen d'évasion et me plongeai le nez dans les pétales parfumés.

Con me regardait d'un air approbateur. « Ouais, c'est de bien belles fleurs, n'est-ce pas? La dame des Lauriers me laisse rapporter à la maison celles que je veux, et moi, c'est les œillets que je préfère.

– Oui, elles vous font honneur. » Je gardais le nez enfoui dans les corolles.

« Y'a une chose, par contre, dit le vieil homme pensivement. Je peux pas en profiter au maximum.

– Comment ça, Con?

Il tira sur sa pipe à quelques reprises. « Ben, vous avez remarqué que je parle un peu bizarrement, hein?

– Non... non... pas vraiment.

– Allez, vous savez ce que je veux dire. Je parle comme ça depuis que je suis garçon. J'ai eu une opération aux amygdales qui a mal tourné.

– Je suis désolé de l'apprendre, dis-je.

– Oh, c'est rien de grave, mais ça m'a privé de quelque chose.

– Vous voulez dire... » La lumière commençait à se faire dans mon esprit. Je comprenais maintenant comment l'homme et le chien en étaient venus à se trouver et pourquoi leur relation était si parfaite, et j'eus la certitude que l'avenir ne leur réservait que du bonheur. C'était leur destinée.

« Eh oui, continua tristement le vieil homme, j'ai pas du tout d'odorat. »

– James Herriot

Chapitre 6

Héroïsme

Vous ne pensez pas que les chiens vont au ciel? Je vous le dis, ils y seront bien avant quiconque d'entre nous.

– Robert Louis Stevenson

Les derniers grands héros américains sont des chiens.

– Anonyme, 1988

Le saut de l'amour

Un chaud après-midi d'été, Rae Anne Knitter et Ray Thomas, son fiancé, se promenaient dans les sentiers de la Cleveland Metroparks Rocky River Reservation. On trouve difficilement en ville des paysages à couper souffle. Rae Anne et Ray, un photographe amateur, avaient toujours aimé s'évader dans ce parc étonnamment accidenté. Rae Anne amenait Woodie, sa chienne colley de race mêlée, petite et boudinée, qui adorait aussi cet endroit.

Au milieu de leur randonnée, Ray voulut photographier le panorama spectaculaire qui s'offrait du haut d'une abrupte falaise rocheuse. Rae Anne attendit dans le sentier avec sa chienne tandis que Ray gravissait la pente afin de s'installer pour prendre sa photo. Elle le perdit de vue.

Soudain, Woodie commença à s'agiter et à tirer sur sa laisse pour se libérer. « J'ai compris que quelque chose n'allait pas, raconte Rae Anne, car Woodie est toujours très sage. Elle n'avait jamais agi ainsi auparavant. » Rae Anne lâcha la laisse de Woodie et la suivit jusqu'en haut de la côte. Quand elle arriva au bord de la falaise, elle aperçut avec horreur Ray qui gisait sur le ventre et inconscient dans un cours d'eau, 25 mètres plus bas. Woodie était à côté de lui.

Ray avait perdu pied et était tombé en bas de la falaise. Woodie avait vu Ray inanimé au fond du cours d'eau et avait elle-même sauté pour aider son ami. La chienne s'était fracturé les deux hanches dans la chute. Se traînant avec ses hanches cassées, gémissant de douleur, elle se rendit de peine et de misère auprès de Ray et poussa son visage pour le sortir de l'eau. Quand Ray, toujours inconscient, put respirer librement hors de l'eau, Woodic boitilla jusqu'à la falaise et commença à aboyer frénétiquement pour appeler à l'aide.

Rae Anne se précipita pour appeler une patrouille médicale d'urgence. Ray passa deux mois à l'hôpital, où il fut traité pour des fractures multiples au dos et au bras. Les médecins conclurent que Woodie l'avait sauvé de la noyade. Woodie mit plusieurs mois à se remettre de ses blessures internes et de ses os fracturés. La douleur et la souffrance eurent toutefois un effet sur sa personnalité.

« Woodie est plus affectueuse que jamais », affirme Rae Anne.

– Teresa Banik Capuzzo

Patches

Marvin Scott, propriétaire d'un magasin de meubles situé juste au sud de Tacoma, dans l'État de Washington, rentrait du travail par une nuit glaciale de décembre. Il était environ 22 heures. Le thermomètre oscillait autour de zéro, et le vent créait des vagues sur le lac Spanaway, au bord duquel se trouvait le domicile des Scott.

Marvin était un homme dans la soixantaine. Ses cheveux grisonnaient et il portait des lunettes. Il s'habillait généralement d'un complet foncé, d'une chemise blanche et d'une cravate sombre. C'était cependant un homme robuste, aux épaules carrées, qui aimait faire des travaux sur sa propriété. Ce soir-là, vers 23 heures, il annonça à sa femme qu'il descendait près du lac, jusqu'à la petite jetée, pour vérifier si le bateau de patrouille qui y était amarré n'avait pas subi des dommages à cause de la glace. Il descendit la pente rocheuse qui menait, 100 mètres plus bas, au bord du lac. Patches, un colley mêlé de malamute qui aimait bien suivre son maître un peu partout, accompagna Marvin.

Marvin vit ses craintes se confirmer quand il s'approcha du lac. Remarquant qu'une fine couche de glace commençait à se former autour de l'embarcation, il prit un bout de bois et tenta de pousser la poupe pour briser la glace. Mais il ne s'était pas rendu compte que les gouttelettes venant du lac avaient formé de la glace sur le bord de la jetée, la rendant lisse comme un miroir. Lorsqu'il poussa avec le bout de bois, il perdit pied. Son corps heurta un quai flottant, ce qui déchira presque tous les muscles et les tendons de ses deux jambes. Puis il roula et s'enfonça dans l'eau glacée, qui atteignait près de cinq mètres de profondeur. Les eaux glaciales, agitées par la tempête, commencèrent à l'attirer vers le milieu du lac.

Soudain, alors qu'il était encore sous l'eau, Marvin sentit que quelque chose l'attrapait par les cheveux. C'était Patches, qui avait sauté dans le lac glacé et qui tenait fermement son maître. Patches tira l'homme abasourdi et frissonnant jusqu'à la surface, puis le traîna sur près de six mètres, jusqu'à ce qu'il puisse s'agripper au quai flottant. Vaguement conscient du fait que le chien, épuisé par l'effort, était lui aussi au bord de la noyade, Marvin essaya de le pousser sur le quai.

Marvin tenta lui-même de se hisser, mais il ne pouvait pas s'aider de ses jambes inertes. Les effets combinés de l'eau extrêmement froide, de ses terribles blessures et de l'eau qu'il avait avalée lui firent pratiquement perdre conscience. Sa prise se relâcha et il retomba dans le lac, où il s'enfonça encore une fois.

Mais Patches vint de nouveau à la rescousse. Le courageux chien sauta immédiatement, l'attrapa encore par les cheveux et le traîna sur une distance d'environ un mètre, jusqu'au quai. Après que Marvin eût retrouvé assez ses esprits pour hisser

Patches sur le quai, il s'y accrocha de toutes ses forces et appela au secours. Mais à cette heure tardive et avec le vent contre lui, personne ne pouvait entendre ses cris. Marvin sentait sa prise relâcher et savait qu'il n'avait plus l'énergie pour lutter. Désespéré, il crut qu'il allait mourir. Au moment où il glissait dans l'eau une troisième et dernière fois, Patches cramponna fermement ses quatre pattes aux planches du quai, prit le col du pardessus de Marvin entre ses dents et tira de toutes ses forces. Encouragé par cette aide inattendue, Marvin , haletant, avec l'énergie du désespoir, réussit on ne sait trop comment à remonter son corps sur le quai.

Après avoir retrouvé son souffle, Marvin se mit à ramper vers la maison. Patches continuait de tirer son maître par le col, puisant dans toutes les forces qui lui restaient pour aider l'homme blessé et frissonnant à se traîner.

L'homme et le chien réussirent à avancer laborieusement jusqu'en haut de la pente rocheuse escarpée, gravissant ainsi une centaine de mètres, et arrivèrent à proximité de la porte de la cour arrière du domicile. Patches se mit à aboyer pour appeler à l'aide, et Marvin réussit à lancer une pierre contre la porte pour alerter sa femme.

Marvin flotta entre la vie et la mort pendant 25 jours au Tacoma General Hospital. En plus des importantes opérations qu'il dut subir aux deux jambes, il souffrait d'une inquiétante pneumonie. Patches était épuisé mais n'avait pas été blessé. Il se remit rapidement. Marvin Scott ne put retourner à son travail que six mois plus tard, pendant l'été de l'année suivante. Il avait besoin de deux cannes pour avancer et marchait plus lentement. Patches ralentit donc son allure pour s'ajuster au pas de son maître lorsqu'il l'accompagnait dans ses promenades autour de la maison du lac.

– Teresa Banik Capuzzo

Le berger

L'histoire qui suit remonte à l'époque de la crise et m'a été racontée par ma tante à plusieurs reprises.

Il existe une petite ville située du côté canadien de la rivière Niagara, à la hauteur de Buffalo, dans l'État de New York. Dans les années trente, mon oncle et ma tante y habitaient, car mon oncle s'était trouvé un emploi au Canada.

Tous deux adoraient les animaux, et à l'époque ils étaient propriétaires de deux bergers allemands. Ma tante était particulièrement fière de la femelle, Sissy.

Ils habitaient une jolie avenue remplie d'arbres, qui s'inclinait en une légère pente jusqu'à l'intersection la plus proche. À cet endroit se trouvait une épicerie de quartier où la plupart des résidents faisaient leurs emplettes.

Non loin de la maison de mon oncle et de ma tante, vers le haut de la côte, vivait Anna, une femme souffrant d'un handicap et qui se déplaçait en chaise roulante.

De temps en temps, ma tante détachait ses chiens et les laissait courir en toute liberté. À l'une de ces occasions, il se trouva qu'Anna rentrait chez elle avec ses sacs à provisions. C'était la première fois que Sissy voyait la femme et sa chaise roulante. Elle s'approcha, appuya ses deux pattes de devant sur les bras de la chaise et regarda Anna fixement. Naturellement, vu sa position vulnérable, cette dernière fut terrifiée.

Alertée par les cris de sa voisine, ma tante se précipita dehors et rappela Sissy. Elle s'excusa auprès d'Anna, et par la suite, s'assura que celle-ci ne se trouve pas dans les environs lorsqu'elle laissait courir ses chiens.

Les choses se déroulèrent sans incident pendant un bon bout de temps, jusqu'à un soir d'hiver. Il faut savoir que Fort Erie, étant juste en face de Buffalo, de l'autre côté de la rivière, reçoit d'importantes précipitations de neige.

Ce soir-là, Anna revenait de l'épicerie lorsque sa chaise roulante s'enlisa dans une congère. Incapable de se dégager, elle appela à l'aide, mais personne ne pouvait l'entendre. Personne, sauf Sissy.

Dans la nuit, en pleine tempête de neige, elle accourut auprès d'Anna, qui ne vit pas d'un très bon œil l'arrivée de l'animal. Trop transie et malheureuse pour protester, elle regarda avec stupéfaction Sissy tirer et pousser de toutes ses forces sur la chaise roulante pour finalement la libérer, permettant ainsi à Anna de rentrer chez elle saine et sauve.

Après cet incident, il n'y eut rien de trop beau pour Sissy. Anna lui témoigna sa reconnaissance en lui offrant une multitude d'os et autres gâteries.

– Elaine Cintorino

Parole de Scout

Ce n'est que dans la dernière partie des années 1990 que l'idée selon laquelle les animaux sont doués de sentiments et d'émotions a été accueillie favorablement dans l'ensemble des milieux universitaires américains. Les auteurs et chercheurs qui ont diffusé cette idée auraient eu avantage à parler avec Mary Gladys Baker de Waurika, en Oklahoma, une décennie auparavant.

Il faisait un froid de loup dans l'Oklahoma en cette nuit d'hiver de l'année 1988, à tel point que Mary Gladys craignait que ses chiens, même à l'intérieur de leur confortable niche, ne soient incommodés par les vents furieux et la température de plus en plus froide. Vêtue seulement d'un manteau léger qu'elle avait enfilé par-dessus sa chemise de nuit, Mary Gladys sortit donc pour apporter une couverture supplémentaire à Scout, son labrador de sept ans. Soudain, elle glissa et se blessa, puis resta étendue, immobile, sur le sol gelé.

Au son des cris de sa maîtresse, Scout apporta un vieil édredon de sa niche pour couvrir Mary Gladys, pendant que Little

Héroïsme

Bit, un mélange de labrador âgé de onze mois, se faufilait dans la maison par la double porte vitrée et rapportait les lunettes de sa maîtresse. Les deux chiens se sont ensuite étendus près d'elle pour la garder au chaud jusqu'à l'arrivée des secours, le matin venu.

– Michael Capuzzo

Sheila

C'était une nuit sinistre dans les montagnes anglaises. L'équipage d'un appareil B-17 américain s'était perdu après avoir quitté la base d'East Anglia pour effectuer une attaque aérienne contre l'Allemagne. Ils croyaient voler à mille cinq cents mètres, mais ne se trouvaient qu'à six cents mètres au-dessus du sol. De leur cuisine, les fermiers de la région entendirent le bruit de l'écrasement.

L'expédition avait toutes les apparences d'une mission impossible – deux hommes et un chien explorant une montagne balayée par la tempête, une nuit de décembre 1943, à la recherche d'un bombardier écrasé.

Les bergers John Dagg et Frank Moscrop étaient sur le point d'abandonner. Mais le chien de berger de M. Dagg, Sheila, se mit à aller et venir nerveusement, pressant les deux hommes de poursuivre l'escalade.

Faisant confiance à l'instinct de l'animal, ils continuèrent d'avancer et finirent par trouver les débris du B-17 Flying Fortress. Deux des membres d'équipage étaient morts, mais il y avait quatre survivants, qui marchaient en titubant dans la neige.

Les bergers conduisirent ensuite les aviateurs à l'abri, à la ferme de M. Dagg, et quelques minutes plus tard, les bombes dont était muni l'avion explosèrent. Puis, la fille de M. Dagg, Margaret, âgée de dix-huit ans, parcourut à bicyclette une distance de plus de six kilomètres jusqu'au téléphone le plus proche afin de donner l'alerte.

Cinquante-deux ans plus tard, Margaret, devenue Mme Marshall, retourna à ces sommets venteux des Cheviot Hills, situés près de Kirknewton, dans le comté de Northumberland, pour assister au dévoilement d'une plaque commémorative en l'honneur de ce geste héroïque. La cérémonie était présidée par le duc de Gloucester.

« Ce fut une nuit terrible, rappela Mme Marshall. L'avion volait bas et nous l'avons entendu s'écraser. Mon père est sorti, accompagné de Sheila, et Frank s'est joint à eux.

« Il y avait une brume épaisse, et c'est Sheila qui a découvert le bombardier. Elle a senti qu'il y avait quelque chose d'inhabituel dans la montagne et a guidé les deux hommes directement au bon endroit.

« Les aviateurs s'étaient installés dans notre cuisine depuis à peine deux minutes lorsque le chargement de bombes a explosé, fracassant les vitres des fenêtres. J'ai enfourché ma bicyclette pour aller chercher de l'aide. Nous n'avons jamais eu l'impression d'accomplir quoi que ce soit d'extraordinaire, mais plutôt de faire notre devoir. »

« C'était vraiment beau de voir ces deux gars avancer vers nous avec leur chien », dit l'un des aviateurs américains, M. Berly, âgé de soixante-dix ans, originaire de la Caroline du Sud.

Sheila se vit décerner la plus haute décoration d'Angleterre récompensant les animaux pour des actes de bravoure en temps de guerre, la médaille Dickens – l'équivalent de la Croix de Victoria pour les animaux. Elle est le seul animal appartenant à un civil à avoir reçu cet honneur. L'un de ses chiots fut ensuite envoyé à la veuve de l'un des aviateurs ayant péri dans l'écrasement.

– Roger Scott

Héroïsme

Un miracle en amène un autre

Il ne restait que quelques heures avant que A.C. ne soit abattu lorsque la famille Stafford décida d'adopter le retriever de la baie de Chesapeake, qui languissait à la fourrière.

Peu après qu'on ait sauvé sa propre vie, le chien âgé de trois ans exprima sa gratitude en tirant le fils des Stafford, un bébé de dix-neuf mois, des eaux d'un lac à proximité de la maison familiale de Pontotoc, et en demeurant auprès de l'enfant jusqu'à l'arrivée des secours.

« C'est incroyable, c'est un miracle, affirma Mme D'Anne Stafford. Dieu a sauvé notre enfant par l'entremise du chien. »

Mme Stafford raconta qu'elle était en train de travailler dans la cour pendant que le petit Nolan s'amusait près d'elle. L'enfant se serait ensuite aventuré sur une distance de trois cents mètres jusqu'au bas d'une pente abrupte pour aboutir à un bassin à bateaux. Partie à la recherche de son fils, elle se précipita vers le bassin. Elle trouva son bonnet à l'autre extrémité de la jetée. Plus loin sur la rive, elle aperçut enfin Nolan, complètement trempé, couché sur le ventre et flanqué de A.C.

Les médecins ne purent déterminer combien de temps Nolan avait passé dans l'eau, mais informèrent la famille que la température de son corps avait chuté à vingt-huit degrés. La mère confirma par la suite que l'enfant s'était complètement rétabli.

Le Chesapeake est plus puissant que les autres retrievers et on l'élève pour la chasse au gibier d'eau. Ses pattes palmées et son pelage imperméable en font un nageur exceptionnel. Par ailleurs, il a aussi bon cœur que les chiens de toutes les autres races.

– Associated Press

172

Chapitre 6

Le berger qui savait

Kate, un vieux berger allemand femelle, vivait avec un homme et une femme d'âge mûr et la mère de cette dernière. Le couple travaillait et rentrait à la maison tard chaque soir, avait à peine de temps de voir la vieille dame pour le dîner puis retournait travailler à la hâte chaque matin.

Mais d'un week-end à l'autre, ils commencèrent à remarquer que Kate avait un comportement étrange. En effet, chaque fois que grand-mère s'approchait d'un mur ou d'un meuble ou encore de la porte menant au sous-sol, l'animal lui bloquait le passage. Il devenait évident que Kate dépassait les bornes et que si elle continuait ce manège, elle finirait par faire trébucher la vieille femme.

Puis un dimanche, tout s'éclaircit. Le mari demanda du chou-fleur, et grand-mère lui passa les pommes de terre. La vieille femme était en train de perdre la vue, et seule Kate s'en était aperçu. Elle avait protégé la femme pendant des mois, sans que le couple remarque quoi que ce soit.

– Bill Tarrant

Sauvetage dans la neige

En 1983, une violente tempête balaya le sud du New Jersey. Le vendredi 11 février, une neige aveuglante et de fortes rafales s'abattirent sur la ville où vivaient Andrea Anderson ainsi que ses sœurs Heather et Diane.

Les trois fillettes s'étaient vêtues chaudement et étaient sorties s'amuser dehors, mais Heather et Diane durent bientôt retourner à l'intérieur, laissant Andrea jouer seule dans la neige.

Le vent se mit à souffler plus fort et à se refroidir, et Andrea décida à son tour qu'il était temps pour elle de rentrer. Elle était en chemin vers sa maison lorsqu'une puissante bourrasque la projeta sur une douzaine de mètres en bas d'un talus, dans une profonde congère.

Andrea se mit à pleurer et appela à l'aide, mais personne ne pouvait l'entendre à cause des mugissements du vent.

Personne, du moins aucun être humain.

Dans la maison d'à côté, Villa, un terre-neuve, s'approcha de la porte et signifia silencieusement à son maître, Dick Veit, qu'elle désirait sortir. Dick ouvrit la porte, et sa chienne s'éloigna dans la neige épaisse. Lorsqu'elle entendit les cris d'Andrea, Villa sauta par-dessus une clôture haute de un mètre et demi et s'avança entre les amas de neige jusqu'à l'endroit où l'enfant était prise au piège.

Villa se mit aussitôt à lécher les joues de la fillette pour enlever les larmes gelées, puis piétina méthodiquement la neige autour. Finalement, Villa s'immobilisa et plaça sa tête juste au-dessus de l'enfant, qui entoura de ses bras le cou de l'animal. Puis la chienne tira et dégagea Andrea de la congère. Au bout d'un dur périple – quinze minutes pour parcourir douze mètres –, Villa ramena la fillette jusqu'à sa maison, puis retourna chez elle, où elle s'étendit, exténuée, au coin du feu.

– Jon Winokur

King

La veille de Noël, Howard et Fern Carlson revenaient à leur domicile, à Granite Falls, dans l'État de Washington, lorsqu'ils trouvèrent, abandonné sur leur propriété, un jeune chien blessé qui poussait de petits cris plaintifs.

« Notre vieux berger allemand était mort quelques semaines auparavant, précisa Mme Carlson, et je ne voulais vraiment pas d'autre chien. La perte avait été trop douloureuse. Mais comme il faisait froid et que le pauvre animal était blessé, nous avons décidé de l'abriter pendant quelques jours. »

Chapitre 6

King, un chien bâtard, fut ensuite adopté par la famille Carlson. « Lui et notre fille, Pearl, alors âgée de dix ans, devinrent inséparables, ajouta Mme Carlson. King possède un merveilleux tempérament et adore les enfants. Notre petit-fils le chevauche comme un poney. »

L'année dernière, à Noël, un désastre frappa la maisonnée. Les Carlson dormaient et King se trouvait dans la salle de jeux. Comme d'habitude, la porte coulissante en vitre avait été laissée ouverte pour permettre au chien de sortir quand bon lui semblait.

Soudain, un incendie éclata dans la lingerie, qui séparait la salle de jeux du reste de la maison. King sentit le danger. Au lieu de courir se réfugier à l'extérieur, il décida d'affronter le brasier, grattant avec ses pattes et mordant la porte de contreplaqué qui lui barrait l'entrée de la lingerie en feu.

Après avoir passé la porte, le chien courut à travers les flammes et la fumée jusqu'à la chambre à coucher de Pearl, qui réveilla toute la famille. « Howard venait à peine de rentrer de l'hôpital, où il avait été traité pour une attaque d'emphysème, commenta Mme Carlson. J'ai dit à Pearl que la meilleure chose à faire était de sortir par la fenêtre de sa chambre. Je l'ai donc suivie à l'extérieur, pensant que Howard était derrière nous. Puis nous avons entendu un jappement en provenance de l'intérieur de la maison. J'y suis retournée en grimpant à la fenêtre et me suis rendu compte que Howard avait fait une chute. Il gisait sur le sol et King aboyait furieusement à ses côtés. La fumée était devenue très épaisse. Je réussis à relever Howard et King nous guida vers la fenêtre. C'est ainsi que nous avons réussi à nous en tirer. »

King avait subi de graves brûlures aux pattes et aux jambes ; sa gueule était percée d'échardes, et il s'était infligé une profonde entaille le long du dos en traversant la porte en contreplaqué. « King a été le plus beau cadeau de Noël que nous ayons jamais reçu », conclut Mme Carlson.

– Walter R. Fletcher

Semper Fido

Une nuit, à Okinawa, des rangers et une équipe de destruction faisant partie des 3e et 4e divisions de la marine étaient en mission de reconnaissance devant la ligne de front lorsqu'ils furent encerclés par les Japonais.

Pris au piège, sans aucun moyen de communiquer par radio, Robert Harr confia à son chien Rex, un berger allemand entraîné par les fusiliers marins, la tâche d'agir à titre d'éclaireur et de messager. Parfois, les chiens éclaireurs tels que Rex pouvaient renifler des troupes ou des tireurs d'élite japonais à une distance aussi grande que quatre cents mètres ; en guise de signal, ils frôlaient doucement la jambe de leur maître.

Harr attacha une note au collier de Rex, le caressa et lui ordonna de « chercher Robert », un autre dresseur qui se trouvait au camp. Le chien détala aussitôt.

« Même après avoir reçu une balle à la jambe avant gauche, dit Harr, il a parcouru les six kilomètres qui le séparaient du camp. » Des fusées éclairantes furent lancées et des renforts arrivèrent peu après. Les soldats encerclés purent être rescapés. Grâce à Rex, 150 vies furent sauvées.

À partir de ce jour, les hommes insistèrent pour donner à Rex un nouveau nom – Oki. Ce nom lui resta.

Oki accompagna Harr derrière les lignes ennemies dans les îles de Saipan et de Guam, à Io-Jima et à Okinawa. Ils faisaient partie d'un commando de spécialistes en explosifs à grande puissance qui s'infiltrait dans les villes japonaises avant l'arrivée des troupes américaines – et faisaient sauter des coffres-forts pour s'emparer de documents stratégiques.

Oki prit part à quatre invasions dans le Pacifique Sud aux côtés de Harr. Il fut blessé au combat, par balles et d'un coup de baïonnette.

Mais à la fin de la guerre, on décida d'abattre le chien qui avait sauvé la vie de centaines d'américains au combat, jugeant qu'il était trop dangereux pour la vie civile. Harr apprit la nouvelle pendant qu'il récupérait d'une blessure d'arme blanche à l'hôpital de la flotte à Okinawa.

Chapitre 6

« Un pasteur vint me rendre visite et m'apprit que les chiens de guerre allaient être éliminés, dit Harr. Je lui répondis : "Fichtre! Je ne vais pas abandonner mon chien. Il a traversé toutes ces épreuves avec moi." »

Le pasteur accepta de faire la tournée des cargos mouillant dans le port pour tenter de trouver celui où se trouvait le chien. Deux jours plus tard, Harr et Oki s'embarquaient sur un navire Liberty en route vers San Francisco.

Arrivé à destination, Harr envoya le chien chez ses parents au New Jersey. Il demanda à son père de pointer son fusil en direction de la boîte dans laquelle arriverait l'animal et de l'abattre s'il s'attaquait à quiconque à sa sortie.

Un groupe d'environ quinze enfants du quartier se rassemblèrent pour regarder la mère de Harr essayer de faire sortir le chien de sa boîte en agitant une paire de vieux mocassins ayant appartenu à son fils. Oki s'assit sur son derrière et lui lécha les mains.

« Il a tout simplement identifié ma mère avec moi », dit Harr.

Il fallut neuf mois à Harr pour rééduquer Oki. Les week-ends, il mettait une muselière au chien et l'emmenait se promener dans le quartier chinois de New York pour lui apprendre que les Asiatiques ne constituaient plus une menace.

Le président Harry Truman invita le chien à la Maison-Blanche, où Oki reçut la médaille américaine des chiens de guerre, la plus haute décoration du genre. Cette récompense ainsi que son Étoile de bronze et sa Mention présidentielle, ses médailles de la Défense américaine, de la Campagne de l'Asie-Pacifique et de la Victoire le placent au troisième rang des chiens les plus décorés de la guerre.

Lorsque Oki mourut du cancer à l'âge de seize ans, il eut droit à des funérailles militaires complètes et fut enterré dans un petit cimetière d'animaux à Costa Mesa. Une garde d'honneur exécuta le salut militaire pendant que sonnait le clairon de la marine.

Sur sa pierre tombale on grava l'inscription suivante : « Oki, ancien combattant de la marine, semper fidelis. » C'était en

1958. Chaque jour du Souvenir, pendant les trente-neuf années qui suivirent, Robert Harr visita la tombe de son fidèle compagnon. « C'était l'ami le plus intelligent et le plus dévoué que j'aie jamais eu », affirma Harr, âgé de soixante-douze ans, à l'occasion de sa dernière visite, tenant à la main une photographie en noir et blanc d'Oki. Attendri, le vieux sergent de la marine retint ses larmes et s'exprima avec hésitation.

« Nous rendons hommage aux morts parce qu'ils se sont dévoués corps et âme, dit Harr. Et nous rendons hommage à ces animaux parce qu'ils ont consacré leur vie à permettre à ces hommes de survivre. Chaque fois que je viens, j'apporte des drapeaux, je le salue et je dépose des fleurs sur sa tombe. »

Lorsque l'épouse de Harr, Diane, tomba malade, atteinte de sclérose en plaques, il fut moins en mesure de visiter régulièrement la tombe d'Oki. Mais depuis quelques années, un soldat anonyme a pris la relève. Chaque jour du Souvenir, on parle beaucoup du chien de la marine et du soldat endeuillé qui visite la tombe de l'animal à la dévotion sans limites.

– Tom Berg, adapté du Orange County Register

Chapitre 7

Atteindre ses rêves

Les grands hommes ont toujours des chiens.

– Ouida

L'ange de Debra

Lorsque j'eus l'idée de me procurer un chien d'assistance, je pensai d'abord à un magnifique golden retriever qui ferait tout à la perfection. Mais la vie ne correspond pas toujours à nos rêves, et elle me réservait autre chose.

Je me retrouvai donc avec Emily, un otterhound femelle de deux ans, que le Freedom Service Dogs était allé chercher dans un refuge à Lakewood, dans le Colorado, la journée même où elle devait être soumise à l'euthanasie. Elle avait été adoptée puis retournée au refuge pour animaux à trois reprises et avait la réputation d'être entêtée. Toutefois, les employés du Freedom Service Dogs étaient convaincus que cette chienne avait quelque chose de spécial. Après six mois de dressage, elle me fut attribuée.

Emily peut faire tout ce dont je suis incapable. J'aime la regarder courir, car je peux sentir la liberté qu'elle ressent. C'est alors comme si je courais moi-même. Quand j'entends le bruit de ses pas, je me sens forte, parce que je sais qu'elle ne me laissera ni tomber ni me blesser.

Je suis atteinte de paralysie cérébrale. Auparavant, je tombais continuellement. Mon équilibre était à ce point précaire que mon médecin en vint à me conseiller d'utiliser une chaise roulante. Emily a prouvé qu'il se trompait, et nous en rions beaucoup aujourd'hui.

Avant d'avoir Emily, j'avais très souvent besoin d'aide, mais les passants ne prenaient jamais le temps de s'arrêter. Je me rappelle l'hiver précédant son arrivée, et en particulier cette fois où je dus me rendre à mon travail au milieu d'une très grosse tempête de neige. J'avais vraiment peur de traverser la rue à cause de la glace très glissante. Je restai donc assise à l'intersection pendant une heure, à moins 10°C, rassemblant mon courage pour demander à quelqu'un de m'aider à traverser.

Depuis qu'Emily est entrée dans ma vie, les choses sont très différentes. L'hiver dernier, je dus faire le même trajet dans les mêmes conditions. Trois différentes personnes m'on offert leur aide. J'étais heureuse de pouvoir leur répondre : « Merci, mais je peux maintenant le faire par moi-même. »

L'un des plus grands changements dans ma vie est que j'ai dû me réadapter au regard des gens. On avait l'habitude de m'observer parce que je marchais et parlais d'une drôle de manière, et c'est une chose que j'avais toujours détesté. Maintenant, on me regarde avec des yeux ébahis.

Les gens se demandent comment je réussis à me faire obéir par un si gros chien et ils remarquent l'amour qui nous unit, Emily et moi. Quand je me promène dans les magasins où je me rends régulièrement, je les entends murmurer à notre sujet. Ils disent : « Quel gentil chien. » C'est une des choses qui me fait le plus plaisir.

Emily m'a aussi beaucoup facilité la vie à la maison. Je crois que toutes les mères craignent à l'occasion de faire honte à leurs enfants. Dans mon cas, cette préoccupation est encore plus présente. Peu avant le début des classes, cette année, ma fille de 11 ans a invité deux amies à passer la nuit à la maison. J'avais tellement peur que l'on rit d'elle à cause de moi.

Avec la présence d'Emily, j'aurais été mauve avec des pois verts qu'elles n'auraient même pas prêté attention. Emily me donne le temps dont j'ai besoin pour que les gens regardent au-delà de mon handicap et voient la vraie Debbie.

J'aimerais partager avec vous un poème que j'ai écrit à mon père.

Le rêve de papa

Papa souhaitait que sa petite fille puisse marcher.
Papa souhaitait que sa petite fille puisse parler.
Mon papa souhaitait que je puisse courir, rire et jouer.

Papa est mort avant que ce rêve se réalise.
Papa, me vois-tu en train de rire?
Papa, me vois-tu courir, sauter, jouer?
Papa, sais-tu que Dieu m'a libérée?

– Debra Angel

Le plus grand chien voyageur

Dehors, un vent glacial fouettait les façades des édifices, faisant désespérément chuter la température. En cette nuit d'hiver 1888, Albany, dans l'État de New York, était l'un des endroits les plus froids du pays.

Frissonnant dans la bourrasque, un petit chien errait dans les rues sombres de la ville à la recherche d'un abri. Toutes les portes étaient bien fermées à cause des rafales de vent. Le chien, qui avait trop froid pour sentir dans son estomac les crampes de la faim, aboutit au bureau de poste. Il y trouva une ouverture, un endroit où se protéger du souffle glacial de Mère Nature.

Il découvrit à l'intérieur un tas de sacs de courrier vides, qui lui semblèrent être une merveille. Reconnaissant, il se glissa au milieu et s'enfonça à l'intérieur d'une poche moelleuse. Ses os fatigués finirent par se réchauffer un peu et, épuisé, il sombra dans le sommeil.

C'est ainsi que les commis de la poste le trouvèrent le lendemain matin lorsqu'ils arrivèrent au travail. Moins transi mais encore plus affamé, le cabot décharné éveilla leur sympathie. Ils n'avaient pas le cœur de le retourner à la rue, où il aurait été livré à lui-même. Au lieu de cela, ils partagèrent leur déjeuner avec lui et lui permirent de rester à l'intérieur du bureau de poste.

Les jours passèrent et personne ne vint réclamer le petit vagabond. Les employés de la poste se prirent bientôt d'affection pour lui. Ils le lavèrent et lui aménagèrent dans un coin du

182

bureau son espace officiel où il allait pouvoir dormir. Et, comme il n'avait plus à être un chien anonyme errant dans les rues froides et sombres, ils l'appelèrent « Owney ».

Ils n'auraient pu à ce moment imaginer les aventures et la gloire qu'allait connaître leur petit chien gris-brun au cours des années qui suivirent. Car Owney était destiné à devenir un grand voyageur, reconnu et accueilli partout par les postiers.

À la différence du poney qui fut l'emblème du Pony Express et de l'aigle qui représente aujourd'hui les services postaux des États-Unis, Owney devint une véritable mascotte vivante pour les postes de ce pays.

Après cette première nuit glaciale où il trouva refuge dans le bureau de poste d'Albany, Owney considéra les sacs de courrier comme son havre particulier. Toutes les poches de courrier qu'il trouvait sur son chemin devenaient son domicile. Il aimait par-dessus tout se promener sur le dessus des grands sacs lorsqu'on les transportait en voiture à cheval jusqu'à la gare.

Il observa un jour avec un vif intérêt les poches que l'on déchargeait de la voiture pour les mettre dans le train. Les postiers à bord du train l'appelèrent pour qu'il monte à bord, et l'amical petit chien accepta leur invitation. Il suivit ses chers sacs de courrier dans le wagon-poste du Railway Post Office, où il s'installa comme s'il était chez lui.

Cette première balade avec les postes des États-Unis le mena à New York. Et ce n'était que le début. Owney se fit bientôt aimer de tous les équipages du Railway Post Office, qui étaient heureux de l'avoir comme compagnon de voyage.

À cette époque, le train était le principal moyen de transport utilisé pour le courrier. Owney passait des semaines entières sur la route, s'éloignant toujours davantage de son premier domicile postal. Il visita tellement de villes que les postiers d'Albany craignaient qu'il n'en vienne à se perdre. Ils lui mirent donc un collier avec une plaque d'identification indiquant son nom et son adresse, et y inscrivirent un message demandant aux employés des postes qui croiseraient Owney d'ajouter une plaque pour témoigner de son passage à cet endroit.

Owney collectionna ces plaques pendant près de dix ans. Il en avait de tous les coins des États-Unis, de l'Alaska, du Canada et du Mexique. Il finit par en avoir tellement que son collier ne pouvait toutes les contenir. Le ministre des Postes fit donc confectionner une veste spéciale pour Owney, à laquelle toutes ses plaques furent attachées. Owney la porta fièrement lorsqu'il entreprit de nouvelles aventures encore plus extraordinaires.

De la même manière qu'il avait accompagné les sacs de courrier à bord du train à Albany, il les suivit à bord d'un bateau à vapeur en partance pour l'Orient. Parti de Tacoma, dans l'État de Washington, il voyagea sous les bons soins du capitaine et se rendit en toute sécurité jusqu'au Japon. Il y fut présenté à l'empereur, qui ajouta une plaque à la veste d'Owney. L'escale suivante fut la Chine. Sur le chemin du retour, il récolta des médailles à Hongkong, à Singapour, à Alger et à Port-Saïd. Arrivé à sa terre d'origine, il débarqua à New York, sauta à bord de wagon-poste du Railway Post Office en direction de Tacoma, son point de départ. Owney avait fait le tour du monde en 132 jours – ce qui justifie amplement sa réputation de « Plus grand chien voyageur ».

Owney eut une vie remplie d'aventures. Plusieurs de ses voyages furent le cadre d'exploits dignes des grands aventuriers. Un jour, dans une exploitation forestière, on le fit prisonnier et on le garda en captivité au bout d'une chaîne. Le président des chemins de fer, déterminé à le libérer, arrêta le train et envoya une équipe de secours. Owney fut ramené triomphalement « chez lui », dans le wagon-poste, où il put à nouveau dormir sur ses chers sacs de courrier.

Au cours d'une autre aventure, il se retrouva hors-la-loi au Canada. Cette fois, ses amis d'Albany firent une collecte parmi les employés du bureau de poste et payèrent sa caution.

Après une dizaine d'années d'exploits et d'aventures, le service des Postes considéra que le temps était venu pour Owney de s'assagir. À cette époque, il ne voyait que d'un œil et ne mangeait plus que de la nourriture molle. Il méritait de la tranquillité, du repos et de bons soins pour finir ses jours. Une fête fut organisée à San Francisco afin de célébrer sa retraite.

Chapitre 7

Owney, habitué aux démonstrations publiques, fut heureux d'y participer. Portant sa veste et ses 1 017 médailles, il déambula sur la scène devant un public enthousiaste et chaleureux, composé des employés du Railway Post Office de tous les coins des États-Unis.

La fête terminée, Owney retourna à Albany en compagnie de ses bons amis, les employés qui l'avaient jadis trouvé par une froide journée d'hiver. Il devait en principe y demeurer et profiter tranquillement de sa retraite.

Mais Owney avait un très fort besoin d'indépendance. Il savait aussi ce qu'il voulait. Sur l'une de ses plaques on pouvait lire ce poème :

Il n'y a qu'un Owney,
Et c'est lui ;
C'est un chien solitaire,
Alors laissez-le faire.

Ces mots le décrivaient bien. Owney n'avait pas l'intention d'être confiné à un seul endroit quand le monde entier était rempli de mystères, d'aventures et de sacs de courrier. Un bon jour il s'échappa et se mit en route pour un dernier parcours. Il se rendit assez loin, jusqu'à Toledo, dans l'Ohio. Il y mourut comme il avait vécu, sur la route et entouré de ses amis les postiers. Le petit globe-trotter ne voyagerait plus ; le temps des promenades était pour lui terminé. L'était-il vraiment?

Owney ne suivit jamais ses poches de courrier dans un avion, mais son esprit était fait pour les hauts vols. On l'imagine aisément perché sur son tas de sacs au milieu des airs en direction de Zanzibar ou de Tombouctou. Aussi longtemps que le courrier sera transporté dans des sacs, le souvenir d'Owney voyagera lui aussi et l'on pourra entendre le tintement de ses médailles alors qu'il s'apprête à bondir vers de nouvelles aventures.

– Leila Dornak

Benamino! Te Amo! (Benji®! Je t'aime!)

Je saisis la main de Carolyn quand nous descendîmes du train. Un frisson d'impatience et de nervosité traversa ma colonne vertébrale. Les gens, anxieux de commencer leur journée, nous dépassaient à la hâte. Nous tentions timidement de suivre le courant. Quelqu'un parla, sourit, puis parla à nouveau, et s'éloigna d'un pas pressé. Nous n'avions rien compris, mais nous lui avions retourné son sourire.

C'était notre premier voyage outre-mer et la première fois que je mettais les pieds à l'extérieur du pays, à l'exception de trois jours passés à Nassau et quelques heures à Juárez. Vous pouvez sans doute imaginer. N'importe quel endroit aurait été merveilleux, mais nous n'étions pas n'importe où. Nous étions à Rome!

La Ville éternelle. Née 900 ans avant le Christ. Patrie de Caton, de Néron, de Constantin et des César. Un lieu magique où, dit-on, vous pouvez sentir les siècles respirer. Et elle était là, se présentant à moi comme une gerbe de lumière brillante à la sortie d'une gare bondée.

Rome.

Nous émergeâmes au milieu de la Piazza del Cinquecento et nous eûmes le souffle coupé. Nous restâmes bouche bée un long moment, nous sentant un peu comme des péquenauds arrivant en ville. Soudain, mon cœur s'arrêta.

Devant moi, de l'autre côté de la piazza, à plus de 15 000 kilomètres de chez moi, couvrant un bon 12 mètres sur une immense affiche, se trouvait l'image de petit chien hirsute que j'avais conçue un matin sous la douche, là-bas, au Texas.

Benamino!

Notre premier film mettant en scène Benji prenait Rome d'assaut.

Quelle sensation extraordinaire! Le monde entier semblait s'arrêter. Tout se figea pendant quelques instants, le temps que je me remette du choc. Nous avions travaillé incroyablement fort pendant plus de deux ans, nous démenant presque à la vitesse de la lumière pour trouver des fonds, écrire le scénario, tourner le film, en assurer la promotion et la distribution. Nous devions chaque jour essayer de prévoir le prochain problème, le prochain marché, le prochain plateau ; sans jamais ralentir suffisamment pour regarder en arrière et voir le travail accompli. Sans en prendre vraiment conscience et en jouir pleinement.

Nous prenions les vagues de plein front, nous nagions à contre-courant.

Les experts, sans exception, affirmaient que la tâche était impossible à réaliser.

Je me revoyais, comme si cela s'était passé la veille, plissant les yeux pour distinguer à travers un épais nuage de fumée de cigare les yeux bleus du magnat hollywoodien à moitié chauve qui me disait d'une voix sifflante : « Ce film est mauvais. Paramount n'est pas intéressé. »

Il n'y avait pas que Paramount. Le premier film mettant en scène Benji fut refusé par tous les principaux distributeurs de Hollywood.

Quelque part derrière nous, une femme cria. Carolyn et moi nous nous retournâmes. Une vague humaine commençait à déferler en courant et en criant vers l'entrée de la gare. J'étais sûr qu'une terrible catastrophe venait de survenir, lorsque j'entendis à travers la mêlée le cri débordant de joie d'un enfant. « *Benamino! Te amo!* »

Benji et son dresseur venaient d'apparaître sur la piazza. Je me tournai vers Carolyn qui souriait. Elle devait savoir ce que je ressentais. Les émotions se répandaient en moi comme un torrent. J'avais envie de m'élancer et de serrer tout le monde dans mes bras. Au lieu de quoi je fondis en larmes. Carolyn glissa son bras autour de ma taille et nous allâmes jusqu'à l'immense affiche. Nous restâmes là, debout, pendant un très long moment.

Encore aujourd'hui, je demeure impressionné par le succès de Benji. Il m'est impossible de décrire le sentiment que procure le fait de pouvoir apparaître à peu près n'importe où au coin d'une rue et de n'avoir qu'un mot à dire pour voir les regards s'illuminer avec autant d'amour et d'affection.

Le fait d'avoir été capable de traverser cette vie en laissant derrière moi quelque chose qui rend les gens si heureux m'amène à croire une fois pour toutes que le voyage aura valu la peine.

Carolyn souriait, et je cherchai sa main.

« Une vraie star, dit-elle

Un succès monstre », murmurai-je.

Elle souriait, et je pris sa main. C'était une chaude soirée d'automne. Il soufflait une brise légère. Nous étions à l'autre bout du monde, en bordure d'une splendide piazza romaine, réceptifs, l'œil ouvert, prenant conscience pour la toute première fois des résultats de nos efforts... et c'était bon. J'ai eu ces dernières années de nombreux échanges, en particulier avec des étudiants, qui m'ont beaucoup encouragé. J'ai compris que l'une des choses les plus excitantes et extraordinaires que vous pouvez faire de votre vie est de réaliser vos rêves et d'aider les autres à en faire autant. Non seulement cela procure-t-il du bonheur et un sentiment d'enrichissement, mais cela contribue à rendre ce monde meilleur. Pour quelle autre raison serions-nous ici, si ce n'est pour laisser les choses dans un état un peu meilleur que celui où nous les avons trouvées?

Le rêve américain, après tout, se porte bien. L'assurance de pouvoir être quoi que ce soit que vous voulez être, même si cela semble impossible, à condition de le désirer assez ardemment pour y mettre tous les efforts nécessaires. J'ai appris très tôt cet axiome, mais je m'étonne toujours de voir qu'il se vérifie, de voir qu'il fonctionne. Oui, ça marche.

Ce qui arrive, cependant, c'est que la route n'est pas toujours facile ni rapide. Je crois que j'ai su ce que je voulais faire de ma vie, c'est-à-dire devenir un réalisateur de cinéma, quand j'avais huit ans. J'en ai eu la certitude lorsque j'ai eu seize ans. Je dus attendre mes trente-quatre ans avant d'y parvenir.

Bien sûr, il y a toujours un risque. Le risque d'échouer. Mais c'est un risque qu'il faut prendre dans tout effort sérieux pour atteindre un but difficile. Il faut avancer sur le plongeoir et sauter à l'eau. Il n'y a pas d'autre manière. Je suppose que ce qui m'a toujours poussé à dépasser mes peurs était le désir intense que les choses soient faites le mieux possible. Dans la mesure où il était possible de faire mieux en y mettant les efforts, je n'ai jamais vraiment considéré la différence comme étant un risque. Mais vous ne vivez ni la réussite ni l'échec lorsque vous êtes dans les gradins. Il faut être dans l'arène. Teddy Roosevelt l'a exprimé mieux que je ne pourrais jamais le faire. Son credo n'a jamais cessé d'alimenter le feu qui brûle toujours en moi, et je relis souvent ces mots :

> Ce n'est pas le critique qui compte, ce n'est pas celui qui souligne comment l'homme fort a trébuché ou de quelle manière la personne d'action aurait pu faire mieux. Le crédit appartient à l'homme qui est réellement dans l'arène, dont le visage est couvert de poussière, de sueur et de sang ; à celui qui fournit de vaillants efforts, qui se trompe et doit se reprendre encore et encore ; qui connaît de grands enthousiasmes, de grandes dévotions, et se dépense pour de nobles causes ; qui, au mieux, connaît le triomphe des grandes réalisations et, au pire, s'il échoue, aura posé des gestes audacieux, de sorte que sa place ne sera jamais avec ces âmes froides et timides qui ne connaissent ni la victoire ni la défaite.

C'était un beau matin d'automne à Paris. L'air était vif et clair, et Benji, assez fier de lui-même, gambadait près d'une fontaine et jouait avec les enfants jaillis de nulle part au premier signe de la présence d'une vedette de cinéma. Leurs visages étaient radieux, et ils s'approchaient tour à tour pour lui caresser doucement la tête. Ceux à qui Benji faisait cadeau d'un grand coup de langue éclataient de rire ; une petite fille courut vers sa mère en s'écriant, en français, que plus jamais elle ne se laverait le visage.

Un garçon plus jeune, peut-être avait-il huit ans, se tenait seul, à l'écart du groupe. Sa timidité évidente l'empêchait de partager leur plaisir. Je m'écartai de la caméra, marchai vers lui et lui pris la main pour le conduire à travers la jungle de bras tendus vers ce qui était, j'imagine, le premier baiser qu'il recevait d'une superstar internationale. Il leva vers moi un sourire illuminé ; à cet instant, dans ses yeux, j'étais le roi de France, et peut-être même le roi du monde. Car ce n'était pas un chien ordinaire, c'était l'incarnation de toutes les émotions qu'il avait ressenties, blotti dans un coin sombre d'un quelconque cinéma parisien, vivant les batailles désespérées de Benji comme si elles étaient les siennes.

Comme je le comprenais. Je lui souris à mon tour, et ce sourire était authentique, car je venais de recevoir la plus belle des récompenses. Vraiment la plus belle.

– Joe Camp

Benji® est une marque déposée de Benji Associates ;
Extraits de Underdog, Longstreet Press.

Les cendres d'Angus

J'ai fait toutes mes études secondaires dans une petite ville de l'extrême nord-ouest du New Jersey. Mon père nous y avait amenés, ma mère et moi, en 1939. Il nous y abandonna en 1945, sans plus jamais revenir. Nous perdîmes notre grande maison en bordure de la forêt, et nous passâmes les quinze années suivantes à déménager dans des logements tous plus mauvais les uns que les autres.

Mon frère était né l'année avant le départ de mon père. Ma mère se retrouva donc seule avec moi, mon frère et mes deux vieux gros chiens.

La forêt était encore à distance de marche, et je m'y rendais aussi souvent que je le pouvais avec mes chiens. Lorsque je me promenais dans les bois avec mes chiens, je sentais des désirs que je pouvais difficilement exprimer par des mots. Je me sentais fort et libre. C'est à peu près à cette époque que j'ai commencé à m'intéresser à l'aquarelle, et la forêt était un sujet parfait. Quand mes chiens devinrent trop vieux pour entreprendre de longues randonnées, je continuai d'y aller, en solitaire, pour peindre et parcourir les sentiers.

Je me rends compte rétrospectivement que mes chiens étaient non seulement mes meilleurs amis, mais aussi mes premiers gardiens dans le parcours de ma vie. Ils me montrèrent la voie de ma destinée : devenir un artiste. Et ils me menèrent vers Angus.

L'école secondaire fut pour moi difficile. J'étais distrait et insouciant. Un de mes professeurs à cet établissement de Newton, dans le New Jersey, me flanqua un jour à la porte de la salle d'étude en criant : « Va donc apprendre les arts! » La dernière année, l'école présentait une exposition dans un parc au centre-ville. J'y vendis toutes mes aquarelles et récoltai quinze dollars! J'étais devenu accro. J'allais être artiste même si cela me coûtait la vie.

Mon diplôme en poche, je commençai à travailler dans une épicerie A&P, attrapai une pneumonie et trouvai un nouvel emploi dans une manufacture de soutiens-gorge de la région. Je savais dessiner, mais j'ignorais de quelle manière utiliser mon talent. Ma mère insistait pour que je conserve mon emploi sûr à la manufacture. À 20 ans, j'avais l'impression que ma vie était une impasse. Je n'avais pas vraiment le goût de me rendre à 21 ans.

En 1956, un artiste local vit quelques-unes de mes peintures. Il me conseilla sans mâcher ses mots. « Tu seras toujours un bon à rien si tu continues sur cette voie », me dit-il.

Cette personne était R. H. Buenz, maître artisan et designer. Ses paroles secouèrent quelque chose à l'intérieur de moi. La même année, j'entrepris avec lui une formation de quatre ans, comme apprentis, à cet ancien et honorable métier qu'est l'art du vitrail.

Quatre ans plus tard, en 1960, devenu ouvrier artisan, je quittai les forêts du nord du New Jersey pour passer les quatre années suivantes à New York afin d'exercer mon métier et de poursuivre mes études aux beaux-arts.

Les quatre ans se transformèrent en sept années. J'habitais un trois pièces sans eau chaude du Village, dans le West Side. En

1965, à l'occasion d'une fête, je rencontrai une étudiante en arts appelée Jonelle, la femme qui allait devenir mon épouse. Notre fille, Tracy, naquit l'année suivante, à Greenwich Village. Mais je ne trouvai plus de travail à New York cet hiver là. Je détestais l'idée de quitter New York, mais j'avais une femme et un bébé à nourrir, et j'étais sans travail ni argent.

À cette époque, l'un des plus importants ateliers du pays se trouvait à Philadelphie. J'y fus engagé et y emmenai mon épouse et ma fille.

Cela me prit huit ans, mais en 1974 j'avais économisé assez d'argent pour payer l'acompte d'une vieille et grande maison avec une cour près de Fairmount Park, un immense parc boisé.

Je désirais avoir un chien depuis que j'avais quitté la maison en 1960. Le contexte, me semblait-il, était enfin devenu favorable.

Je vis dans le journal une annonce concernant un labrador de six semaines. Comme il était noir, nous l'appelâmes Angus. Il fut une source joie dès la première nuit qu'il passa avec nous.

Ma fille Tracy allait à l'école et Jonelle s'était trouvé un travail. Angus et moi étions donc toute la journée à la maison. Ma carrière allait bien, et je travaillais chez moi à temps plein à créer des fenêtres.

Nous commencions la journée, Angus et moi, par une promenade d'environ une heure dans les bois, puis je rentrais travailler. Angus dormait sous ma planche à dessin. J'arrêtais à midi, déjeunais avec lui et me remettais au travail. Angus reprenait sa place sous la planche à dessin jusqu'à environ quatre heures, heure à laquelle il commençait à s'agiter. Je fermais tout et nous partions pour un longue promenade d'au moins trois kilomètres.

Les vendredis, je me rendais à la banque pour encaisser mon chèque, puis j'allais au bar du coin. Je prenais une bière et Angus attendait couché à mes pieds. Nous reprenions ensuite le chemin de la maison, avec un arrêt au comptoir de crème glacée pour Angus. (Le propriétaire le connaissait et lui en donnait une pleine tasse.)

Chapitre 7

En 1976, je reçus une commande qui ferait rêver n'importe quel artiste : créer un vitrail pour la Cathédrale nationale de Washington, un édifice monumental, la dernière cathédrale américaine. Ce fut un succès, bientôt suivi de deux autres.

Mais les choses n'allaient pas bien à la maison. En 1977, nous avions eu une autre fille, Vanessa. Après quoi, notre mariage commença à se disloquer, ma mère mourut et je souffris d'un empoisonnement au plomb. Angus traversa toutes ces difficultés avec moi. La situation pouvait être à son pire, il me restait toujours la possibilité d'observer sa silhouette noire et luisante tandis qu'il traversait en courant un champ verdoyant ou se roulait dans la neige en faisant des anges-chiens. Quelle source de joie il était! Avec Angus à mes côtés, je trouvai la force de quitter mon emploi et d'ouvrir mon propre atelier.

La Cathédrale nationale avait été érigée selon les traditions du Moyen Âge. En 1985, Richard T. Feller – qui occupait le poste consacré de chanoine conducteur des travaux et avait supervisé l'édification de la partie ouest de la cathédrale pendant 35 ans – me passa la commande de la réfection de la fenêtre de la Réforme. La commande était imposante. Il s'agissait d'une fenêtre à trois ogives, en claire-voie, au centre du transept sud.

Avec Angus toujours couché sous ma planche à dessin, je travaillai à cette commande grandiose pendant deux ans. C'est au cours de cette période, alors que je dessinais en laissant aller mon imagination, qu'Angus commença à avoir des problèmes respiratoires. Son état empirait chaque jour, et le vétérinaire déclara qu'il fallait l'opérer à la gorge. Angus fut hospitalisé pendant deux semaines. C'était la première fois, en douze ans, que j'étais séparé de lui.

À son retour à la maison il allait mieux, mais cela ne dura pas. Il était de plus en plus faible. Nos longues promenades dans les bois se réduisirent à la distance de quelques pâtés de maisons, puis à de courtes marches, et enfin à des balades en voiture jusqu'au bord de la forêt.

Angus se mourait et je ne pouvais rien y faire, sauf rester avec lui. Nous dormions ensemble par terre, devant la cheminée. Je cessai de travailler pour m'occuper d'Angus et de son feu, et cela sembla lui redonner des forces.

Ma grande fenêtre de cathédrale était terminée et prête à installer. Cela devait se faire à partir d'une passerelle située à une trentaine de mètres du sol. Cette passerelle est le seule partie de la cathédrale où les forces de sécurité et les chiens renifleurs employés pour détecter les bombes ne vont jamais. La cathédrale est souvent fréquentée par le président et autres dignitaires, et les gardes de sécurité étaient un peu nerveux à l'idée de laisser quiconque monter à cet endroit.

Une équipe de Washington fut engagée pour installer la fenêtre, on dressa un échafaudage et les responsables de la sécurité nous donnèrent les autorisations. Tout était prêt pour moi.

Mais je ne pouvais laisser Angus.

J'appelai le conducteur des travaux et lui dis que je ne pouvais venir tant qu'Angus n'irait pas mieux.

Ils reportèrent de deux semaines l'installation de la fenêtre.

Cette semaine-là, mon meilleur ami cessa de manger, et il n'arrivait plus à marcher. Je le transportai pour la dernière fois chez le vétérinaire, où il mourut dans mes bras. Je lui ai moi-même fermé les yeux.

La fenêtre fut consacrée le 30 octobre 1988. Jamais une de mes fenêtres n'a été l'objet d'une aussi grande célébration. Ma fille et moi l'avons tous les deux signée. Ce fut un grand jour!

Mais il n'y avait pas d'Angus auprès de qui rentrer.

La tristesse au cœur, je mis les cendres d'Angus sur une étagère dans mon atelier.

La cathédrale fut terminée en septembre 1990. Le chanoine conducteur des travaux posa la dernière pierre au sommet de la tour sud-ouest. La cathédrale était achevée, mais pas les fenêtres.

En 1994, le conducteur des travaux me demanda de revenir à la cathédrale pour une dernière fenêtre – une petite fenêtre à deux ogives de la partie est, dans le bureau de l'aumônier. Le sujet devait en être la résurrection de Lazare, à qui Jésus rendit la vie trois jour après sa mort.

Chapitre 7

C'était ma cinquième fenêtre à la cathédrale et, selon toute probabilité, ma dernière.

Il fallut six mois pour la fabriquer. Je l'installai avec ma fille Tracy et Jed Bortline. Jed et son père travaillaient à la cathédrale depuis que le père de Jed avait quitté la marine après la Seconde Guerre mondiale.

La fenêtre semblait correcte, mais elle n'était pas vraiment inspirante.

Le conducteur des travaux et le comité de construction le ressentaient aussi.

Ils ne l'approuvèrent pas.

Dès que le comité commença à émettre des critiques, chacun se mit à vouloir changer des choses. La moitié de la fenêtre allait devoir disparaître.

Il semblait bien que mes temps bénis à la cathédrale étaient terminés.

Pour que le comité l'accepte, je devais enlever la fenêtre, changer de nombreuses pièces de verre, les assembler de nouveau et réinstaller le tout –à peu près entièrement à mes frais. Tracy et moi sommes retournés à Washington et, avec l'aide de Jed Bortline, nous avons retiré la fenêtre. Ce fut vraiment une sombre journée. Une fois chez nous, nous l'avons placée dans un coin obscur de l'atelier. Durant tout l'hiver, je ne pus supporter de la regarder. Mais avec l'arrivée du printemps et de nouveaux espoirs, je commençai à travailler sérieusement et à apporter des corrections à ma dernière commande pour la grande cathédrale.

Nous avons redessiné complètement les épures grandeur nature, fabriqué de nouveaux modèles et recoupé des pièces de verre. Nous nous sommes entretenus avec les souffleurs de verre allemands et nous avons obtenu pour cette fenêtre la feuille de verre la plus spectaculaire que j'aie jamais vue. La couleur choisie pour la figure du Christ était un rose double or.

Tracy coupa le verre, je le peignis et ensuite elle fit le vitrage (c'est-à-dire qu'elle mit la plomburie). Nous l'avons terminée ce soir-là et l'avons posée sur le chevalet de manière à voir les rayons du soleil la traverser aux premières heures le lendemain matin.

Le résultat était bon!

Il ne restait qu'une étape, simple mais cruciale. L'imperméabilisation, ou masticage. Il existe toute une variété de nouvelles méthodes pour fabriquer les vitraux, mais les techniques de masticage sont les mêmes depuis le xixe siècle. Vous prenez une brosse dure, préparez le mastic et l'étendez sous le plomb. Rien d'agréable.

En général, je ne m'embête pas à préparer et à appliquer moi-même le mastic, mais cette fois c'était différent.

J'avais réuni l'huile de lin, le blanc et le noir de fumée – les principaux ingrédients – pour faire moi-même le mélange.

Et une autre chose encore.

Les cendres d'Angus étaient dans une boîte de fer-blanc sur l'étagère dans mon atelier. Je ne les avais jamais enterrées, de peur d'avoir un jour à l'abandonner si je vendais la maison. Je voulais qu'il soit dans un endroit sûr où j'aurais toujours la possibilité d'aller le voir.

La joie dans l'âme, je sus que j'avais enfin trouvé!

Le dernier élément que j'ajoutai fut ainsi une poignée des cendres de mon cher Angus. Le 2 août 1995, la fenêtre fut acceptée à l'unanimité par le comité de construction. Elle fut plus tard installée dans la Cathédrale nationale. On raconte que la tante du révérend était enchantée du résultat.

Je suis fier que vous puissiez voir aujourd'hui mon œuvre à la cathédrale. Les enfants de vos enfants pourront aussi la voir, ainsi que les enfants de ces derniers. J'espère qu'ils y puiseront une partie de l'amour et de la joie que j'y ai mis. Il y a la Healing Arts Window, les Angels of Ministration, le Protestant Stream of Christianity, une fenêtre à la mémoire de Joe Morris Blumberg Jr., qui mourut, à l'âge de cinq ans, avec son meilleur ami, un chien, à ses côtés.

Et il y a la petite fenêtre qui illumine le bureau de l'aumônier – la Résurrection de Lazare. Le conducteur des travaux a loué « la clarté et la qualité narrative des motifs de la fenêtre et [le] choix des couleurs du vitrail allemand – en particulier le rose double or. »

Je garde dans mon cœur le secret du mastic qui scelle le verre.

Le bureau du chanoine conducteur des travaux est maintenant fermé. La cathédrale, après plus d'un demi-siècle de travail, est terminée. Et Angus se trouve dans un endroit sûr pour le prochain millénaire. Après cela, je suis convaincu que nous nous retrouverons.

Je crois fermement que Dieu sait à quel point il me manque et qu'Elle nous rapprochera de nouveau l'un de l'autre.

– Charles A. Lawrence, maître artisan

Susan et Joe

Susan, infirmière, mesure 1,50 mètres et pèse 45 kilos. Joe, un mélange de danois et de berger allemand, la dépasse d'une tête et pèse 48 kilos. Entre eux, il y a une histoire d'amour. Lorsqu'ils se sont connus, à la fourrière de Seattle, il avait quatre ans et n'était pas castré. « Il jappait après tout ce qui bougeait et sa capacité de concentration était à peu près celle d'une puce, rappelle Susan Duncan. Un cas typique d'empoisonnement à la testostérone. » Mais elle était tombée sous le charme. Le balourd posa les pattes sur ses épaules, pencha son regard vers elle comme un grand frère et la fit basculer. Susan était trop faible pour se relever. Sa sclérose en plaques faisait sentir ses effets cette journée-là. Joe, donc, la souleva. Il la conduisit pratiquement jusqu'à sa voiture. Joe et Susan. Susan et Joe. Cette réunion qui eut lieu dans un refuge pour animaux était certainement un cadeau du ciel.

Quelques minutes après leur première rencontre, ils emménagèrent ensemble.

Joe est capable d'utiliser le guichet automatique, fait la lessive, ouvre la porte du réfrigérateur, rapporte les œufs. Susan doit parfois lui dire : « Non, Joe. Nous n'avons pas besoin de ce lait! » « C'est trop lourd, il entre ses crocs dans le carton pour le prendre et nous nous retrouvons avec une fontaine de lait! » confie-t-elle.

Susan Duncan, âgée maintenant de 38 ans, est atteinte de la sclérose en plaques depuis l'âge de 19 ans. La SEP court-circuite les signaux que le système nerveux envoie au cerveau. Son traitement demeure un mystère. Joe, qui a aujourd'hui 8 ans, fut gratifié à sa naissance de ce besoin tout à fait canin d'aimer et d'aider les êtres humains.

Susan ne peut sortir du lit sans l'aide de Joe. « Le matin, quand j'ouvre les yeux, Joe est là pour enlever les couvertures. La chaleur empire la maladie, et ça me fait du bien d'être au frais. Joe ôte l'édredon, tire mes pieds en m'attrapant par les orteils et me tourne délicatement vers l'extérieur du lit. Il fait cela tout en douceur. Il m'apporte ma canne en la tenant dans sa gueule et se tient près de moi pour que je prenne appui. »

Susan ne peux quitter la maison sans Joe. « Il régularise ma démarche et m'aide à garder mon équilibre. Avant Joe, lorsque je tombais, je devais attendre que quelqu'un m'aperçoive. Maintenant, quand je tombe, il s'approche de moi et me pousse vers le haut jusqu'à ce que je réussisse à me tenir debout. Sans lui, je serais dans une chaise roulante. »

En ville, Joe ouvre les portes des édifices à bureaux pour laisser entrer Susan. Il l'aide à trouver sa voiture lorsqu'elle oublie où elle l'a garée, il lui sert de chien-guide quand sa vision est mauvaise et localise les salles de bain.

« Le plus remarquable, c'est qu'il ne m'a jamais conduite à la salle de bain des hommes », commente Susan.

« Mes doigts sont tellement engourdis que je ne réussis pas à prendre mon argent [aux guichets automatiques] et les billets finissent par se disperser sur le terrain de stationnement. Un jeune garçon s'est une fois sauvé avec mon argent. Joe prend les billets et le reçu dans la fente et retire ma carte à ma place. Personne n'arrache d'argent à Joe. »

Toutefois, Susan n'est pas prête à donner son NIP à son compagnon. « Il viderait mon compte, dit-elle en riant. Il achèterait des biscuits pour chiens et s'enfuirait au Mexique. Joe est capable d'ouvrir la porte de la maison et celle de la voiture. Je n'aurais plus d'autres nouvelles de lui. »

– Susan Duncan et Michael Capuzzo

Barry

J'ai lu un jour dans le journal un article au sujet d'un berger allemand appelé Barry. Il vivait à Bonn, en Allemagne. Le propriétaire de la maison où vivaient les maîtres de Barry n'aimait pas les chiens. Il leur avait dit que s'ils ne se débarrassaient pas de lui, il leur faudrait déménager. Les maîtres du chien ne voulaient ni déménager ni se défaire de Barry.

Comme ils devaient malgré tout prendre une décision, ils offrirent Barry à un vendeur de glaces nommé Angelini. Ce M. Angelini quitta l'Allemagne pour retourner dans sa ville natale, au bout de la botte italienne, emmenant Barry avec lui. Il fit plus tard savoir à la famille en Allemagne que le chien avait disparu et qu'il était probablement mort.

Un an plus tard, après avoir parcouru près de 2 000 kilomètres à pied – c'est-à-dire la distance entre le bout de la botte italienne et Bonn, en Allemagne –, le chien gratta à la porte de ses anciens maîtres. Épuisé, hirsute et les pattes endolories, il s'affaissa aux pieds de son maître. À travers ses yeux de chien, il le supplia : *Je ne voulais pas vous quitter et je suis revenu avec vous.* La famille et le chien déménagèrent donc dans une autre maison.

Si un chien peut marcher une année entière et parcourir 2 000 kilomètres pour atteindre son objectif, pourquoi un être humain ne persévère-t-il pas aussi longtemps qu'il le faut dans ses efforts? Peut-être n'en a-t-il pas suffisamment le désir. Si vous cherchez vraiment, en y mettant tout votre cœur, vous trouverez. Les personnes qui réussissent à accomplir des choses sont celles qui essaient réellement!

– Norman Vincent Peale

Chapitre 8

La confiance et la guérison

L'irrépressible pouvoir de l'amour est plus fort que tous les miracles auxquels la médecine moderne a pu rêver. On trouve en lui la source de la bonté, de l'espoir, de la guérison physique et spirituelle. Et qui aime plus immensément que le chien?

– Anonyme

Entend notre humble prière, ô Dieu, pour nos amis les animaux, en particulier les animaux qui souffrent... Rend-nous nous-mêmes de véritables amis pour les animaux et fais-nous partager la grâce de la miséricorde.

– Albert Schweitzer

Toute vie comporte sa part de peine. C'est parfois ce qui nous éveille.

– Ancien adage bouddhiste

Flocon de neige

Chaque hiver, aux premières chutes de neige, je cours dehors pour recueillir les premiers flocons qui tombent silencieusement vers la terre hivernale. Ce geste me ramène toujours un souvenir d'enfance. On me disait en effet que chaque flocon est unique et différent ; et que si nous avons assez de chance, quelqu'un ou quelque chose d'aussi spécial entrera dans notre vie. Petite Annie était le flocon de neige de John, et voici leur histoire...

Chapitre 8

Il faisait particulièrement froid en ce mois de février 1989. Le vent glacial de l'hiver frappait durement la grande fenêtre de la chambre à coucher. John était chez lui et se remettait lentement d'une opération. Lui et Annie s'étaient emmitouflés sous un épais édredon bleu. Le corps minuscule de la chienne était serré contre la charpente massive de l'homme, qui mesurait 1,80 mètre. De ses yeux noirs comme du charbon, elle regarda vers l'endroit d'où venait le bruit. Les muscles tendus, elle émit un grognement guttural, destiné on aurait dit à faire fuir le froid. John pouvait presque entendre la courageuse petite chienne, un bichon maltais de 2 kilos, qui lui disait « Je vais te protéger », exactement comme si elle était un berger allemand de 50 kilos capable de le protéger de tous les maux du monde. John possédait cette petite chienne de deux ans depuis une année seulement, mais ils étaient tous les deux plus proches que la plupart des gens.

Annie avait été un chien « jetable ». Ses anciens maîtres nourrissaient l'espoir qu'elle devienne une championne de concours canins et donne éventuellement naissance à des champions. Toutefois, elle ne répondait pas aux standards des expositions canines et avait failli mourir à la naissance de ses chiots. Les propriétaires se dirent donc qu'Annie n'était bonne à rien et placèrent une annonce dans le journal, indiquant qu'ils avaient un « chien à donner ». John tomba en amour avec la petite boule de duvet au premier regard. Il sauva Annie d'une mort certaine, mais ce qu'il ne savait pas, c'est qu'elle allait en faire de même pour lui.

John avait toujours eu une bonne santé, mais le stress qu'il vivait dans son travail comme lieutenant de police – travail qu'il aimait par ailleurs – et la tension émotionnelle causée par la détérioration de son mariage étaient plus que ce que son cœur pouvait supporter. Le 10 décembre 1988, John fut victime d'une crise cardiaque foudroyante qui détruisit le côté gauche de son cœur. Sa mère et ses trois frères, qui vivent tous au Texas, furent appelés et on leur demanda de venir en toute hâte. Pendant les douze jours qui suivirent, John oscilla entre la vie et la mort, chacune de ses respirations risquant d'être sa dernière. Les médecins dirent à la famille que le seul espoir de John était une transplantation cardiaque ; mais ils hochèrent la tête avec sympathie, en déclarant que les organes étaient difficiles à obtenir et qu'il faudrait un miracle pour que John en reçoive un à temps.

Le 22 décembre, quelques jours à peine avant Noël, le miracle se produisit.

En janvier, John allait suffisamment bien pour quitter l'hôpital. Pendant sa convalescence à la maison, lui et Annie restèrent allongés côte à côte, le petit cœur de la chienne battant tout près de son nouveau cœur. Ce fut une période difficile pour John, qui s'inquiétait devant les incertitudes dont étaient faits son avenir et sa vie. Toutefois, il trouva une merveilleuse paix intérieure grâce à la compagnie constante d'Annie. Il passait ses journées à caresser sa petite tête blanche et à ressentir la chaleur, la vie et l'amour qu'il y avait en elle. Cela le faisait se sentir vivant lui aussi. Quand la fureur de l'hiver fit place au calme du printemps, John se sentit assez bien pour retourner au travail. Annie dut aussi sentir que John allait mieux, car elle commença à passer du temps dehors. Elle étirait ses membres minuscules et lézardait sur la véranda chauffée par le soleil. Elle aimait aussi s'approcher sans faire de bruit et japper après les chiens qui flânaient trop près de sa clôture. Elle semblait presque rire à voix haute quand ils sursautaient. Elle tournait alors la tête vers John pour s'assurer qu'il la voit protéger leur domaine. John se tordait de rire devant les bouffonneries de la petite boule de duvet. John croit que c'est grâce à l'amour constant d'Annie qu'il a pu retrouver sa force physique et mentale durant ces mois critiques sur le plan émotionnel.

L'été glissa vers l'automne, puis les riches couleurs de l'automne commencèrent à s'éteindre. Il en fut de même pour le mariage de John. John aimait profondément sa femme, mais tout l'amour du monde ne put empêcher celle-ci de franchir la porte du foyer conjugal quelques jours après la Saint-Valentin de 1990. Encore une fois, John dut entreprendre un processus de guérison, mais cette fois il s'agissait d'une peine de cœur. La nuit, il s'allongeait dans son lit avec Annie et prêtait l'oreille aux grognements gutturaux qu'elle adressait au vent cinglant de l'hiver. John croyait qu'Annie ressentait sa tristesse. À travers la tempête, il pouvait presque l'entendre dire : « Ne t'inquiète pas, je vais toujours te protéger. »

Pendant les trois années qui suivirent, Annie vit John naviguer le cœur brisé au milieu des promesses rompues. Puis, à l'automne 1993, au moment où John commençait à croire qu'il était destiné à finir ses jours seul, nous nous sommes rencontrés. Son cœur blessé ne mit pas de temps à guérir. Au mois de juin 1994, nous étions mariés.

Malheureusement, moins de deux mois après que nous ayons échangé nos vœux de mariage, la petite Annie se disloqua une hanche et fut victime d'une attaque cérébrale fatale. Elle mourut dans les bras de John. Je n'avais jamais vu John pleurer auparavant, et je savais que son nouveau cœur était en morceaux. Il était dévasté. Toutefois, à travers ses yeux bleus voilés par les larmes, il déclara que la mission d'Annie dans la vie avait été de veiller sur lui pendant sa convalescence physique et émotionnelle. Une fois cette tâche accomplie, l'heure était venue pour elle de veiller sur quelqu'un d'autre.

Annie veille encore sur John, depuis le manteau de la cheminée où se trouve le portrait de la petite chienne. Elle est près de la fenêtre de la cour, face à sa chère véranda. C'était il y a presque trois ans. John et moi partageons maintenant notre cœur, et notre grand lit double, avec deux bichons maltais appelés Kitten et Max, qui furent eux aussi des chiens rejetés. Cependant, chaque hiver quand le vent glacial hurle à la fenêtre de notre chambre, John affirme qu'il peut presque entendre son petit flocon de neige chuchoter : « Je vais toujours te protéger. »

– C. Kay Basset

La protection suprême

Jim Murray est un grand homme robuste possédant de perçants yeux bleu clair, le front dégarni typique des hommes dans la quarantaine et un profond instinct de protection. Jim a plusieurs concurrents exterminateurs de termites, mais il n'y a, dans les pages jaunes du sud du New Jersey, qu'une seule annonce où il est dit « La protection suprême, Jim Murray ». Quelques-uns de ses concurrents ricanèrent quand Jim publia sa nouvelle annonce représentant un super-héros de bandes dessinées, avec sa cape flottante et les mains sur les hanches, semblable à une version agrandie de Superman. Mais Jim s'en tint à son idée. Il prend son travail au sérieux.

Jim a déjà été marié, mais ce mariage n'a pas bien fonctionné. Il a la garde de ses deux enfants, auxquels il est très dévoué. Pendant ses années de solitude, son meilleur ami fut toutefois un chien, Bernie.

Jim fit la découverte de Bernie alors qu'il procédait à un traitement contre les termites dans une arrière-cour à Pitman, sa ville natale. Se trouvait en effet dans cette cour une immense et splendide créature au pelage noir et brun, de la grosseur d'un petit cheval, possédant une énorme tête noire et, sous de grosses taches d'un orange aussi vif que des marqueurs Crayola, les yeux bruns les plus gentils que Jim Murray ait jamais vus. Le chien semblait résulter d'un mélange de terre-neuve, de berger allemand et d'une inspiration divine un peu folle.

Jim voulut savoir ce que le gros chien faisait là, confiné dans une petite cage. Il s'approcha et lui flatta le nez à travers le grillage. Le chien gémit et lui lécha la main avec reconnaissance. « Mon mari et moi sommes allergiques aux chiens, lui dit la femme de la maison. C'est pourquoi nous avons dû enfermer Brownie. Nous avons peur de le caresser. »

La dernière chose dont Jim avait besoin dans sa vie était, croyait-il, un chien. Mais il ne pouvait supporter de voir le chien ainsi emprisonné. Les mains sur les hanches, il dit : « Avec tout le respect que je vous dois, m'dame, je pense que vous devriez me donner ce chien. Je vais en prendre soin. »

Chapitre 8

La femme accepta, et pendant le trajet du retour, Brownie, qui s'était couché en rond dans le camion de l'exterminateur de termites, devint Bernie.

Jim vit maintenant à la campagne près de Pitman, dans une petite maison entourée d'un terrain où il laisse le chien courir. « Bernie était tellement intelligent, affirme Jim. Je n'avais qu'à sortir et à crier une fois son nom, et du plus loin qu'il se trouvait, il accourait à la vitesse de l'éclair. Oh, il était tout simplement le chien le plus extraordinaire qui soit. »

Bien qu'il n'y ait pas beaucoup de circulation dans le coin où Jim habite, il n'a jamais encouragé le vagabondage et a dressé Bernie à rester sur la propriété. Mais un jour, alors qu'il traversait le paisible chemin de campagne en face de la maison, Bernie fut frappé par une camionnette qui roulait à grande vitesse. Jim venait tout juste de sortir de chez lui quand il entendit l'horrible bruit sourd et vit son chien projeté à environ six mètres dans les airs. La camionnette s'éloigna à vive allure et Jim traversa la route en courant pour secourir Bernie. Il constata en s'approchant que l'impact avait été tel que n'importe quel chien serait mort sur le coup. Bernie, avec ses 55 kilos de muscles, était écrasé au sol et gémissait de douleur. S'approchant toujours, Jim fut surpris de voir son chien se traîner jusqu'à lui. Sur trois pattes, en boitant terriblement, il réussit à gagner le dessous de la véranda.

La patte antérieure droite de Bernie était sectionnée juste sous le coude et ne tenait que par un filet de peau. Le chien grogna et montra les dents à son maître, comme pour lui dire « Laisse-moi mourir tranquille ». Mais Jim rampa sous la véranda et transporta Bernie à son camion. Le vétérinaire de Pitman fut catégorique. « Jim, je suis désolé, mais il n'y a rien à faire. À sa grosseur, c'est comme une blessure à une jambe pour un cheval. Nous devons l'endormir. »

Jim refusa d'y croire. Les larmes aux yeux, le dos courbé sous les 55 kilos, il ramena Bernie dans ses bras jusqu'au camion et se rendit avec lui chez un vétérinaire qu'il connaissait dans la ville voisine. Devant la même réponse, il consulta les pages jaunes et appela un autre vétérinaire. Puis un autre encore.

La confiance et la guérison

Finalement, la réceptionniste d'un hôpital pour animaux lui conseilla de tenter sa chance auprès de l'Université de Pennsylvanie, à Philadelphie, de l'autre côté de la rivière. L'hôpital vétérinaire de cette université est l'un des meilleurs du pays. Toujours dans son camion d'exterminateur de termites, Murray y conduisit Bernie sur le champ. Le spécialiste qui aurait pu l'aider était en vacances en Californie, mais il allait être de retour dans la soirée.

Le chirurgien vétérinaire affirma qu'il était possible de sauver Bernie, mais que cela allait être un coup à tenter. Le succès de l'intervention demanderait en outre un extrême dévouement de la part de Murray, et il lui serait peut-être impossible de répondre à de telles exigences. Pendant les trois mois que mettrait la patte à guérir, Murray devrait faire en sorte que Bernie reste complètement immobile. Si le chien se levait ne serait-ce qu'une seule fois sur sa patte blessée, il faudrait alors pratiquer l'euthanasie. Le vétérinaire déclara qu'il effectuerait l'opération si Jim promettait de faire tout en son possible pour aider le chien pendant le processus de guérison. Jim en fit la promesse.

L'intervention chirurgicale fut un succès. Jim ramena Bernie chez lui dans son camion. Puis il installa son meilleur ami dans la cour, près de la maison, sous un grand érable. Il le coucha sur le côté et l'immobilisa au sol à l'aide de piquets. Bernie pouvait lever la tête, mais rien de plus. Le chien gémit doucement, et ses yeux bruns croisèrent ceux de Murray, comme cela s'était produit quand celui-ci l'avait découvert dans sa cage. On pouvait maintenant lire de la confiance, une confiance totale, dans les yeux du chien.

Jim passa plusieurs nuits allongé auprès de Bernie. C'était l'été et, par chance, il fit beau et il y eut peu de pluie. L'endroit qu'il avait choisi sous l'arbre était frais et ombragé. Jim nourrissait Bernie à la petite cuillère et l'arrosait lorsqu'il voyait que le gros chien étouffait sous la chaleur. Il nettoyait toutes les souillures du chien avec de l'eau et gardait propres l'herbe et le terrain autour de lui. Il le caressait, lui faisait des massages et lui parlait doucement, en lui disant que bientôt il irait mieux.

Chapitre 8

Deux fois par jour, il vérifiait les piquets de bois et resserrait les attaches afin qu'elles soient bien solides.

À l'automne, quand l'érable tourna au rouge et commença à perdre ses feuilles autour de Bernie, arriva enfin le jour où Jim put desserrer les attaches. Bernie se leva, d'abord en tremblant, sur une patte complètement guérie. Murray prit une journée de congé pour rester avec son chien. Ils célébrèrent l'événement en s'ébattant ensemble dans les champs. « Ce chien est comme mon frère, assure Jim. Je ne pouvais tout simplement pas le laisser aller. »

– Michael Capuzzo et Jim Murray

La petite chienne du cimetière

Mon fils de 17 ans est mort dans un accident de plongée. Seuls des parents qui ont perdu un enfant peuvent comprendre l'effet dévastateur qu'un tel événement peut avoir sur une personne. Le soir avant l'accident, je m'étais rendue par hasard au cimetière local. J'y avais aperçu, près de la clôture, une chienne errante. Elle était assise sur un petit tertre entre deux arbres et semblait attendre quelqu'un. Elle avait l'air d'un renard roux ébouriffé. Je ne pouvais imaginer que trois jours plus tard j'enterrerais mon fils à l'endroit exact où la petite chienne attendait.

Le jour des funérailles de mon fils, j'aperçus de nouveau la petite chienne. Nous étions réunis dans le cimetière, et elle se tenait là, pas très loin. Le lendemain matin, juste avant l'aube, je me rendis pour la première fois à la tombe de mon fils. J'y trouvai la petite chienne rousse, assise à côté de l'amas de fleurs, près de la tombe. En me voyant approcher, elle se leva et recula d'environ un mètre, comme en signe de respect. Lorsque je m'assis par terre à côté de la tombe, elle s'approcha et s'assit près de moi, sans me toucher ni tenter d'attirer l'attention vers elle. Elle semblait être là uniquement pour moi. Ensemble, nous regardâmes le soleil se lever et je ressentis une légère sensation de paix. Quand je me relevai, elle m'accompagna à ma voiture, puis retourna s'allonger sur la tombe de mon fils. La même scène se reproduisit le matin suivant. Elle était là, blottie contre les fleurs. Elle était un peu mouillée, comme si elle avait reçu la rosée du matin. « Tu es restée ici toute la nuit? », lui ai-je demandé. Elle répondit en agitant doucement la queue. « Qui es-tu? Un genre d'ange gardien? » Elle se tourna vers moi et me regarda avec des yeux qui semblaient atteindre mon âme. Je me mis à pleurer et je lui confiai ma terrible douleur. Elle resta assise à m'écouter.

Le lendemain matin, elle était encore là. Commençant à être capable de penser à quelqu'un d'autre qu'à moi-même, je lui avais apporté de l'eau et un bol de nourriture. Une autre personne avait dû remarquer que la petite chienne veillait 24 heures sur 24, car il y avait déjà un bol d'eau près de la tombe. Le fait de savoir que mon fils n'était pas seul et qu'il avait cette petite chienne avec lui me réconforta. Je me souvenais que plusieurs années auparavant, mon fils et un ami avaient secouru une petite chienne rousse qui avait été blessée par une flèche. Mon fils l'avait appelée Callie, et elle était restée avec nous, entourée d'affection, jusqu'à ce qu'un accident lui enlève prématurément la vie.

Après environ une semaine, je ramenai la chienne du cimetière avec moi à la maison. Elle était bizarrement tranquille et réservée. Puis, un jour, je lui dis : « Tu sais quoi? Tu ressembles tout à fait à l'ancienne Callie. » On aurait dit que j'avais touché un bouton magique. Callie se leva et, agitant vigoureusement la queue, courut vers moi et posa une patte sur mes genoux. C'était comme si elle était enfin rentrée chez elle.

Qui est cette chienne qui m'indiqua le lieu où mon fils allait être enterré et qui fut sa sentinelle 24 heures sur 24 lorsque son corps reposa sous terre? Qui est cette chienne qui fut là pour m'aider à traverser le plus terrible traumatisme de ma vie et qui partage aujourd'hui mon foyer et m'aide à remplir mes moments de solitude? Est-ce que la réincarnation existe? Est-ce qu'il existe des chiens réincarnés? Je ne sais pas. Je sais seulement qu'elle est apparue dans ma vie d'une manière très mystérieuse. Mes autres chiens ne pouvaient m'offrir le réconfort que m'a donné, et me donne encore, cette petite chienne rousse.

Callie a depuis reçu son certificat de la Therapy Dogs International (TDI). Je l'amène régulièrement rendre visite aux pensionnaires de notre maison de retraite locale, où elle est devenue la mascotte. Je suis très fière de Callie. Durant les jours qui ont suivi l'attentat à la bombe d'Oklahoma, des chiens certifiés de la TDI – dont Callie – furent amenés au centre de secours et à l'église où attendaient les familles des victimes. Callie, avec ses manières douces, se fit plusieurs amis. Dans un moment particulièrement touchant, une des membres de l'équipe médicale s'assit par terre, mit ses bras autour de Callie et la caressa en lui confiant sa douleur. Je me revis, le mois de juin précédent, assise avec Callie près de la tombe de mon fils. Je n'avais jamais pensé de quelconque façon aux anges gardiens, mais je sais maintenant qu'ils existent.

– Doris Mitchell

Steven et Bumper

À l'hiver de ses sept ans, après avoir été très souvent malade pendant sa petite enfance, Steven Hensley fut hopitalisé pendant 78 jours afin de subir quatre interventions chirurgicales destinées à diagnostiquer puis à traiter la maladie de Hirschsprung, une maladie du côlon et du gros intestin.

À son arrivée à l'hôpital, il souffrait d'une forte fièvre et était incapable de manger. Il ne pesait que 20 kilos. Il avait failli plus d'une fois perdre la vie.

« Il souffrait énormément », affirme sa mère, Dawna Hensley. « Steven n'est pas du genre à se plaindre, car il a vécu toute sa vie dans la douleur. Mais quand son état s'est trop aggravé, il a paniqué, et cela a empiré les choses. »

C'est alors qu'arriva l'amicale Bumper, un mélange de labrador noir, et son maître Ken McCort, un consultant en comportement animal et l'un des premiers membres bénévoles de la Brigade canine du centre médical de l'Akron Children's Hospital.

« Bumper et Steven semblaient avoir l'un pour l'autre un intérêt particulier. Quand Bumper entrait dans la chambre, tous les deux semblaient reprendre vie. Steven caressait Bumper, la prenait parfois dans son lit [sur un drap séparé] et lui disait : «Je t'aime, Bumper.» Bumper savait où et quand être douce. Elle était la seule à pouvoir toucher le ventre de Steven, et elle y posait tout doucement la tête tandis que Steven la caressait ou jouait avec ses oreilles. »

À d'autres occasions, Bumper aidait son jeune ami à entrer en contact avec les autres enfants hospitalisés sur l'unité. Steven avait de nombreux tubes branchés à lui, qui limitaient ses mouvements lorsqu'il se promenait dans les corridors ou se rendait à la salle de jeu. Il avait un tube relié au rectum et parfois jusqu'à cinq ou six tubes intraveineux installés sur le ventre. Lorsqu'il se déplaçait, il devait faire très attention à ces tubes et être accompagné d'un membre du personnel. Selon sa mère, ces contraintes exerçaient une énorme pression sur Steven et, pour cette raison, il ne se rendait à la salle de jeu que si Bumper était à ses côtés. La chienne était en quelque sorte un moyen d'interaction entre Steven et les autres enfants. Elle mettait tout le monde plus à l'aise et faisait en sorte que les choses paraissent plus normales.

Après l'une des interventions les plus douloureuses, on avait dit à Steven qu'il devait se lever et marcher. Cette perspective lui faisait peur, car il croyait qu'il aurait très mal au ventre. « La douleur le faisait marcher comme un vieillard », se rappelle sa mère.

McCort, qui rendait visite à des enfants sur un autre étage de l'hôpital, entendit dire que Steven vivait des moments difficiles et amena Bumper pour le soutenir. Il revoit l'image de Steven, plié en deux et tentant de repousser les nombreux membres du personnel regroupés autour de lui. McCort lui cria : « Stevie! Bumper est là! »

Steven se redressa et accueillit son amie Bumper avec enthousiasme. Lorsqu'on lui demanda s'il voulait faire une promenade avec elle, il accepta immédiatement et arpenta les corridors en sa compagnie.

« C'est comme si toute la douleur s'était atténuée, se rappelle Dawna. On aurait dit un nouveau Steven. Il se retournait pour me crier «Je me promène avec Bumper, maman». »

McCort affirme que Steven s'était tellement attaché à la chienne qu'il s'inquiétait du moment où l'enfant allait pouvoir rentrer chez lui et où ils devraient être séparés. Heureusement, Bumper eut droit à un dessin d'au revoir autographié par Steven. McCort précise que tous les deux se sont revus à deux reprises depuis que Steven est sorti de l'hôpital, et la mère de Steven lui a annoncé qu'elle l'amènerait bientôt rendre visite à Bumper sur la ferme de McCort, à Doylestown, dans l'Ohio.

« Un chien ne s'arrête pas au fait que vous soyez malade ou en bonne santé, dit-elle. Il vous aime de toute façon. »

– Marla Kale

Général Winfield

Ma grand-mère habite Surrey Place, une maison de retraite « progressive » située à Chesterfield, dans le Missouri. En 1992, deux ans après l'ouverture de la maison, un des gardiens de sécurité découvrit, alors qu'il était de passage à Winfield, dans l'Illinois, un chiot de huit semaines qui avait été « jeté » dans un dépotoir. Le gentil gardien ramassa le chiot et l'amena avec lui au travail. Il proposa à la directrice, Kim Olden, de garder le chiot à la maison de retraite. La réponse de celle-ci fut « Pourquoi pas? »

La confiance et la guérison

C'est ainsi que General Winfield, comme on l'appelle maintenant, est devenu un résident permanent de Surrey Place.

En tant que conseillère professionnelle en matière de deuil, et aussi en tant que grande amatrice de chiens, j'avais plusieurs inquiétudes. Après tout, ce chiot était un mélange de berger et pesait déjà près de sept kilos. Qu'en était-il de son tempérament? Ou pire encore, qu'arriverait-il s'il sautait sur les résidents et les faisait tomber?

J'eus la surprise et le grand plaisir de constater que le chiot semblait savoir exactement pourquoi il était là. Alors qu'il s'amusait à se chamailler avec les enfants qui venaient en visite à la maison de retraite, il était toute douceur avec les adultes. (La peau des personnes âgées est très fragile ; même très jeune, il avait senti qu'il ne fallait pas, avec eux, « jouer des dents ».) Il descendait les corridors en courant comme l'auraient fait la plupart des chiots, mais il avait mystérieusement le don de savoir à quel moment une chaise roulante ou une personne allait surgir d'une chambre.

Les aptitudes de Winfield surpassent celles de tous les conseillers en matière de deuil que je connaisse – et avec mes 15 années de pratique dans cette profession, cela veut dire beaucoup! Toutes les compétences que j'ai acquises, Winfield les possédait de manière innée. Cela, je l'ai constaté au cours d'une journée incroyable en l'observant travailler.

L'une des résidentes était atteinte d'une tumeur inopérable au cerveau. Son mari, un médecin, savait que sa mort était imminente et voulait être appelé quand l'heure serait proche. On l'appela donc avant la mort de sa femme, mais il ne put arriver à temps. Cette homme n'avait jamais eu de contact étroit avec les membres du personnel et n'avait jamais fait part de ses sentiments à quiconque à la maison de retraite. Malgré nos nombreuses tentatives pour lui apporter un réconfort, il rejetait toute forme d'aide. Dans le passé, il n'avait jamais non plus pris conscience de la présence de Winfield, mais Kim remarqua que Winfield l'avait suivi lorsqu'il était entré dans la chambre de sa femme afin d'être seul à seul avec son corps inanimé. Elle passa plusieurs fois devant la porte et put voir l'homme qui sanglotait en serrant le chien dans ses bras. Winfield se tenait là, stoïquement, apportant son soutien à l'homme endeuillé, comprenant sa douleur, faisant simplement son travail. Le professionnel bipède n'envoya aucune lettre de remerciement mais, depuis ce jour, Winfield reçoit chaque Noël une boîte de biscuits pour chiens.

– Bonnie Rowley

Un choix en or

On pourrait dire que nos regards – celui du chien et le mien – se sont croisés dans un stationnement bondé par une chaude journée de juillet, en 1988.

Veuve depuis octobre 1987, j'avais trouvé un réconfort auprès de Josh, notre golden retriever, mais je devais le perdre six mois plus tard, quand il mourut subitement au cours d'une opération.

Cette journée-là, je me rendais à la piscine et décidai de m'arrêter quelques instants afin d'acheter une carte de vœux. Comme je m'approchais du magasin, je remarquai une femme et deux petites filles en train d'attacher ce qui me semblait être un jeune golden retriever. Le chien avait ce doux regard qui m'était familier. Pensant que je pourrais peut-être, avec tact, la dissuader de le maltraiter ainsi en l'attachant dehors, j'engageai la conversation. Je lui fis part de mon penchant pour les golden retrievers et lui expliquai dans quelles circonstances le mien était mort peu de temps auparavant. La femme m'apprit qu'il était de race mêlée, puis fit un commentaire surprenant : « Est-ce que vous aimeriez l'avoir? » Elle m'énuméra la liste de ses qualités – c'était un mâle castré, il ne deviendrait jamais plus gros, il était propre et obéissant, et avait même sa niche. Elle m'expliqua qu'elle et son mari travaillaient tous les deux et qu'il était difficile pour eux de lui donner toute l'attention dont il avant besoin, d'autant plus qu'il était très affectueux. Je me suis surprise à considérer son offre et je demandai aux fillettes « Qu'en pensez-vous? ». Elles étaient d'accord. La femme me dit : « Je vais lui donner un bain et ensuite vous l'apporter. » Impulsivement, je lui répondis : « Non, je le prends tout de suite! » Je n'ai jamais pris une aussi bonne décision!

Au plus grand plaisir de mon petit-fils, il s'appelait Rocky. Mais je trouvais que ce nom ne convenait tout simplement pas à un chien aussi doux. Je le rebaptisai donc Buddy [NDT. Buddy signifie « Copain »]. Et c'est exactement ce qu'il a été pour moi, un copain qui m'accompagnait partout. Son lieu favori était la maison de retraite, où il rendait visite à ma mère et remontait aussi le moral des autres résidents. Maman, que tout le monde appelait Nana, est morte le jour de son quatre-vingt-treizième anniversaire, le 15 mai de cette année. Pendant le dernier mois de sa vie, elle a réussi à me faire promettre de continuer à amener Buddy à la maison de retraite lorsqu'elle ne serait plus là.

Pour terminer sur une note plus légère, mentionnons que le lendemain de l'arrivée de Buddy, j'ai entendu le moteur d'une camionnette qui descendait ma rue. On venait me livrer une jolie niche en bardeau.

– Elaine M. Shafonda

Survivre

Mon arrière-grand-père fut le shérif de Sedgwick County, dans le Kansas, à partir du milieu des années 1880 jusqu'au tournant du siècle. C'était un expert de la gâchette. Quand mon père était petit garçon, il lui demanda un jour pourquoi il y avait des encoches à son fusil. La réponse que lui donna George Harvey est restée inscrite dans l'histoire de la famille Harvey : « Je devais conserver la trace de ces « créatures » que j'ai dû abattre quand j'étais shérif. » Mon grand-père était Homer

Wanda Harvey. George lui avait donné ce nom en souvenir du chef indien Wanda, des Nations indiennes établies dans le comté voisin, qui était un de ses bons amis. Avec un tel héritage, mon père, Red Harvey, et son frère, Ron, voulaient devenir cow-boys, et ce, malgré le fait qu'ils avaient grandi à Appleton, une des plus grandes villes du Wisconsin.

Ma mère a aussi grandi en ville. Mais elle n'a jamais voulu la quitter. Elle détestait les animaux. Elle voulait une maison entourée d'une clôture blanche, elle voulait la sécurité. Elle avait été élevée au sein d'une grande famille allemande et catholique pendant la crise économique de 1929. C'était une magnifique prima donna qui aimait attirer l'attention des foules. Son père était un homme brutal, tandis que sa mère faisait preuve de négligence.

On ne peut trouver deux personnes aussi mal assorties que ma mère et mon père. Red ressemblait à Paul Maclean dans *Une rivière coule au milieu*. Il était beau, farouche et d'un charme irrésistible. Il avait un étrange sens de l'humour. De son côté, ma mère était mortellement sérieuse. Elle était totalement égocentrique, vindicative et cruelle.

Mon père se prenait pour un genre d'Ernest Hemingway à la rude carapace. Quand j'étais encore un bébé, il nous amena donc, la famille, le chien et son nouvel élevage de visons, dans la Péninsule supérieure du Michigan. Il acheta une ferme de cinq acres, entourée de kilomètres de forêt dense ; notre ferme formait une petite clairière au milieu de toute cette étendue. La ville la plus proche, un gros point sur l'autoroute 2 appelé Gulliver, se trouvait à huit kilomètres. Plusieurs chasseurs se sont perdus dans ces centaines de kilomètres de forêt continue.

C'est à cet endroit que nous avions notre maison à deux étages, ainsi qu'une grange et un poulailler. La grange se trouvait à environ 60 mètres derrière la maison, et le poulailler s'élevait sur le côté, entre la maison et la grange. Il y avait un petit ruisseau avec des truites arc-en-ciel à un demi-kilomètre plus bas sur la route.

La confiance et la guérison

Mon père travaillait pour la compagnie d'électricité de la région. Pour arrondir ses revenus et aussi comme passe-temps, il élevait des visons. Nous avions cinq chevaux.

Je fus le premier enfant de ma mère. Sans doute à cause de la manière brutale avec laquelle elle avait elle-même été élevée, elle se montrait violente avec moi. Quand j'appris à parler, mes premiers mots furent pour dire des choses comme *tais-toi* et *reste tranquille* ou *tu vas en manger une*. Mon père ne savait pas qu'elle me maltraitait.

Quand j'étais toute petite, elle me mettait dehors et verrouillait la porte, comme si j'avais été un chat. Elle retournait alors se coucher et dormait toute la journée, car elle souffrait de migraines et d'insomnie. Elle détestait les animaux, mais elle admettait que Duchesse de Winchester, notre chienne labrador noire, était « tellement intelligente qu'elle était presque un être humain ». Ma mère, malgré un comportement qui serait aujourd'hui considéré comme un mauvais traitement criminel à l'endroit d'un enfant, s'assurait toujours que Duchesse soit avec moi. Ma mère utilisait Duchesse comme gardienne d'enfant.

Duchesse ne me quittait jamais. Lorsque je rampais ou, plus tard, marchais de mon pas de bébé jusqu'à la route, elle me tirait par les bretelles et me ramenait dans la cour de la maison. Plus vieille, vers l'âge de deux ou trois ans, quand je sus parler et marcher vite, je donnais à Duchesse des ordres auxquels elle obéissait et qu'elle seule pouvait comprendre. Je criais des phrases incompréhensibles en montrant nos poules pondeuses Rhode Island Red, et elle m'en rapportait une pour que je la caresse et la prenne dans mes bras.

L'une des choses que je préférais faire, c'était de m'asseoir près de Duchesse tandis qu'elle se tenait à mes côtés. Je me mettais alors à me balancer et à appuyer répétitivement mon dos contre ses côtes, tout en chantonnant. Il s'agit d'un symptôme consécutif à un traumatisme typique chez les enfants victimes d'abus. Vers l'âge de deux ans, je souffrais déjà de névrose traumatique à cause de tous ces abus physiques et verbaux. Je rampais sous la clôture du pacage puis sous le ventre des chevaux qui se trouvaient dans le vaste pâturage afin de me

Chapitre 8

balancer contre eux comme je le faisais avec Duchesse. Ils me regardaient, là, entre leurs quatre pattes et se déplaçaient avec précaution autour de moi.

Quand je fus capable de marcher sur mes deux jambes aussi bien qu'à quatre pattes (ma mère disait que je courais partout), Duchesse se mit à me suivre à l'extérieur de la propriété pour empêcher que je ne me perde dans la forêt. Comme elle était un chien de chasse, Duchesse retrouvait toujours son chemin jusqu'à la maison. À cette époque, inspecter le poulailler, manger des oignons et des carottes couverts de terre directement tirés du jardin, partager les restes de table que l'on jetait aux poulets, flâner dans les prés avec les chevaux, pousser ma jeune sœur dans le puits et glisser mon doigt dans la cage d'un vison pour me faire vilainement blesser n'était plus assez amusant pour moi. Il me fallait explorer. Je pris donc l'habitude de faire à pied le demi-kilomètre de route menant au ruisseau et à ses truites arc-en-ciel qui brillaient dans l'eau transpercée de soleil.

Un jour, alors que Duchesse et moi arrivions au ruisseau, nous tombâmes face à face avec une ourse noire et ses deux oursons. La mère ourse se leva sur ses pattes de derrière et grogna dans notre direction. Au moment où elle s'apprêtait à charger, Duchesse l'attaqua férocement. Cet assaut inattendu arrêta la charge de l'ourse, qui voulait protéger ses petits. Elle tourna sur elle-même et s'enfuit dans la forêt dense, suivie de près par ses deux oursons.

Mon père fit accoupler Duchesse à une époque où il n'y avait que 3 000 labradors dans le monde entier. Il fit l'élevage des labradors durant toute sa vie. Duchesse fut sa première. Il tenta fébrilement de l'accoupler avec des labradors mâles appartenant tout comme elle à une lignée de champions. Au début, elle n'en accepta aucun. Lorsqu'elle finit par s'accoupler, elle n'eut qu'un seul chiot et celui-ci mourut. Au grand déplaisir de mon père, elle n'aimait que les bâtards. Elle finit par s'accoupler avec un gros clébard hirsute et donna naissance à 10 chiots.

Duchesse me traitait comme un de ses chiots. Je faisais partie de sa portée. Quand les chiots commencèrent à se promener tout autour, ils devaient se cacher derrière le rocking-chair dans le coin du salon parce que jouais d'une manière trop rude avec eux. Puis, une fois qu'ils eurent pris de l'âge et du poids, ils se mirent à me traîner d'un côté et de l'autre par les bretelles. C'était à leur tour à eux de jouer d'une manière trop rude avec moi. Je me mis donc à me cacher derrière le rocking-chair pour être à l'abri des chiots bagarreurs. Un jour, je trouvai ma poupée préférée avec la tête déchirée. Je saisis le corps de la poupée qui gisait sur le plancher et, furieuse, je criai après les chiots : « Qui a fait ça? QUI A FAIT ÇA? » Je me rends compte, quand j'y repense, que je m'attendais tout à fait à ce qu'ils me comprennent. Peut-être d'ailleurs me comprenaient-ils. Ils étaient pour moi comme des frères et des sœurs. Ils étaient mon univers.

Au début, les chiots avaient un pelage lisse. Ils étaient complètement noirs et avaient l'air de labradors pure race. À mesure qu'ils vieillirent, leur pelage devint plus long et ondulé. Quand ils eurent huit semaines, mon père déposa toute la portée devant la maison. Ils furent tous volés, un à un et jusqu'au dixième, par des passants.

Malheureusement pour moi, ce fut la période la plus heureuse de mon enfance. Ma mère quitta mon père pour épouser un de ses employés temporaires. Le deuxième mari de ma mère, une brute alcoolique, avait été blessé derrière la tête pendant la Seconde Guerre mondiale et souffrait d'une psychose traumatique. Il était extrêmement violent. Il me détestait car je ne l'acceptais pas comme mon nouveau père. Je le détestais aussi en retour. Il me battait au moins quatre fois par semaine avec des planches, des bouts de tuyau d'arrosage ou des manches de balais. Il était tellement violent que je considérais ma mère comme une source de réconfort et de protection face à lui. Il a tué à peu près tous les animaux que nous ayons jamais possédés. Il a abattu notre unique chien avec son fusil de chasse. Il a aussi tué nos lapins de Pâques et nous a forcées, ma sœur et moi, à les manger. Les chats qui ne se sont pas enfuis sont morts à la suite de ses traitements cruels.

Il n'y avait pas d'amour pour moi dans cette maison d'Appleton, dans le Wisconsin, ni plus tard à Neenah. Mon père s'était établi à Kalispell, dans le Montana, et je ne le revis plus. À partir de ce moment, je n'avais plus personne qui m'aimait, à part les parents de mon père. Mais je ne les voyais que quelques fois dans l'année. Le seul amour inconditionnel dont j'aie bénéficié dans mon enfance fut celui des animaux. Sans savoir pourquoi, je m'approchais de tous les chiens que je voyais et les prenais en amitié. Je n'ai jamais été mordue. Je me suis mise à dessiner des chevaux dès que j'ai été capable d'utiliser des crayons. Naturellement, je n'eus jamais le droit d'avoir mon propre cheval ou mon propre chien. La seule chose que je savais, c'était que j'aimais tous les animaux et qu'ils étaient mes amis privilégiés. Les chiens et moi, même sans se parler, nous nous sommes toujours compris mutuellement.

Dans la vingtaine, encore célibataire, j'ai acheté de mon oncle Ron une chienne labrador noire. Elle était issue de l'élevage de mon père. Dans la trentaine, j'ai eu mon premier cheval, une jument morgan. Avec mon premier mari, j'ai acheté une écurie dans les environs de Raleigh, en Caroline du Nord. Ce n'est qu'à la mort de mon père, et après avoir été traitée pour tous les mauvais traitements et traumatismes subis dans mon enfance, que j'ai compris que les animaux avaient été, après le départ de celui-ci, ma seule source d'amour dans la vie de tous les jours. Je m'étais liée très jeune à tous les animaux, mais c'est avec les chiens que j'entretenais les liens les plus forts. J'ai maintenant 49 ans. Je possède un diplôme de maîtrise et j'ai passé six années à préparer une thèse de doctorat en chimie. J'ai toutefois réalisé que je n'étais pas en mesure de travailler parce que le fait d'être entourée de gens créait chez moi trop de stress. J'ai eu en outre des problèmes de santé physique et je suis devenue allergique à la plupart des produits chimiques.

Je vis avec une grave névrose traumatique qui ne peut être soignée. Lorsque j'ai commencé un traitement du traumatisme, on m'a félicitée d'être encore vivante. J'ai demandé pourquoi, et on m'a répondu que la plupart des personnes comme moi se suicident, meurent dans des accidents découlant de comportements à risque, meurent des suites d'une overdose, meurent aux mains d'un mari ou d'un petit ami, meurent encore enfants au sein de leur foyer violent, ou meurent d'une cirrhose du foie ou d'une autre maladie. Un médecin m'a dit que ces personnes atteignent rarement mon âge. À une époque où, après la mort de mon mari, j'étais déprimée et suicidaire, mon labrador et même un de mes chevaux tournaient autour de moi, me léchaient, m'enlevaient mon chapeau et gambadaient autour de moi pour me changer les idées. Le cheval arabe se comportait comme si j'étais une vache et, en bon vacher, venait me « couper ». Il me bloquait le passage jusqu'à ce que je lui enlace le cou et le serre dans mes bras. Il léchait alors les larmes sur mes joues et était content. Gypsy, la chienne labrador, se couchait à mes pieds et posait sa tête sur mes genoux en gémissant quand mon moral était au plus bas. Elle réussissait à me distraire de ma douleur déchirante.

Après la mort de mon premier mari, je me suis retrouvée seule avec mes animaux. Anéantie par la douleur, je pouvais à peine prendre soin d'eux. Pendant cette période qui fut terrible, la mère de mon père, Emeline B. Harvey, m'écrivit du Wisconsin.

J'ai reçu ta lettre hier…

Je suis désolée d'apprendre que tu vas si mal. Mais rappelle-toi qu'il te suffit de vivre une heure, une journée à la fois. Fais ce qui doit être fait, comme prendre soin de tes bons chevaux. Gaily est trop fragile pour que l'on néglige sa patte. Si elle reste debout dans le fumier, l'état de son pied va empirer. Et un cheval sans de bons sabots ne vaut plus grand-chose. Alors, prends bien soin d'elle. Elle va l'apprécier. Si tu travailles avec tes petits compagnons (les chiens), cela te calmera aussi. L'amour appelle toujours l'amour.

Je suis heureuse de savoir que tu t'es jointe à ce groupe de veuves parrainé par l'Église luthérienne. Vous pourrez sans doute vous aider beaucoup mutuellement. Je sais par ma propre expérience que se tourner vers Dieu est d'un grand secours dans les périodes difficiles. Je n'ai jamais été une personne qui parle beaucoup de ses problèmes. Le fait de lever les yeux plus haut et de faire appel à Lui m'a toujours beaucoup aidée. Tu ne me croiras peut-être pas maintenant, mais ça marche. C'est notre salut.

Ma chère, j'aimerais chasser toutes tes difficultés. Promets-toi à toi-même que tu ne te laisseras pas abattre par cette tragédie.

Regarde vers le Seigneur et Il te soutiendra. Maintenant, j'espère et je prie pour que les choses s'arrangent et que la vie commence à te paraître plus belle.

Avec tout mon amour, et que Dieu te bénisse,

Grand-maman

Je suis maintenant heureuse, remariée avec un homme qui aime autant que moi les animaux. Physiquement, il ressemble même beaucoup à mon père. Les animaux continuent à être pour moi des professeurs et des guérisseurs irremplaçables. Je n'ai pas d'enfants, car l'abus à l'endroit des enfants existe depuis au moins 110 ans dans la famille de ma mère.

Nous avons trois chevaux de concours et deux chiens. Je participe chaque année aux concours hippiques régionaux qui regroupent des chevaux arabes et morgans, et parfois aussi au Grand National.

Je ne serais pas vivante aujourd'hui pour jouir du bonheur, de l'amour et de la réussite financière si ce n'avait été de l'amour et des attentions de deux chiennes labrador noires, la Duchesse de Winchester et Ebony Gypsy d'Hortonia.

J'ai grandi dans un monde où la haine reproduit toujours plus de haine, et elles m'ont enseigné que l'amour engendre l'amour.

Nous avons tous en ce monde besoin que quelqu'un nous aime, et elles furent les premières à m'aimer.

– Lynn Marie Harvey

Boy

La famille des canidés regroupe 38 espèces de mammifères carnivores, dont le loup, le coyote, le chacal et le chien domestique. Les membres de la famille des canidés, tout comme d'autres carnivores, sont une forme évoluée d'un ancien mammifère carnivore grimpeur. Bien qu'on les ait déjà associés aux ours et aux ratons laveurs, ils sont aujourd'hui considérés comme étant plus proches du chat dans la chaîne de l'évolution.

Le lhassa apso a été pour la première fois reconnu par l'American Kennel Club en 1935. Toutes les couleurs sont acceptées. Le pelage est abondant, raide, d'une bonne longueur et très dense. Les standards de la race comprennent les traits suivants : moustache et barbe bien fournies ; truffe noire ; abondante garniture de poils en tête, aux membres antérieurs et postérieurs ainsi qu'aux pieds. La queue et la ligne du corps doivent être très droites, naturellement majestueuses.

Ce survol des caractéristiques qui définissent le chien et le lhassa montre bien qu'une définition dénotative ne décrit d'aucune manière, à cette étape-ci de ma vie, ce qu'il y a au fond du cœur. J'écris ces lignes en espérant que cela constituera un genre de thérapie pour moi, car on m'a dit que lorsqu'une personne se trouve dans un grand état de détresse, le fait d'écrire sur ce qu'elle vit peut l'aider dans une certaine mesure. Car, voyez-vous, mon Boy a quitté ce monde le jeudi 23 juillet 1996.

Au moment où j'entrais dans l'allée, je remarquai que la porte du garage était ouverte, ce qui n'était pas normal. Mon mari était arrivé à la maison avant moi, ce qui n'était pas non plus dans ses habitudes. En général, il n'était pas en ville pendant la semaine, et il lui arrivait encore moins d'être à la maison tôt l'après-midi. Ce jour-là, comme je sortais de ma voiture, il vint vers moi en courant, l'air complètement affligé. Ma première pensée fut que Susie, ma chienne terrier la plus jeune, s'était échappée et que nous allions devoir partir à sa recherche. Mon autre pensée fut que, en raison de l'orage qu'il venait d'y avoir, Lady, mon autre terrier, était malade. Lady a en effet une très grande peur des orages. Mon mari me saisit par les épaules, comme pour m'empêcher d'entrer dans la maison. « Que se passe-t-il? » ai-je demandé.

Il me répondit simplement : « Boy est mort!

– Non, non, ai-je crié. Il allait bien ce matin. Il a mangé tout son déjeuner et il jappait pour que je lui en donne encore quand je suis partie. »

Chapitre 8

Comment pourrais-je décrire mon Boy? Mon amour, ma vie, mon enfant, mon fils? Je ne sais pas. Les gens pour la plupart ne sont pas portés à ce point vers les chiens. Il m'est donc difficile de préciser la nature de la relation si étroite que j'avais avec Boy.

Je n'ai pas d'enfants. Boy fut dans ma vie ce qui se rapproche le plus d'un enfant. C'était au départ le chien de mon père. Ce dernier fut victime d'une attaque cérébrale quand Boy avait un an, et je l'avais avec moi depuis ce moment. Mon père s'est éteint en 1989, après m'avoir fait promettre de toujours prendre soin de Boy.

Boy est mort à l'âge de 14 ans et 8 mois. On lui avait diagnostiqué la maladie de Cushing, une maladie du foie, quand il avait environ 7 mois. En mai 1995, on diagnostiqua un diabète. Il suivait une diète et une médication spéciales, et on devait lui administrer chaque jour deux injections d'insuline.

Pourquoi est-ce que je tentais de maintenir Boy en vie? En partie, je suppose, par égoïsme. Mais, fidèle à sa race, Boy avait pris lui-même la décision de continuer. D'une fois à l'autre, il retombait sur ses pattes comme si de rien n'était. C'était un petit chien plein d'entrain, qui jappait pour avoir sa nourriture et était le maître dans la hiérarchie des chiens de la maison. Il réussissait toujours à obtenir ce qu'il voulait de moi et des autres chiens.

Mon vétérinaire a pratiqué une autopsie et m'a assurée que Boy n'avait pas souffert. Son cœur s'était simplement arrêté. Nous l'avons enterré mercredi dans un cimetière pour animaux. Je sais qu'il ne sera plus jamais malade ou souffrant, mais je sais aussi que moi je vais souffrir pendant encore longtemps.

Malheureusement, personne sur cette terre ne comprend mes sentiments pour Boy. Mes collègues de travail me croient stupide d'aimer un chien à ce point et d'avoir dépensé pour lui, à travers les années, autant de temps et d'argent. Mon mari est attaché à Boy, mais malgré tout il ne comprend pas pourquoi je suis si bouleversée.

La confiance et la guérison

Pour finir, voici un poème qui, je crois, m'a aidée. Je le considère comme un témoignage de Boy à mon intention. Son auteur est inconnu.

Ne me pleure pas trop longtemps car maintenant je suis libre
Je suis le chemin que Dieu m'a dessiné
J'ai couru vers Lui quand j'ai entendu Son appel
J'ai agité la queue et tout laissé derrière moi.

Je ne pouvais pas rester un jour de plus
Pour japper, aimer, m'ébattre et jouer
Les jeux qui n'ont pas été joués doivent rester ainsi
J'ai trouvé la paix et elle suffit à me combler.

Mon départ a laissé pour toi un vide
Alors remplis-le de souvenirs heureux
Une amitié partagée, ton rire, un baiser,
Oh oui, toutes ces choses qui vont aussi me manquer.

Ne te laisse pas accabler par un long chagrin
Je te souhaite le soleil pour demain
Ma vie fut bien remplie, tu m'as tant donné
Ton temps, ton amour et tes douces caresses.

Mon passage a peut-être semblé bien trop bref
Ne l'allonge pas avec une trop grande peine
Prends ton cœur à deux mains et partage-le avec moi
Dieu me voulait maintenant, Il m'a libéré.

– Lou Olinger

Chapitre 8

Le pont de l'Arc-en-ciel

Je suis bénévole à l'école vétérinaire de la North Carolina State University, située à Raleigh, en Caroline du Nord. Notre organisation s'appelle Friends Helping Friends. Tous les animaux domestiques que nous recevons à l'école sont référés par leur vétérinaire ; ils souffrent donc de problèmes assez sérieux. Je travaille à la salle d'attente, où j'accueille nos patients quadrupèdes et les mamans ou les papas bipèdes qui les amènent. Nous essayons de faire en sorte que quadrupèdes et bipèdes se sentent chacun à l'aise.

J'ai une chienne labrador de 12 ans, Shadow, qui depuis le début de la nouvelle programmation de l'an dernier s'est transformée en critique de télévision. Après quelques minutes d'écoute, elle se détourne du téléviseur et s'en va dans la chambre à coucher. Elle doit avoir un meilleur sens critique que mon épouse et moi-même.

J'ai toujours aimé les animaux, et je comprends les profondes émotions que les gens partagent chaque jour avec moi. Cela me fait me sentir mieux lorsque je sais que j'aide les gens à traverser l'expérience, par ailleurs universelle, de la perte. Je sais qu'un jour, quand j'en aurai besoin à mon tour, quelqu'un sera là pour m'aider.

Outre la salle d'attente, notre clinique dispose d'une Salle de détente où les bénévoles ou le vétérinaire peuvent s'entretenir avec les gens lorsque survient un dénouement inéluctable. Il y a deux textes essentiels que nous leur donnons quand meurt un animal : *Prière à la mort d'un animal de compagnie* et *Le pont de l'Arc-en-ciel*.

Ces textes sont des classiques que les amoureux des animaux se transmettent de main en main dans une bienveillante chaîne d'entraide. Cette chaîne s'agrandit chaque jour, notre société reconnaissant de plus en plus la profondeur avec laquelle nos meilleurs amis enrichissent notre vie et restent à jamais dans nos cœurs. Quelqu'un vous donnera peut-être un jour la *Prière à la mort d'un animal de compagnie* ou Le pont de l'Arc-en-ciel si vous cherchez un soutien pendant la maladie ou après la mort d'un animal bien-aimé. Il se peut que vous sentiez un jour le besoin de chercher un réconfort à la Salle de détente de Friends Helping Friends mais que les circonstances rendent la chose impossible. J'aimerais donc dès maintenant partager ces textes avec vous.

Je suis incapable de lire *Le pont de l'Arc-en-ciel* sans avoir la gorge nouée.

LE PONT DE L'ARC-EN-CIEL

Il existe un pont qui relie le Paradis et la Terre. À cause de ses nombreuses couleurs, on l'appelle le pont de l'Arc-en-ciel. Au bout du pont de l'Arc-en-ciel, il y a un pays de prairies, de collines et de vallées luxuriantes. Quand meurt un de nos compagnons, il s'en va là-bas. À cet endroit, il ne manque jamais d'eau ou de nourriture, et il fait toujours un temps printanier. Les animaux vieux et faibles sont jeunes à nouveau. Ceux qui ont été blessés ou mutilés retrouvent leur pleine forme. Et ils jouent ensemble toute la journée.

Il ne leur manque qu'une seule chose, la présence des personnes chères qui les ont aimés sur Terre. Alors, chaque jour, ils courent et jouent jusqu'au moment où l'un d'eux s'arrête soudain de jouer et regarde en l'air. Son nez s'agite! Ses oreilles se dressent! Ses yeux fixent l'horizon! Et tout d'un coup, il s'éloigne en courant du groupe!

Il vous a vu et, quand vous vous rencontrez, vous prenez votre cher compagnon dans vos bras et vous l'étreignez. Votre visage est inondé de baisers, et votre regard plonge une fois de plus dans le regard confiant de votre ami.

Alors vous traversez ensemble le pont de l'Arc-en-ciel, pour ne plus jamais être séparés.

Chapitre 8

PRIÈRE À LA MORT D'UN ANIMAL DE COMPAGNIE

Seigneur Dieu,
Ceux qui n'ont jamais eu d'animal de compagnie,
Trouveront étrange cette prière,
Mais Vous, Seigneur de Toute Vie et Créateur de Toutes les Créatures,
Vous comprendrez.
Mon cœur est lourd,
Car je viens de perdre ma compagne bien-aimée,
Celle qui faisait tellement partie de ma vie.

Cette compagne a rendu ma vie plus agréable,
Elle m'a permis de rire et de trouver la joie auprès d'elle.
Je me souviens de sa fidélité et de sa loyauté
Et sa présence me manquera.
Avec elle j'ai appris plusieurs leçons, telles la valeur du naturel
Et la quête d'affection spontanée.
Soucieux de répondre à ses besoins quotidiens,
J'ai cessé de penser uniquement à mes propres besoins
Et j'ai ainsi appris à être utile aux autres.

Puisse la mort de cette créature qui est la Vôtre
Me rappeler que la mort attend chacun de nous,
Animaux comme êtres humains,
Et qu'elle est un passage naturel pour toutes les formes de vie.
Puisse _____ dormir
D'un sommeil paisible et éternel sous Votre Divine protection
En attendant la plénitude et la libération de toute la création.

Amen

– Alan Novak, Friends Helping Friends

Chapitre 9

L'amour et la mort

La vie des chiens est trop courte. C'est là vraiment leur seul défaut.

— Agnes Sligh Turnbull

J'ai parfois pensé à la raison ultime pour laquelle les chiens ont une si courte vie, et je suis tout à fait convaincu que c'est par compassion pour la race humaine ; car si nous souffrons tellement à la perte d'un chien après une relation de dix ou douze ans, qu'en serait-il s'ils vivaient deux fois plus longtemps?

— Sir Walter Scott

Le meilleur endroit pour enterrer un bon chien, c'est dans le cœur de son maître.

— Ben Hur Lampman

Le don de Megan

Je l'avais aperçue du coin de l'œil. Megan était dans la cour en train de pourchasser les oiseaux quand elle trébucha légèrement. Je me dis qu'elle avait dû buter contre une roche ou glisser dans un trou du gazon, car lorsque je levai la tête de mon ouvrage elle s'était remise à courir comme s'il n'était rien arrivé.

Une semaine plus tard, je remarquai qu'elle boitait, presque imperceptiblement, de sa patte antérieure droite. Une légère ecchymose, peut-être, ou encore une éraflure qu'elle se serait faite en tombant dans la forêt? Un propriétaire de chien ordinaire ne se serait probablement pas arrêté à ce genre de détail. Mais la minute où je constatai ce boitillement, je pressentis que quelque chose n'allait pas. Et je me mis à trembler à mesure qu'une horrible certitude s'emparait de moi. « Elle a un cancer des os », me suis-je dit.

Je l'appelai, et à la manière dont elle bondit joyeusement vers moi, elle ressemblait à un golden retriever de 14 ans robuste et en parfaite santé. Mais quelque chose me disait qu'il en était autrement. J'ouvris sur le champ la portière de ma jeep et l'amenai en toute hâte à mon bureau pour un examen complet.

Les radiographies de sa patte confirmèrent mes craintes. En tenant les images devant la lumière, je pus voir la trace ténue d'un début de cancer à la carpe. Je tournai les yeux vers Megan, ma chienne si gentille et dévouée, puis revins aux images que je tenais dans mes mains. Et je me mis à pleurer. Megan avait fait tellement de chemin avec moi. Le temps avait-il passé si vite?

Mon éveil comme vétérinaire avait commencé onze ans auparavant, le jour de ma rencontre avec Megan. Elle était aux prises avec un ver du cœur, et je n'avais jamais vu de cas aussi pire. Un de mes amis avait trouvé Megan à Jaffrey, dans le New Hampshire. Cette petite ville de Nouvelle-Angleterre était située non loin de Peterborough, où je débutais alors ma carrière de vétérinaire. Jour après jour, la malheureuse créature sortait du bureau de mon ami dans un état léthargique, cherchant de l'aide et un brin de gentillesse. Elle avançait de quelques pas, puis s'écrasait au sol, prise de quintes de toux. Elle faisait des efforts pour se relever, mais retombait encore au bout de quelques pas. Elle ne portait ni plaque d'identification ni collier, rien qui pût suggérer que quelqu'un, ne serait-ce que dans un lointain passé, avait tenu à elle. Elle était seule, malade et désemparée.

Il y a onze ans, je plongeai mon regard dans les yeux fatigués et suppliants de la créature la plus attachante que j'aie jamais vue et je fis la promesse : « Si tu t'en tires, je te garde. »

L'amour et la mort

Megan non seulement survécut à un long et dangereux traitement contre le ver du cœur et s'en tira, mais elle devint une puissante source de vie, une Florence Nightingale à quatre pattes possédant un pouvoir de guérison qui allait bien au-delà de tout ce que j'avais appris à l'école vétérinaire.

Un soir, j'avais ramené à la maison une brebis qui avait été férocement attaqué par une meute de chiens sauvages. Megan la lécha, la nettoya, frotta son nez contre elle et dormit à ses côtés toute la nuit. Le lendemain matin, Megan vint me réveiller et me conduisit vers le salon, où je trouvai la brebis, solidement campée sur ses pattes et en train de bêler, tandis que Megan agitait vivement la queue. Le lendemain, nous pûmes renvoyer la brebis chez elle à la ferme. Je dis nous, car il n'y a jamais eu aucun doute dans mon esprit quant aux causes du prompt rétablissement de la brebis. Pour une raison ou pour une autre, par une simple effusion d'amour, Megan avait touché l'essence même de l'autre créature et, de ce fait, provoqué chez elle une transformation physique.

J'ai été témoin de ce miracle à plusieurs reprises. Quand une mère Maine coon perdit deux de ses chatons et se trouva immobilisée à la suite d'une intervention chirurgicale d'urgence, ce fut Megan qui, jouant la mère porteuse, lécha le liquide amniotique sur les deux chats survivants. Un furet presque mourant et amaigri par les toxines à cause d'une maladie du foie se rétablit au bout d'une semaine, pendant laquelle Megan joua sans malice à le pousser d'un côté et de l'autre avec son museau. Le furet lui mordilla le nez à quelques reprises, mais elle répondait en frottant doucement son museau contre lui.

Quand un chasseur blessa accidentellement son braque allemand d'un coup de feu à l'abdomen, Megan, sans que je ne dise un mot, suivit le chasseur dans la salle d'attende pendant l'opération d'urgence et posa sa tête sur ses genoux. Plus tard, quand je vins vers elle et lui dis « Megan, j'ai besoin de toi », elle leva instinctivement la patte jusqu'à l'aiguille pour que je pratique la transfusion sanguine qui sauva la vie du braque.

Petit à petit, le don de Megan se mit à me toucher et à me transformer sur le plan spirituel. Je me rendis compte qu'une

Chapitre 9

partie de moi-même avait été étouffée par le strict rationalisme qu'on m'avait inculqué à l'école vétérinaire. À cet endroit, les animaux n'étaient pas tant des créatures vivantes que des « cas ». Megan avait réveillé en moi le genre de complicité avec les animaux que j'avais instinctivement connu quand j'étais enfant.

En l'observant soigner d'autres animaux, je commençai à comprendre que les liens fondamentaux de la nature étaient plus puissants que tout ce que les connaissances scientifiques établies avaient à offrir. Car ces liens sont constitués des fibres de l'amour, de la bonté et de la guérison physique et spirituelle – les fibres mêmes de la vie.

Et voilà que ma douce amie, mon adorable professeure faisait face à un terrible pronostic. Certains vétérinaires recommandèrent la radiothérapie et la chimiothérapie, ainsi qu'une amputation, pour arrêter la propagation de la maladie. Mais Megan était déjà assez vieille et je ne pouvais lui imposer de telles souffrances. Je voulais la laisser s'en aller avec dignité, le corps et l'esprit encore intacts.

Ce soir-là, je rentrai à la maison le cœur lourd, redoutant le moment où j'annoncerais la nouvelle à ma femme, Barbara. Megan faisait partie de notre vie depuis les tout premiers débuts. Elle avait même servi en quelque sorte de demoiselle d'honneur à notre mariage, dans le jardin derrière la maison. Elle portait pour l'occasion un gros nœud rose assorti aux garnitures de la robe de Barbara. Pendant la cérémonie, elle s'était fait une place entre Barbara et moi, position dans laquelle elle n'avait d'ailleurs pas tardé à s'endormir!

Megan était couchée devant nous près du foyer quand je parlai à Barbara. Nous pleurâmes tous les deux, doucement, tout en disant à Megan à quel point nous l'aimions. Elle resta là à nous regarder, et nous vîmes dans ses yeux qu'elle comprenait nos paroles et les acceptait.

Après avoir considéré ensemble les différentes options, Barbara et moi avons convenu qu'il était préférable de ne poser aucun geste « héroïque ». Nous choisîmes plutôt d'orienter nos efforts pour assurer à Megan tout le bien-être possible.

Barbara lui cuisinait elle-même des repas sains et biologiques et, veillant avec la plus grande attention au dosage de sa médication, je lui administrais des analgésiques naturels et des anti-inflammatoires.

Mais, à vrai dire, il n'y avait nul besoin de faire quoi que ce soit pour Megan. De la même façon qu'elle avait pris soin des autres, elle se mit tout naturellement à prendre soin d'elle-même. En l'observant au cours des semaines et des mois qui suivirent, je me rendis compte que cette chienne, qui m'avait déjà éveillé à une nouvelle manière d'entrer en relation avec mes patients, continuait d'être mon professeur à travers sa maladie. Par des voies subtiles mais importantes, alors même qu'elle était mourante, elle me montrait encore comment vivre.

Je la vis avec étonnement commencer à ajuster son propre degré d'activité. À mesure que le cancer progressait, elle ralentissait l'allure de nos promenades dans le sentier situé non loin de la maison. Nous avions l'habitude de prendre des marches d'environ deux kilomètres et demi, mais elle s'arrêtait dorénavant au bout d'un kilomètre, reniflait les buissons ou regardait un papillon, puis se reposait un moment. Si je continuais de marcher avec Barbara, Megan restait tout simplement à nous attendre sur le bord de la route en flairant les broussailles et rentrait ensuite avec nous. Au bout de quelques mois, elle ne parcourait guère plus d'un demi-kilomètre, et ensuite ce fut encore moins. Nos promenades finirent par se limiter à quelques pas tranquilles dans l'allée de la maison.

Fait encore plus miraculeux, quand la tumeur grossit, Megan découvrit une source naturelle derrière la maison, ce qui lui permit de planter sa patte antérieure dans la boue et de la faire tremper. Instinctivement, elle avait eu recours à une méthode séculaire pour soulager la douleur. La boue est utilisée dans plusieurs cultures pour soigner les inflammations et elle est aussi un vieux traitement contre le cancer. Personne n'a poussé Megan vers cette méthode de guérison. Elle le savait, c'est tout.

Elle semblait aussi savoir que ses jours étaient comptés, mais elle ne paraissait pas s'en préoccuper. Quatre mois s'étaient écoulés depuis ma première découverte de la tumeur et, petit à petit, elle avait ralenti ses activités jusqu'à ne pratiquement plus sortir dehors. Elle faisait quelques pas en boitillant autour de la maison, agitait la queue, reniflait de temps à autre une bestiole ou un tas de poussière. Mais elle passait la majorité du temps couchée sur le plancher à faire de longues siestes, tandis que Barbara et moi vaquions à nos activités.

Mon inquiétude augmentait néanmoins à mesure que Megan devenait moins alerte. Une série de conférences organisée plus d'un an auparavant m'appelait pour trois semaines en Norvège, et la date de mon voyage approchait. Mais je ne voulais pas abandonner Megan. Je *ne pouvais* pas abandonner Megan alors que sa fin était proche. Je fus troublé pendant des semaines. Mon seul recours était de poser la question à Megan. Chaque jour, je la regardais et lui demandais : « Je ne veux pas te faire endormir pendant que tu es heureuse et profites encore de la vie. Mais je ne peux pas annuler ces conférences. Qu'est-ce que je dois faire? » Megan ne semblait jamais me donner de réponse.

J'avais tenté de reporter les conférences, mais trop de personnes étaient impliquées pour qu'on les remette à plus tard. Je n'avais d'autre choix que de préparer mon départ, en espérant que Megan tienne bon jusqu'à notre retour.

Plus la date du départ approchait, plus j'étais dans tous mes états. « Megan, *je ne peux* te laisser, tu le sais! » lui disais-je. Nos regards se croisaient et, en réponse, elle agitait légèrement la queue.

Tout était arrangé pour la Norvège. Nous avions retenu les services d'une gardienne fiable, que Megan connaissait bien, et elle avait la consigne de ne poser aucun geste héroïque en mon absence. Je m'étais finalement résigné à peut-être devoir quitter Megan sans lui dire un dernier au revoir. La tendre compagne qui avait été auprès de moi pendant si longtemps finirait peut-être ses jours dans la solitude.

Megan réussit toutefois, en un tel moment, à m'enseigner une dernière chose. Le matin précédant notre départ, à notre réveil, Barbara et moi l'avons trouvée étendue à sa place habituelle au pied de notre lit, mais elle avait peine à respirer. Elle avait les yeux ouverts, mais son corps était si lourd qu'elle ne pouvait lever la tête.

Je m'agenouillai tout près d'elle et la regardai dans les yeux. « Megan, dis-je doucement. Ça y est, n'est-ce pas? »

Elle avait déjà donné sa réponse. Barbara pleurait calmement dans le lit quand je me retournai vers Megan pour lui communiquer ce que nous ressentions au fond de notre cœur. Megan savait. Elle savait que nous allions partir, que nous ne nous reverrions peut-être plus jamais – et dans un ultime acte d'amour, elle a choisi de partir avant nous.

Nous restâmes un moment serrés l'un contre l'autre, tous les trois, puis je descendis à mon bureau chercher une seringue hypodermique. Quand je revins dans la chambre, Barbara était assise par terre, la tête de Megan posée confortablement sur ses genoux.

Je restai quelques instants immobile, la seringue entre les mains, à regarder Barbara et Megan, et me refusant à affronter l'inévitable. Megan dut entendre mes pensées et sentir mon conflit intérieur. Car avant que j'aie dit ou fait quoi que ce soit, elle leva faiblement sa patte droite pour recevoir l'injection. C'était la même patte que j'avais utilisée onze années plus tôt pour la sauver.

Ce geste résumait parfaitement son héritage particulier. Lorsque j'introduisis doucement l'aiguille, je me souvins de cet instant où, le jour suivant notre première rencontre, elle avait tendu la patte pour recevoir l'injection intraveineuse qui allait lui permettre de combattre le ver du cœur. Et je me souvins de cet autre moment où, quelques années plus tard, elle avait tendu volontairement la même patte pour donner son sang et sauver la vie d'un chien blessé. Au bout du compte, il était clair qu'elle mourait comme elle avait vécu – le bras tendu vers les autres.

Ce fut terminé en quelques secondes. Se laissant bercer par Barbara, qui tenait sa tête entre ses bras, Megan poussa un long soupir et mourut. Nous la transportâmes dans la cour, où nous l'enterrâmes en lui faisant silencieusement nos adieux.

Cet au revoir ne signifiait pas pour nous la fin. L'énorme influence qu'a eue Megan est encore bien présente dans ma vie.

Chapitre 9

Je pense à elle presque tous les jours. Son regard complice et la manière qu'elle avait de toucher les autres me reviennent à l'esprit dans l'accomplissement de mon travail. Je suis parfois tellement occupé que j'ai peur de perdre la vision de ce que je suis et de ce qu'est réellement ma mission. Mais dans ces moments de pression et de distraction, le souvenir de Megan me ramène à la vraie réalité – la réalité voulant que l'amour soit la seule force capable de nous rendre sensibles et attentifs aux besoins des autres, animaux ou êtres humains.

– Allen Schoen

Un petit ange chien

Là-haut dans les jardins du paradis
Un petit ange chien aujourd'hui attend ;
Il ne se mêle pas aux jeux des autres anges,
Mais reste assis seul près de la porte.
« Car je sais que mon maître viendra , dit-il.
Et alors il m'appellera. »

Les autres anges passent près de lui,
Pressés de se rendre jusqu'au trône ;
Et il les regarde d'un œil triste,
Assis seul près de la porte.
« Mais je sais que si je suis patient,
Mon maître un jour ou l'autre m'appellera. »

Et son maître tout en bas sur la Terre,
Assis dans son fauteuil,
Oublie parfois et soupire à voix basse
Au souvenir du chien qui n'est plus là.
Et le petit ange chien dresse les oreilles,
Et rêve à la voix de son maître.

L'amour et la mort

Et quand enfin son maître attendra
Dans la noirceur et dans le froid
Que la main de la mort ouvre la porte
Menant à ces jardins dorés
Il entendra un son à travers l'obscurité,
Et ce sera le jappement du petit ange chien.

– Norah Holland

Nero

Nero, mon chien bien-aimé, est mort le 1er avril 1995. Il était âgé de 15 ans. Il m'avait été offert par ma mère quand j'avais 18 ans. Elle était atteinte d'un cancer en phase terminale et elle m'avait acheté Nero pour me ragaillardir et faire en sorte que je pense à autre chose qu'à sa maladie. Elle s'attacha finalement beaucoup à lui elle aussi. En principe, ce devait être un épagneul mêlé de caniche, un chien miniature qui n'allait pas dépasser 30 centimètres. Toutefois, il se révéla être, selon le point de vue, ou bien le plus fascinant mélange de scottish-terrier, de berger allemand, de teckel et de pitbull, ou bien le chien le plus laid que vous ayez jamais vu.

Nero était un vrai battant… il faisait exactement ce qu'il voulait, et les seuls tours qu'il exécutait étaient ceux qu'il avait appris lui-même, comme ouvrir la porte du réfrigérateur avec sa patte et voler des steaks sur le gril fumant. Il était très brave et ne reculait devant personne. Il détestait quand je lui faisais porter de stupides vêtements pour chiens… et me le faisait savoir en grognant furieusement. Il a mordu le nez de plusieurs personnes, mais ces gens étaient venus planter leur face devant la sienne sans avoir été invités. Il m'aimait inconditionnellement, et quand je rapportai un deuxième chien à la maison, alors qu'il

Chapitre 9

avait 10 ans, il l'accepta de mauvaise grâce et finit par aimer Skooter.

Nero était avec moi la nuit où ma mère est morte. Il fut avec moi tout au long de ma turbulente vingtaine. Il fut là aussi quand j'ai eu le cœur en morceaux et quand j'ai transféré tout mon amour sur cette créature noire et hirsute. Quand j'ai rencontré l'homme qui allait devenir mon mari, Nero l'a accepté et l'a laissé entrer dans notre vie. Nero était présent à mon mariage, tout comme sur la photographie officielle de la cérémonie. Pendant ma grossesse, Nero s'allongeait avec moi, le menton posé sur mon ventre qui grossissait à l'infini. Il fut le premier à sentir les coups de pied du bébé.

Le 3 février, le jour de la naissance de ma fille, Nero commença un traitement pour son arthrite au dos. Il devint apathique, mais s'arrangea tout de même pour se traîner jusqu'au nouveau membre de la famille et l'accueillir. Après avoir grogné son approbation, il s'installa dans la chambre du bébé et veilla sur lui. Comme son état empirait, plusieurs personnes étaient d'avis qu'il valait mieux le faire endormir. Cela aurait peut-être été vrai pour certains chiens, mais Nero avait toujours piqué des crises chez le vétérinaire, nous laissant entendre de manière théâtrale que chaque visite était sa dernière. Je ne pouvais tout simplement supporter l'idée de l'y emmener pour une euthanasie. Les dernières semaines furent difficiles, mais le soir avant sa mort, nous lui avons donné un bain et nous l'avons installé sur une couverture. Il rampa jusqu'à la chambre du bébé, et c'est là que nous l'avons trouvé, abandonné à son repos éternel.

Il me manque beaucoup, tout comme à son copain Skooter. Le meilleur hommage que je pouvais offrir à Nero, c'était de procurer un bon foyer à une autre attachante créature. Quelques semaines plus tard, nous sommes donc allés dans un refuge chercher un nouvel ami pour Skooter. Il s'appelle Sheepy, et c'est un chien de bétail australien que l'on a retrouvé abandonné sur une autoroute. Il n'est pas une solution de remplacement mais une richesse de plus dans notre vie.

L'amour et la mort

Je crois qu'il y a une place au paradis où les chiens (et les autres animaux bien-aimés) peuvent rejoindre leurs êtres chers. Je sais que c'est là que se trouve mon Nero, sans doute en train de courir derrière des voitures en jambon fumé et des facteurs en salami!

Pour terminer, voici une courte liste de ce qui rendait Nero si spécial : son café du matin, auquel on ajoutait deux sachets de Sweet'n Lows ; son habitude d'aboyer devant les statues de chevaux ou de vaches ; sa manière de m'accompagner partout en voiture, même en plein hiver lorsqu'il sautait sur la banquette arrière et s'installait à faire la sieste pendant que je faisais mes courses ; son jouet préféré, une réplique de pied humain en caoutchouc parfumé au chocolat ; et l'amour et la dévotion dont il m'a fait cadeau pendant quinze merveilleuses années. J'espère seulement avoir fait tout ce qu'il fallait pour toi, mon petit chéri, mon meilleur.

– Martin et Rosemarie

Notre petite chérie

Sabre
Une chienne rottweiler
Noire et brun clair
48 kilos
26 décembre 1986 – 1er novembre 1995

Sabre fut notre tout premier chien. Mon mari avait 47 ans, et moi 35, quand nous sommes allés voir cette portée de sept semaines. Nous n'avions jamais vu de chiots rottweilers auparavant et nous fûmes étonnés de leur taille à un si jeune âge. Sabre, la femelle alpha (plus de 6 kilos), porta son choix sur nous en suivant mon mari et en mâchant les lacets de ses souliers chaque fois qu'elle en avait la chance. Quel adorable petit ange obstiné elle était. Elle ne tarda pas à comprendre quantité de mots en anglais, et nous enseigna rapidement son langage de rottweiler.

La dresser à obéir fut tout un défi. Il nous fallut en effet deux cours complets de 10 semaines avant qu'elle ne se qualifie pour la simple obéissance de base. Elle faisait bien les choses en groupe, pendant les classes hebdomadaires, mais l'épreuve de graduation se déroulait en solo. Seule en scène, quand tous les regards étaient dirigés vers elle, elle cabotinait. « Au pied? Assis? Mais de quoi vous me parlez! » Il en fut de même pendant la deuxième série de cours, qui dura également 10 semaines ; à l'épreuve de graduation, les instructeurs me prirent en pitié et lui donnèrent la note de passage. Ils savaient qu'elle était sérieuse en classe avec le groupe, mais que le fait d'être seule en scène la déboussolait. J'étais vraiment embarrassée, mais plus tard je réalisai que cela faisait partie des choses qui la rendaient si spéciale.

Sabre aurait pu représenter sa race sur les affiches du National Rottweiler Breed. Elle était tellement gentille, tellement affectueuse. Les enfants du voisinage l'adoraient, et c'était réciproque. Elle les avait adoptés. Et plus l'enfant était petit, plus elle se montrait douce avec lui. Nous amenions Sabre dans tous les endroits imaginables. Chaque personne qu'elle rencontrait devenait pour elle un jeu potentiel. Et ce qu'elle pouvait se tortiller! Le mouvement partait de la queue, et tout le reste suivait. Une enfant gâtée, vous dis-je. Le pop-corn, bien sûr, mais avec du beurre. De la margarine, non merci!

Depuis ses jeux de poursuite jusqu'à faire un siège sur nos pieds, elle prit possession de la maison, s'assurant que tout allait fonctionner à la manière rottweiler pendant près de neuf ans. Une promenade en voiture la plongeait dans des transes extatiques, en particulier si la sortie se terminait par une visite chez ma mère (sa mamie). Elle connaissait le trajet et se mettait à pousser des cris un kilomètre avant d'arriver à la maison de maman. Oh qu'elle aimait sa mamie! Même ses marches quotidiennes au bout de la laisse dans le voisinage étaient un motif pour sauter de joie. Elle adorait tout ce qu'elle faisait et tous les endroits où elle allait avec maman ou papa.

En mars 1995, elle commença à boiter de sa patte gauche antérieure. Croyant (à huit ans) que c'était un peu d'arthrite, nous lui avons donné de l'aspirine avant d'aller dormir. Un matin, vers la fin avril, elle se réveilla en marchant sur trois pattes. Sa patte gauche antérieure ne pouvait toucher le sol sans qu'elle gémisse de douleur. Le vétérinaire prit des radiographies qui révélèrent un ostéosarcome (cancer des os) à l'humérus gauche. Selon le pronostic, il lui restait environ six mois à vivre. On lui administra des antibiotiques, au cas où elle aurait été simplement atteinte d'une infection des os, une pathologie qui se présente de manière semblable sur les radiographies. Étonnamment, son état s'améliora en quelques jours, et elle se remit à faire la folle et à courir partout.

Tout alla assez bien jusqu'en juillet, mais elle recommença alors à boiter. Nous ajoutâmes 5 milligrammes de prednisone à sa médication, ce qui la remit d'aplomb pendant quelques semaines. À partir de ce moment, elle descendit graduellement la pente. Nous dûmes augmenter la dose de prednisone à 20 milligrammes par jour. Son foie s'hypertrophia. Elle était mentalement alerte et montra le même intérêt aux activités de la famille jusqu'au jour précédant celui où nous l'avons envoyée au paradis des petits chiens. Il lui était difficile de faire des promenades autour de la maison. Sortir dehors faire ses besoins l'épuisait complètement. Elle perdit l'appétit, et en même temps son intérêt pour la vie. À la fin, il n'y avait plus de position où elle était bien. Le cancer des os impose des souffrances atroces. Mon mari avait le cœur en morceaux.

Cette journée-là, avant de l'accompagner à sa dernière visite chez le vétérinaire, nous l'avons serrée dans nos bras et nous avons pleuré. Nous l'avons serrée dans nos bras et nous lui avons murmuré des mots doux à l'oreille tandis qu'elle glissait dans son dernier sommeil. Avec une angoisse écrasante et silencieuse, ne voulant pas déranger les clients dans la salle d'attente, nous refusant à la quitter définitivement, nous l'avons serrée dans nos bras tandis que ses coussinets devenaient froids.

Je coupai une touffe de poils dans son cou afin de garder un souvenir que je pourrais toucher. Nous prîmes enfin les dispositions pour la crémation et le retour des cendres. Sabre sera toujours avec nous, et nous attendons le jour où nous pourrons enfin la revoir.

– Linda et Jim

Ces chiens qui nous manquent

Les vieux ont plusieurs chiens à regretter.
Ils vivent tout au plus une douzaine d'années
Et lorsque vous atteignez la soixantaine,
Plusieurs noms évoquent en vous des sourires du passé.
Vous les voyez dans votre esprit, assis, la tête inclinée.
Vous les voyez dans votre lit, ou sous la pluie,
Ou dormant la nuit près du feu
Et, toujours, en train de mourir.

Vous êtes jeunes mais ils sont vieux. Ils vont leur chemin,
Le berger allemand et le caniche,
Le basset et le corniaud.
On s'en souvient comme des enfants partis
Bien qu'ils aient donné beaucoup plus qu'ils ont pris,
Et vous finissez par voir des chiens qui leur ressemblent.
Ils vous croisent dans la rue mais ne se retournent jamais
Même s'ils le devraient, avec leur air si familier.
Les vieux ont plusieurs chiens à regretter.

– Steve Allen

Le pouvoir du chien

Il y a assez de peine naturellement créée
Par les hommes et les femmes pour remplir une journée ;
Et quand nous avons tout le chagrin qu'il nous faut en réserve,
Pourquoi cherchons nous toujours à en avoir davantage?
Mes frères, mes sœurs, prenez garde,
Si vous livrez votre cœur à un chien,
Vous risquez de le retrouver en morceaux.

Achetez un chien et vous aurez pour votre argent
Un amour indéfectible qui ne peut mentir –
Le culte et la passion parfaite nourris
D'un coup de pied dans les côtes ou d'une caresse sur la tête.
Malgré tout il n'est guère bon
De risquer votre cœur en le livrant à un chien.

Quand les quatorze années que la Nature octroie
Se terminent avec de l'asthme, une tumeur ou une crise,
Quand les prescriptions tacites du vétérinaire conduisent
À la chambre de la mort ou au fusil chargé,
Alors vous saurez – cela ne regarde que vous –
Que vous avez livré votre cœur à un chien.

Quand le corps qui a vécu selon votre seule volonté,
Et avec des gémissements de bienvenue, est immobile (com-
bien immobile!)
Quand l'esprit qui répondait à toutes vos humeurs
S'en est allé – où que ce soit – pour de bon
Vous découvrirez à quel point vous êtes touché
Et vous livrerez votre cœur à un chien.

Nous avons assez de peine de façon naturelle
Quand vient le temps d'enterrer en terre chrétienne.
Nous amours ne nous sont pas données mais prêtées
À intérêt composé de cent pour cent.
Quoiqu'on ne puisse pas toujours dire, je crois,

246

Que plus longtemps nous les gardons, plus grande est la douleur.

Car lorsqu'il faut rembourser les dettes, que la chose soit bonne ou non,
Un prêt est un aussi lourd fardeau à court ou à long terme.
Alors pourquoi, au nom du Ciel (et avant même d'y être)
Devrions-nous livrer notre cœur à un chien?

– Rudyard Kipling

Vendredi : l'histoire d'un fils

NIGAUD À GROSSE TÊTE
MONSTRE À GROSSE TÊTE
CHIEN DE CIRQUE
CHIEN VENTRILOQUE
CHIEN DU VENT
PAS À VENDRE
DU LUNDI AU VENDREDI
MONSTRE À LA SEMAINE LONGUE
LE VENT DANS LES POILS
TÊTE DE PELUCHE
GRAND-CHIEN
HEUREUX CHIEN
PITOU COUREUR
COURAILLEUR
ROI VENDREDI
ROI COPAIN
ROI PITOU
ROI POTE
CHIEN SAUTEUR
M. FÉROCE
M. PATIENCE

L'amour et la mort

M. POILS ENTRE LES ORTEILS PEUT PAS M'ATTENDRE
POUR SORTIR
MON PETIT COPAIN
M. GARÇON POLI
CHIEN CABRIOLE
PIF PAF
PELLES À LA PLACE DES PATTES
MICMAC À QUATRE PATTES
CHIEN DES NEIGES
CHASSEUR D'ÉCUREILS
LE CHIEN CHASSEUR
LE ROI
LA CRÉATURE DES MARAIS

IL NOUS A FAIT RIRE
IL NOUS A FAIT PLEURER
IL NOUS A INQUIÉTÉS
IL NOUS A RENDUS HEUREUX
IL NOUS A RENDUS TRISTES
IL NOUS A ÉMERVEILLÉS
IL NOUS A FAIT SOURIRE
NOUS AVONS DE LA CHANCE
IL A EU DE LA CHANCE
IL EST LE ROI

IL ME MANQUE
IL NOUS MANQUE

JE SUIS TRISTE

– Scott Forbis

248

Chapitre 9

Koblenz

Par un matin frais et pluvieux de juillet, la police frappa à notre porte pour nous annoncer que notre boutique avait été cambriolée. Koblenz, notre berger allemand de 14 ans, s'excita un peu, aboya et s'écrasa par terre. Le vétérinaire, un homme très gentil, nous appela pour l'examiner. Il ne put le dire à mon mari, car ils étaient tous deux inséparables, mais il s'approcha de moi en larmes et me dit « Il a eu une attaque cérébrale et ne survivra pas. »

Après avoir essuyé mes larmes, je me dis que nous verrions bien ce qui allait se passer. Son état empira pendant la nuit. Il était allongé sur le plancher de la salle de bain, incapable de bouger. Il fallait donc que je prenne une décision. Je ne pouvais le laisser souffrir. Je décidai de l'amener chez le vétérinaire le lendemain matin. Ne voulant pas laisser Koblenz seul, j'apportai quelques coussins et une couverture et m'allongeai sur le plancher de ciment, une main posée sur sa patte. Chaque fois que je l'enlevais, il s'efforçait de lever la tête et il me regardait. Vers 3 heures du matin, je sus que sa fin était proche. Il se traîna jusqu'à notre chambre et se coucha par terre à côté du lit. Je pus donc me coucher dans mon lit tout en gardant une main sur lui pour qu'il ne soit pas seul. Nous n'avons pas dormi. Nous sommes restés là, allongés, à l'écouter respirer.

Mon mari ne pouvait se faire à l'idée que Koblenz était très malade. Il alla donc prendre une douche. Vers 5 heures du matin, Koblenz leva carrément la tête et me regarda dans les yeux (je ne l'oublierai jamais). Je criai à mon mari de venir, et c'est alors que Koblenz rebaissa la tête et poussa son dernier soupir. Nous avons fabriqué un boîte, creusé un trou dans le jardin, et nous l'avons enterré avec tous ses jouets, son coussin et sa couverture. Je croyais que nous ne cesserions jamais de pleurer. Nous avons plus tard découvert qu'il avait aussi un cancer, mais nous ne l'avions jamais su car son seul désir était de nous rendre heureux. Le message que nous avons inscrit à côté de sa photo sur sa pierre tombale résume ce qu'il était :

L'amour et la mort

KEYWAYS « COBY » KOBLENZ

Tu as traversé avec nous les bons et les mauvais moments, les jours tristes et les jours heureux. Tu nous as apporté la lumière quand le soleil était absent. Pour cela, nous t'aimerons toujours.

Nous déposons chaque semaine des fleurs fraîches sur sa tombe et nous lui parlons tous les jours. Nous l'aimons du fond du cœur, aujourd'hui et à jamais.

Koblenz – berger allemand, RIP.

– Anonyme, Virtual Pet Cemetery

Adieux à un rottweiler

Je t'ai serré aujourd'hui dans mes bras alors que tu t'es éteint. Cela m'a fait si mal de te laisser aller. Je pleurais le nez dans ta fourrure, et tu as tourné vers moi tes yeux tendres et confiants en me demandant de t'aider. Après tout ce que tu m'as donné, je ne pouvais ignorer ta dernière demande. Tu étais le rottweiler le plus merveilleux et le plus attachant qui puisse exister. Je souffre, mais tu ne souffres pas. Petite boule de duvet se dandinant et trébuchant sur ses pattes, je rappellerai toujours ta vie extraordinaire à mon compagnon affectueux et attentif des dernières années. Tout ce que tu voulais, c'était être auprès de moi – les jeux, les caresses et le simple plaisir d'être tranquillement ensemble. Je vais regretter nos petites conversations et ton nez dans mes jambes quand je faisais le ménage. Tu me protégeais des buses et des avions dans le ciel ; tu m'avertissais quand des camions ou le vendeur de crème glacée approchaient ; tu hurlais de concert avec les sirènes des ambulances, même celles de la télévision. Quand ton papa est parti, tu as été là pour moi, me donnant tout l'amour dont débordait ton grand cœur. On ne peut demander meilleure infirmière. Tu ne me quittais même pas pour boire ou manger, et j'ai dû apporter tes bols dans la chambre à coucher. Tu avais tellement d'amour à donner, et je t'ai laissé devenir mon chien thérapeute. Tu n'as fait qu'un seul voyage, mais tu as touché profondément un tas de gens. Puis tu es tombé malade. Je pensais que tu pouvais apporter de l'amour à d'autres personnes et j'ai prié si fort pour que tu te rétablisses. Mais Dieu t'a appelé au pont de l'Arc-en-ciel. Je sais que tu ne souffres plus ; tu es libre et joyeux, tu rejoins en courant les autres chiens près du pont. Attends-moi là-bas, Prince. Je viendrai un jour te retrouver. Vas vers Dieu, mon petit garçon. Je t'aime tellement, tu vas me manquer. Tu seras toujours dans mon cœur.

Nous nous reverrons, mon petit garçon.

Prince Damien II
21 avril 1987 – 10 juin 1996

– Susan Taylor

Rosy

Je n'ai vu tes notes qu'un bon moment après que nous soyons arrivés à la maison vendredi. Comme tu n'avais rien dit avant mon départ, j'ai pensé que tu étais contre ; et Jim était silencieux. Il a maintenant lu les notes et, sans avoir eu à en discuter longuement, nous sommes tombés d'accord.

Ce soir-là, elle était, comme d'habitude, dans nos jambes et sautait un peu partout, mais dans les circonstances cela n'avait pas d'importance. À un moment donné, Jim dit « Elle me chatouille les jambes, arrête-la! » et nous nous sommes mis à rire. Malgré la pluie légère, j'ai cuisiné sur le gril et elle est apparue en bas des marches ; son nez ne la trompait jamais. Elle a mangé son dîner et a voulu avoir le nôtre. À l'encontre de tes consignes habituelles, je lui ai donné tous les restes. J'ai hésité un moment à la laisser seule, mais il ne semblait pas nécessaire de prévoir autre chose.

Le matin, j'ai appelé l'hôpital : « Amenez-la avant une heure, il ne sert à rien d'attendre. » Jim était prêt, et je suis retourné à la maison. Je l'ai trouvée endormie au milieu des restes des abus de la veille. En la réveillant, le plus doucement possible, je la vis agiter la queue à mon intention. Je l'ai transportée dans la cour et je l'ai mise par terre. Elle a agité encore la queue, s'est secouée, et est allée faire ses « affaires de beagle ». Je l'ai laissée seule et j'ai entrepris notre propre rituel, qui dure depuis 17 ans : laver le bol, le remplir d'eau fraîche, préparer la nourriture (réchauffée au micro-onde car, toujours aussi audacieuse, elle la voulait bleue), et alors, alors seulement, partir le café. Elle est rentrée au bout d'un moment et elle a bu son eau en faisant du bruit. Avant le petit-déjeuner, elle s'est roulée avec bonheur sur le tapis de la salle à dîner. J'ai essuyé soigneusement ses yeux. Jim était arrivé, et c'était le temps d'y aller.

Je l'ai prise dans mes bras et je l'ai amenée jusqu'à la voiture. Quand j'ai ouvert la portière, cela a fait sursauter ses yeux aveugles et elle a eu un mouvement de recul. J'ai pleuré en essayant de la rassurer, mais je croyais toutefois en la justesse de ce que nous étions sur le point de faire. Jim nous a conduits les fenêtres grandes ouvertes ; je la serrais bien fort et, chose qui ne lui ressemblait pas, elle restait immobile dans mes bras, le nez à peine levé pour sentir la brise. Un chant choral qu'elle ne pouvait entendre nous a calmés, Jim et moi.

À l'hôpital, on nous a offert de la prendre pendant qu'on remplissait la paperasserie. Mais j'ai refusé et je l'ai serrée un peu plus fort et un peu plus près de moi. Elle n'a opposé aucune résistance. On nous a offert une salle, mais j'ai dit « Vous pouvez la prendre n'importe quand ». C'est ce qu'ils ont fait. Une jeune femme est entrée et a demandé en la caressant doucement « Quel est son nom? ». J'ai répondu « Rosy » et je l'ai laissée aller. Une de ses oreilles est retombée et, d'un moment à l'autre, elle était déjà loin. Quand nous sommes retournés à la voiture, le magnifique Gloria était terminé ; mais il me sembla alors, et il me semble encore, que les notes, tout comme Rosy, allaient jouer pour l'éternité.

J'y suis retourné à 1 h 30 pour la ramener encore une fois à la maison. On l'avait enveloppée dans des serviettes et couchée dans le lit en osier. J'ai ramassé son bol, son « sac de beagle », ses nombreuses laisses (combien de laisses faut-il à un chien, quand Dieu sait qu'elle ne se tenait jamais au pied de toute manière), toutes les balles et les jouets de sa jeunesse (ce qui me parut bruyant, plein d'entrain et interminable) et enfin tous les foulards colorés de ses jours glorieux (ce qu'ils pouvaient être amusants, bébêtes, fous, improbables, mais combien charmants).

Jim est revenu une fois de plus, et nous avons creusé un trou à l'ombre de l'arbre, comme nous nous l'étions promis. Puis... « dans la brouette où elle reposait, un rayon de soleil caressa sa fourrure. »*

– Johann Klodzen

*Tiré de *Another Dog's Death*, de John Updike.

Lady Margaret

24 février 1994 – 28 avril 1996
Nous nous retrouverons sur le pont de l'Arc-en-ciel

Je te revois encore, petite créature joyeuse,
Bondissant aux côtés de ta Sasha bien-aimée
Les hanches et la queue frétillant drôlement
Vos deux voix en contrepoint
Derrière les écureuils chaque fois habiles à vous échapper.

Le plaisir des poursuites était infini.

Je sens encore ta langue douce et chaude dans mon oreille
Après la sonnerie du réveil :

L'amour et la mort

« C'est l'heure de te lever, m'man ; la journée commence,
m'man ;
Laisse-moi monter sur ton oreiller, m'man ;
Je vais me glisser dans tes rêves, m'man. »

La paix dans la chaleur de ton amour était infinie.

Et j'entends maintenant tes murmures satisfaits
Les gémissements et les soupirs d'un ange qui dort
Alors que tu poursuis tes courses joyeuses
Conduite par les écureuils rusés qui te mènent
Dans les forêts obscures où je ne peux te suivre.

La joie de nos tendres entretiens était infinie.

— Joan Samuelson

Le testament et les dernières volontés
d'un chien très distingué

Moi, Silverdene Emblem O'Neill (que famille, amis et connaissances appellent familièrement Blemie), écrasé sous le poids des ans et des infirmités, voyant approcher la fin de ma vie, j'enfouis par la présente dans l'esprit de mon maître mon testament et mes dernières volontés. Il ignorera mon geste tant que je ne serai pas mort. Puis, alors qu'il pensera à moi dans sa solitude, il reconnaîtra soudain l'existence de ce testament. Je lui demande alors de le graver en ma mémoire.

J'ai peu de choses matérielles à laisser derrière moi. Les chiens sont plus sages que les hommes. Ils accordent peu de place à ces choses. Ils ne perdent pas leur temps à amasser des biens. Ils ne s'empêchent pas de dormir en se demandant comment conserver ce qu'ils possèdent ou comment obtenir ce qu'ils n'ont pas. Je n'ai aucun objet de valeur à léguer, si ce n'est mon amour et ma confiance, que je laisse à tous ceux qui m'ont aimé. Je les laisse à mon maître et à ma maîtresse, dont je sais qu'ils seront ceux qui me regretteront le plus, à Freeman,

qui a été si bon avec moi, à Cyn, à Roy, à Willie, à Naomi, à…
Si je devais faire la liste de tous ceux qui m'ont aimé, mon maître aurait un livre à écrire. Peut-être est-il vain de m'enorgueillir
alors que j'approche de la mort, car celle-ci transforme toutes
les bêtes et toutes les vanités en poussière. Mais je dois dire que
j'ai toujours été un chien infiniment adorable.

Je demande à mon maître et à ma maîtresse de se souvenir
toujours de moi, mais de ne pas pleurer ma perte trop longtemps. Ma vie durant j'ai essayé de consoler leurs peines et
d'ajouter à leurs joies. Il m'est pénible de penser que, même
mort, je leur cause quelque chagrin. Puissent-ils se le rappeler,
bien que j'aie eu la vie la plus heureuse qui soit (et cela je le
dois à leur amour et à leurs attentions), je suis maintenant un
chien aveugle, sourd et boiteux ; j'ai même perdu le sens de
l'odorat, au point de ne pouvoir flairer un lapin qui passerait
sous mon nez. Ma fierté s'est ainsi enlisée dans l'humiliation
perplexe de la maladie. J'ai l'impression que la vie se moque de
moi en étirant mon séjour. L'heure est venue de faire mes
adieux, avant que la maladie ne me transforme en un fardeau
pour moi-même et pour les autres. Je serai triste de les quitter,
mais je n'aurai pas de peine de mourir. Les chiens ne craignent
pas la mort comme les hommes. Nous l'acceptons comme faisant partie de la vie, et non comme une chose étrange et terrible
qui viendrait la détruire. Qui sait ce qui nous attend après la
mort? J'aimerais croire, tout comme mes camarades dalmatiens
qui sont de fervents musulmans, qu'il existe un Paradis où l'on
est éternellement jeune et vigoureux ; où l'on batifole toute la
journée avec des myriades d'houris magnifiquement
tachetées ; où les lièvres, rapides mais pas trop (tout comme les
houris), abondent comme le sable dans le désert ; où chaque
heure divine est celle du repas ; où par les longues soirées cré-
pitent dans les foyers des millions de feux inextinguibles auprès
desquels chacun peut se pelotonner, en clignant des yeux, en
inclinant la tête et en rêvant devant les flammes, au souvenir du
bon vieux temps passé sur terre et de l'amour de son maître et
de sa maîtresse.

L'amour et la mort

J'ai bien peur que même un chien comme moi ne puisse en demander tant. Mais la paix, du moins, m'est assurée. La paix et un long répit pour mes membres, ma tête et mon vieux cœur fatigué. Un repos éternel dans la terre que j'ai tant aimée. C'est sans doute, après tout, la meilleure chose.

Je fais une dernière demande importante. J'ai entendu ma maîtresse qui disait « Quand Blemie mourra, nous n'aurons jamais un autre chien. Je l'aime tellement que je ne pourrai jamais en aimer un autre. » Je lui demanderais donc, par amour pour moi, d'adopter un autre chien. Le contraire serait un pauvre hommage à ma mémoire. J'aimerais plutôt savoir que ma présence dans la famille l'aura rendue incapable de se passer d'un chien! Je n'ai jamais eu un tempérament jaloux. J'ai toujours considéré que la plupart des chiens étaient bons (de même que le chat noir auquel j'ai donné la permission de partager pendant nos soirées le tapis du salon, et dont j'ai aimablement toléré l'affection, allant même, dans de rares élans sentimentaux, jusqu'à lui rendre). Certains chiens, bien sûr, sont meilleurs que d'autres. Naturellement, comme chacun le sait, les dalmatiens sont ce qu'il y a de mieux. Je suggère donc que mon successeur soit un dalmatien. Évidemment, il n'aura jamais mes bonnes manières ou ma distinction, ni la prestance que j'avais dans la fleur de l'âge. Mon maître et ma maîtresse ne doivent pas demander l'impossible. Mais il fera de son mieux, j'en suis sûr, et ses inévitables défauts contribueront même à redorer mon souvenir. À lui je lègue mon collier, ma laisse, mon pardessus et mon imperméable, fabriqués sur mesure chez Hermès, à Paris, en 1929. Il ne les portera jamais avec la distinction que j'affichais lorsque nous longions sous les regards admiratifs la Place Vendôme ou, plus tard, Park Avenue ; mais, encore une fois, je suis persuadé qu'il fera tout son possible pour ne pas avoir l'air gauche d'un chien provincial. J'imagine qu'il soutiendra mieux la comparaison ici sur la ferme. Il sera probablement plus habile pour approcher les lièvres que je ne l'ai été ces dernières années. Pour tous ses défauts, je lui souhaite donc par la présente tout le bonheur dont je sais qu'il jouira dans mon ancien foyer.

Chapitre 9

Un dernier mot d'adieu pour vous, cher maître et chère maîtresse. Chaque fois que vous visiterez ma tombe, dites-vous avec regret mais aussi avec de la joie dans le cœur au souvenir de ma longue et heureuse vie auprès de vous : « Ci-gît celui qui nous aimait et que nous aimions ». Du plus profond de mon sommeil je vous entendrai, et la mort, dans son grand pouvoir, ne saura m'empêcher d'agiter la queue avec reconnaissance.

– *Eugene O'Neill*

À PROPOS DES AUTEURS

Quatre fois en nomination pour le prix Pulitzer, Michael Capuzzo est l'auteur d'une chronique sur les animaux publiée par une agence de presse nationale dans le Newsday, le Philadelphia Inquirer, le Rocky Mountain News et plusieurs autres journaux. Il est aussi l'auteur de Wild Things et de Mutts : America's Dogs. Teresa Banik Capuzzo collabore par ses articles de fond au Philadelphia Inquirer et au Philadelphia Daily News. Elle fut première recherchiste pour une série d'articles de l'Inquirer qui s'est valu le prix Pulitzer, ainsi que pour l'ouvrage America : What Went Wrong ? Les Capuzzo, qui habitent une ferme dans le sud du New Jersey, sont les co-auteurs de Cat Caught My Heart, le compagnon félin de Our Best Friends.

Les textes suivants ont été reproduits avec l'aimable autorisation de leur auteur ou de leur éditeur :

Page 8 : " A Dog's Home Is Many Hearths ", de Roberta Sandler. Copyright © Roberta Sandler. Reproduit avec l'autorisation de l'auteur.

Page 11 : " Maxie ", anonyme. Tiré du LavaMind's Virtual Pet Cementery, http://www.lavamind.com/pet.html. Le Virtual Pet Cementery est un " cyber " cimetière unique consacré aux animaux. Au cours des ans, ce site très particulier a pris de l'expansion pour devenir l'un des cimetières " en ligne " les plus connus dans le monde. Des milliers de visiteurs de toutes les régions du monde le visitent chaque jour pour y lire ou y publier des épitaphes.

Page 12 : " The Never-Ending Dog ", de Jill Francisco. Reproduit avec l'autorisation de Warner Books, Inc. New York, New York, États-Unis. Paru dans *Mutts : America's Dogs*, de Brian Kilcommons et Mike Cappuzo. Tous droits réservés.

Page 13 : " Loving Lizzie ", de Kitty Brown Gutstein. Reproduit avec l'autorisation de la Delta Society. La Delta Society, une organisation à but non lucratif, a été fondée en 1977. Sa mission est de favoriser la contribution des animaux à l'amélioration de la santé, de l'autonomie et de la qualité de vie des personnes. Nos objectifs sont de sensibiliser la population aux effets bénéfiques des animaux sur le plan de la santé et du bien-être familial, de réduire les barrières à la pleine jouissance des animaux dans la vie quotidienne, de fournir à plus de gens l'accès à la zoothérapie et d'accroître à l'intention des personnes handicapées le nombre de chiens d'assistance dûment qualifiés. Pour de plus amples renseignements, veuillez communiquer avec la Delta Society à l'adresse ou au numéro suivants : 289 Perimeter Road East, Renton, WA 98055-1329, (206) 226-7357.

Page 40 : " A Gift for Eternity ", de Bill Tarrant. Tiré de *The*

avec l'autorisation de Curtis Brown, Ltd.

Page 107 : " Puppies for Sale ", de Dan Clark. Adaptation de *Puppies for Sale and Other Inspirational Tales*, de Dan Clark.

Page 109 : " The Christmas Miracle ", de Sally D. Swartz. Reproduit avec l'autorisation de *The Palm Beach Post*.

Page 125 : " Give a Miracle to Get a Miracle ", de Bill Tarrant. Tiré de *The Magic of Dogs*, de Bill Tarrant. Copyright © 1995, Bill Tarrant. Reproduit avec l'autorisation de Lyons Press.

Page 136 : " Jeremy Boob, Golden Retriever ", de Roger Caras. Tiré de *A Celebration of Dogs*, de Roger Caras. Copyright © 1982, 1984, Roger Caras. Reproduit avec l'autorisation de Times Books, une division de Random House, Inc.

Page 142 : " The Answer ", de Dr Nicholas Dodman. Tiré de *The Dog Who Loved Too Much*, de Nick Dodman. Copyright © 1996, Nick Dodman. Publié avec l'autorisation de Bantam Books, une division de Bantam Doubleday Dell Publishing Group, Inc.

Page 144 : " Training Zippy ", de Dave Barry. Tiré de *Dave Barry Talks Back,* de Dave Barry. Copyright © 1991, Dave Barry. Reproduit avec l'autorisation de Crown Publishers, Inc.

Page 147 : " Travels with Lucy ", de Diana Kordas. Reproduit avec l'autorisation de l'auteur.

Page 149 : " Bow Vows ", de Charles Hoskinson. Reproduit avec l'autorisation d'Alvin Bojar et du *St. Petersburg Times.*

Page 150 : " Cedric ", de *James Herriot.* Tiré de James Herriot's Dog Stories, de James Herriot. Copyright © 1986, James Herriot. Reproduit avec l'autorisation de St. Martin's Press, Inc.

Page 170 : " Sheila ", de Roger Scott. Reproduit avec

l'autorisation du *Daily Mail* (Londres).

Page 172 : " One Miracle Deserves Another ", publié avec l'autorisation d'Associated Press.

Page 173 : " The Shepherd Who Knew ", de Bill Tarrant. Tiré de *The Magic of Dogs*, de Bill Tarrant. Copyright © 1995, Bill Tarrant. Reproduit avec l'autorisation de Lyons Press.

Page 173 : " The Water Rescuer ", de Jon Winokur. Adaptation de *Mondo Canine*, textes réunis et édités par Jon Winokur. Copyright © 1991, Jon Winokur. Penguin Books USA Inc. Reproduit avec l'autorisation de l'auteur.

Page 174 : " King ", de Walter R. Fletcher. Copyright ©1981, New York Times Company. Reproduction autorisée.

Page 176 : " Semper Fido ", de Tom Berg, adapté par Michael Capuzzo. Reproduit avec l'autorisation du Orange County Register, copyright © 1997.

Page 180 : " Debra's Angel ", de Debra Angel. Reproduit avec l'autorisation de la Delta Society.

Page 186 : " Benamino ! Te Amo ! *(Benji ! I Love You !)*, de Joe Camp. Benji® est une marque enregistrée de Benji Associates. Extraits tirés du livre *Underdog*, de Joe Camp, publié par Longstreet Press, Inc. Atlanta, Georgie, 1-800-927-1488.

Page 197 : " Susan and Joe ", de Susan Duncan et Michael Capuzzo. Reproduit avec l'autorisation de Warner Books, Inc. New York, New York, U.S.A. Tiré de *Mutts : America's Dogs*, de Brian Kilcommons et Mike Capuzzo. Tous droits réservés.

Page 199 : " Barry ", de Norman Vincet Peale. Reproduit avec l'autorisation de la Peale Foundation, Inc.

Page 209 : " Vigil of the Cementery Dog ", de Doris Mitchell.

Page 249 : " Koblenz ", anonyme. Tiré du LavaMind's Virtual Pet Cemetery, http://www.lavamind.com/pet.html.

Page 250 : " Farewell to a Rottweiler ", de Susan Taylor. Reproduit avec l'autorisation de l'auteur. Publié pour la première fois dans Farokh's Dog Page, http://www.dogpage.mcf.com.

Page 251 : " Rosy ", de Johann Klodzen. Reproduit avec l'autorisation de l'auteur. Publié pour la première fois dans Dead Pet Page, http://www.geocities.com/Heartland/4139/cemetery.html.

Page 253 : " Lady Margaret ", de Joan Samuelson. Reproduit avec l'autorisation de l'auteur. Publié pour la première fois dans Farokh's Dog Page, http://www.dogpage.mcf.com.

Table des matières